PAR UN TERRIBLE
APRÈS-MIDI,

les ordinateurs du monde entier s'éteignent simultanément, à la suite d'une attaque virale aux conséquences dramatiques. Dans l'établissement que fréquente Adam Daley, âgé de 16 ans, il semble a priori qu'une coupure de courant habituelle soit à l'origine du problème – du moins jusqu'à ce que les élèves découvrent que leurs téléphones portables ne fonctionnent plus, que les services publics municipaux sont également inopérants et que seuls quelques véhicules anciens fonctionnant sans ordinateur – comme la voiture d'Adam – sont encore en état marche.

Au moment de rentrer chez lui, Adam est surpris par une formidable vague de colère et d'inquiétude, pendant que la région où il habite devient de plus en plus paralysée. À mesure que les réserves diminuent, que la crise s'amplifie et que le chaos s'installe, les résidents de son quartier de banlieue commencent à se regrouper pour assurer leur protection. Adam comprend alors que le fait d'avoir pour mère une capitaine de la police et pour voisin un agent secret à la retraite est non seulement une réalité incontournable de son existence, mais surtout, ce qui lui permettra de survivre.

La règle de trois entraîne le lecteur dans un univers cauchemardesque! Il s'agit du récit tout à fait plausible d'une aventure extraordinaire, écrite par l'illustre auteur Eric Walters.

Photographie: Sofia Kinachtchouk

ERIC WALTERS

est un auteur très populaire au Canada anglais. Après avoir enseigné au primaire, il a écrit et publié plus de 80 ouvrages de littérature pour la jeunesse. Il a aussi fondé Creation of Hope, une organisation caritative qui s'occupe des orphelins de la région de Mbooni, au Kenya. Il habite à Mississauga, en Ontario.

ericwalters.net

LA RÈGLE DE TROIS

Édition : Pascale Morin
Révision : Patricia Juste
Correction : Caroline Hugny

DISTRIBUTEUR EXCLUSIF :

Pour le Canada et les États-Unis :
MESSAGERIES ADP inc.*
2315, rue de la Province
Longueuil, Québec J4G 1G4
Téléphone : 450-640-1237
Télécopieur : 450-674-6237
Internet : www.messageries-adp.com
* filiale du Groupe Sogides inc.,
  filiale de Québecor Média inc.

08-15

Gouvernement du Québec
– Programme de crédit d'impôt
pour l'édition de livres – Gestion
SODEC – www.sodec.gouv.qc.ca

L'Éditeur bénéficie du soutien de
la Société de développement des
entreprises culturelles du Québec
pour son programme d'édition.

Nous reconnaissons l'aide
financière du gouvernement du
Canada par l'entremise du Fonds
du livre du Canada pour nos
activités d'édition.

ERIC
WALTERS

LA
RÈGLE
DE
TROIS

LA LUTTE POUR LE POUVOIR

Traduit de l'anglais (États-Unis)
par Normand Paiement et Marie-José Thériault

Une société de Québecor Média

Pour Anita, mon épouse, mon univers et la source
de toutes les bénédictions que j'ai reçues dans ma vie

1

— Est-ce que tu ne pourrais pas taper un peu plus vite ? m'a enjoint Todd.

Nous étions tous les deux dans la salle des ordinateurs pendant l'heure d'étude obligatoire, qui se trouvait être notre avant-dernier cours de la journée. J'aurais franchement souhaité être ailleurs, mais, en dépit du fait que nous étions là en train de bosser sur sa dissertation, je connaissais pire comme endroit où passer du temps avec mon meilleur ami.

— Ce qui nous retarde, ce n'est pas la vitesse de mes doigts, ai-je répliqué. J'écris ce que tu me dictes, point. Mais, toi, tu restes là sans dire un mot.

— Allez, Adam, je compte sur toi pour boucher tous ces trous-là.

— C'est *ta* composition, pas la mienne.

— Tu veux que je réussisse, oui ou non ? m'a-t-il lancé d'un ton enjôleur.

— Bien sûr que je veux que tu réussisses.

— Dans ce cas-là, tu as intérêt à t'y mettre, parce que sinon mes chances de réussite sont plutôt minces.

— Si tu avais fait ton devoir plus tôt au lieu d'attendre la dernière minute, tu n'aurais pas besoin de mon aide, espèce de paresseux.

— On est encore *loin* de la dernière minute. On n'a pas à le remettre avant le dernier cours de la journée.

— Qui a lieu dans quarante minutes.

— C'est ce que je disais. La *dernière* minute, ce sera dans trente-neuf minutes à partir de maintenant. Techniquement parlant, je serais *en avance* si je le rendais *maintenant*.

C'était la logique de Todd à son meilleur. Il était presque impossible de lui faire entendre raison, mais il était absolument impossible de ne pas rigoler en sa compagnie. Les petites nouvelles assises de chaque côté de nous semblaient être du même avis, car elles se sont mises à glousser.

— S'il vous plaît, évitez de l'encourager, ai-je maugréé.

— Et maintenant, tu refuses qu'on m'encourage. Quel genre d'ami es-tu donc ? m'a-t-il reproché. Si vous souhaitez me prodiguer vos encouragements, mesdemoiselles, ne vous gênez surtout pas.

Elles ont éclaté de rire de nouveau. De toute évidence, il était devenu plus important pour lui de chercher à les impressionner que de m'aider à lui éviter un nouvel échec.

— Pourquoi tu n'as pas fait ton devoir hier soir ? lui ai-je demandé.

— Après la séance d'entraînement, j'étais crevé. Physiquement et mentalement. Tu l'aurais été, toi aussi, si tu n'avais pas laissé tomber l'équipe de football.

— Je n'ai *pas* laissé tomber l'équipe. J'ai tout simplement décidé de faire autre chose cette année.

— C'est pareil.

— J'ai remplacé le football par des leçons de vol. C'est différent.

— Tu en connais beaucoup des jeunes de seize ans qui préfèrent des cours de pilotage à tout le reste ?

— Je n'en connais qu'un qui veut devenir pilote.

— Comme son papa.

— Parfaitement.

Mon père travaillait comme pilote pour la compagnie Delta. Il était en uniforme quand nous avions pris notre petit-déjeuner ce matin-là et il nous avait annoncé qu'il partait pour l'aéroport international O'Hare de Chicago. Je savais que son avion allait bientôt entreprendre son vol de retour et qu'il rentrerait à temps pour lire une histoire aux jumeaux avant qu'ils aillent se coucher.

— Personnellement, je préférerais être comme ta mère, a déclaré Todd.

— Ma mère est une femme, lui ai-je fait remarquer. Et j'avoue que je trouve un peu inquiétante l'idée de te voir en robe, avec des chaussures à talons hauts et le visage maquillé.

— Premièrement, je veux être policier, comme ta mère. Deuxièmement, je trouve un peu plus qu'inquiétante l'idée que tu m'imagines en robe, maquillé et en talons hauts. Depuis quand est-ce que tu fantasmes sur moi en m'imaginant habillé en femme ?

Une fois que Todd était lancé, il était difficile de l'arrêter.

— Excusez-moi ! s'est-il écrié.

Tous les élèves présents dans le laboratoire se sont tournés vers lui.

— Combien parmi vous trouvent inquiétant qu'Adam m'imagine habillé en femme ?

De nombreuses mains se sont levées.

— Ne faites pas attention à lui, s'il vous plaît ! ai-je protesté.

— Adam, il ne faut pas avoir honte de tes sentiments.

— Préviens-moi quand tu auras fini, Todd.

— Je crois qu'il est important, à notre époque, que tout le monde t'accepte tel que tu es et respecte tes sentiments. Pour être franc, je considère comme un compliment le fait que tu fantasmes sur moi.

— Je ne fantasme *pas* sur toi !

— Ne fais pas ton timide. Je suis sûr que tu n'es pas le seul à fantasmer sur moi.

Il s'est tourné vers la fille qui était assise près de lui.

— Pas vrai ? Avoue que j'ai pénétré au moins une ou deux fois dans l'univers de tes fantasmes.

Le rire de la jeune fille s'est étranglé comme si elle venait d'avaler de travers.

— N'hésite pas à exprimer tes sentiments, toi aussi, a-t-il poursuivi. Réalise ton fantasme et tu pourras vivre une expérience cosmique avec moi.

Elle est devenue rouge comme une tomate, a ramassé ses affaires et est sortie de la salle à toute vitesse. À partir de cet instant, les deux autres filles qui se trouvaient à côté de nous ont fait mine de nous ignorer.

— Génial ! ai-je commenté.

— J'ai peut-être été un peu méchant, mais je me suis bien amusé. C'est la raison pour laquelle Dieu a créé les écoles secondaires : pour que les élèves plus âgés puissent embêter les plus jeunes.

Je savais que Todd était incapable d'éprouver la moindre honte et qu'il était par ailleurs impossible de tempérer ses ardeurs. Il était aussi implacable qu'une avalanche. Tout ce que je pouvais espérer, c'était tenter de faire dévier sa trajectoire.

— Depuis quand rêves-tu de devenir policier ?

— Depuis peu. J'ai pensé que ce serait cool de me balader avec une arme à feu.

— Une chance pour nous que tu n'as pas d'arme à feu en ce moment, c'est le moins qu'on puisse dire.

— Je vais faire semblant de n'avoir rien entendu, mais si j'avais une arme, je t'obligerais à jouer au football.

— Je te l'ai dit, je n'ai pas le temps pour ça.

— Si tu perdais moins ton temps à l'école, tu aurais tout le temps qu'il faut à la fois pour jouer au football et pour prendre des cours de pilotage. Voilà la solution à ton problème.

— Et comment te débrouilles-tu de ton côté? lui ai-je demandé.

— Ça irait très bien si une certaine personne arrêtait de me compliquer l'existence et m'aidait à finir ce devoir-là.

— Alors, finissons-en avec ça! Il faut que je parte tout de suite après l'école. J'ai un cours de pilotage.

— Compris, Orville Wright[1], a-t-il approuvé.

— Hum! il vaut mieux s'appeler Orville Wright qu'Orville Redenbacher[2]. Encore trois leçons et je pourrai voler en solo.

— Quand tu auras ta licence de pilote, devine qui voudra être la première personne à s'envoyer en l'air avec toi?

— Toi?

— Je songeais à n'importe qui à part moi!

Les deux filles assises à ma gauche ont recommencé à ricaner, de même que quelques autres élèves.

---

1. Orville Wright et son frère Wilbur sont deux célèbres pionniers américains de l'aviation. (Source: fr.wikipedia.org/wiki/Orville_et_Wilbur_Wright.) (*N.D.T.*)
2. Orville Redenbacher est un homme d'affaires américain dont le nom et l'image sont associés à une marque de pop-corn. (Source: fr.wikipedia.org/wiki/Orville_Redenbacher.) (*N.D.T.*)

— Tu ferais mieux d'éviter d'insulter celui qui a ton avenir au bout de ses doigts, sinon...

Soudain, les lumières se sont éteintes, l'écran de l'ordinateur est devenu complètement noir et les personnes présentes dans le laboratoire se sont mises à maugréer toutes ensemble alors que nous étions plongés dans l'obscurité.

— Qu'est-ce qui se passe ? ai-je demandé.

— Panne de courant ou quelque chose du genre. Mais, dis, plus important, as-tu au moins pu sauvegarder ma dissertation ? m'a lancé Todd.

— Je l'ai enregistrée... il y a quelques minutes à peine. Presque tout est là.

— Mais... j'ai besoin que *tout* soit là ! Qu'est-ce que je vais pouvoir raconter à monsieur Dixon ?

— Tu lui expliqueras qu'il y a eu une coupure de courant.

— Jamais il ne voudra me croire !

— Mais si, il va te croire. Les lumières sont éteintes partout, alors il doit l'avoir remarqué, ai-je répondu en faisant un geste en direction du couloir complètement sombre. La panne de courant n'est pas que dans le laboratoire d'informatique. D'ailleurs, je suis sûr que tout va bientôt rentrer dans l'ordre.

— Il risque d'être trop tard. Il ne me croira pas si je lui dis que j'avais presque fini. Tu dois le lui dire !

— Pourquoi moi ?

— Il va te croire, toi ! Tu remets toujours tes devoirs à temps, tu ne rates jamais un cours, tu es un élève studieux et tu es toujours poli avec les profs. Un vrai lèche-bottes, quoi !

— C'est ce qu'on appelle être responsable.

— Lèche-bottes ou responsable... les mots sont différents, mais ça revient au même...

— Hé, mon ordinateur est aussi en panne ! s'est exclamée notre voisine.

— *Tous* les ordinateurs sont éteints, a précisé Todd. Les ordinateurs ont besoin d'une substance magique appelée *électricité*, a-t-il ironisé en se tournant vers moi. La jeunesse d'aujourd'hui est vraiment ignorante.

— Je sais au moins que mon ordinateur portable fonctionne avec une batterie, a-t-elle protesté.

— Ta batterie doit être déchargée.

— Mais le mien s'est éteint aussi, a indiqué un autre garçon.

— Le mien aussi, a ajouté une fille assise à l'autre bout du laboratoire.

Tous utilisaient des ordinateurs portatifs.

— Eh bien, c'est parce que..., a bredouillé Todd en me regardant. D'après toi, Adam ?

— Comment veux-tu que je sache ?

— C'est toi qui as remporté la finale de l'Expo-sciences l'an dernier, non ?

— Oui, pour la conception d'un ULM biplace, pas parce que je sais tout sur l'électricité.

— Ben voyons, tu es un puits de science. Crois-tu que je te laisserais faire mes devoirs sinon ? Allons trouver monsieur Dixon et lui expliquer ce qui est arrivé à mon texte, tu veux bien ?

Ce n'était pas du tout dans mes intentions. Mais j'étais tout de même curieux de savoir ce qui se passait. J'ai donc poussé un profond soupir et je me suis levé.

* * *

Les élèves se répandaient littéralement dans les corridors. La seule lumière provenait des fenêtres des classes et des lampes de secours qui étaient alimentées par des piles. Les cours ayant pris fin de manière imprévue, tout le monde était sorti des classes. On entendait à présent les éclats de rire et le brouhaha des conversations des élèves qui se réjouissaient de pouvoir bénéficier d'une pause prématurée.

— Puis-je avoir votre attention, s'il vous plaît ! a soudain retenti une voix grave.

— S'il vous plaît, tout le monde, restez à vos places ! a hurlé notre directeur à l'aide d'un mégaphone. Rendez-vous tous dans le gymnase pour une brève réunion.

La foule s'est mise à grommeler.

— Je propose que nous nous dirigions vers la sortie, a déclaré Todd. Avec toute cette agitation, personne ne pourra nous empêcher de partir.

— Qu'est-ce que tu fais de la réunion ?

— Et tu te demandes pourquoi je te traite de lèche-bottes ?

Nous avons descendu les escaliers, mais seulement pour trouver en bas deux enseignants qui, plantés devant la sortie, se chargeaient de détourner le flot des élèves vers la salle de gym.

— Oublie ton idée, ai-je grommelé.

Je savais que Todd était déçu, mais je voulais vraiment entendre ce qu'ils avaient à nous dire.

Nous avons suivi le mouvement. Seules quelques lampes d'urgence éclairaient faiblement le gymnase. La salle était déjà bondée et j'ai éprouvé un léger sentiment de claustrophobie lorsque nous avons pénétré à l'intérieur. Les gradins étaient pleins à craquer et nous nous sommes retrouvés parqués au milieu du terrain intérieur, épaule contre épaule. Je me suis félicité d'être plus grand que la plupart des autres élèves. Les responsables de l'établissement avaient-ils réellement pensé entasser quinze cents élèves dans cet endroit ?

— Mon téléphone ne fonctionne pas, a déclaré Todd.

— Je crois qu'il n'y a plus de réseau dans cette école.

— Non, je veux dire que tout est noir, comme pour les écrans d'ordinateur, a-t-il répondu en me montrant son cellulaire.

— Ta batterie est déchargée. Ton téléphone a besoin de cette substance magique appelée *électricité* pour fonctionner...

— Mon téléphone est en panne lui aussi, m'a interrompu une fille.

— J'ai le même problème, a renchéri quelqu'un d'autre.

Tous les élèves autour de nous qui avaient entendu cet échange exhibaient à présent leurs téléphones. Des réactions de colère et d'incrédulité ont commencé à fuser de partout. Il était étrange de voir à quel point ils semblaient davantage préoccupés par le fait que leurs téléphones ne fonctionnaient pas que par le fait qu'il n'y avait pas d'électricité.

J'ai aussi sorti mon téléphone, histoire d'en avoir le cœur net. Il était éteint – conformément au règlement de l'école –, mais quand j'ai appuyé sur le bouton pour l'allumer, il est resté inerte. Je savais pourtant qu'il était chargé.

Les antennes-relais du réseau mobile avaient sans doute besoin d'électricité pour fonctionner. Mais était-ce la raison pour laquelle même nos écrans refusaient de s'allumer ? Ce n'était pas rationnel. Même sans antennes-relais, nous aurions dû pouvoir utiliser d'autres applications.

— Puis-je avoir votre attention ? a lancé notre directeur, debout sur la scène, un porte-voix entre les mains. S'il vous plaît, tout le monde ! Veuillez écouter attentivement. Taisez-vous, je vous prie !

17

Le brouhaha des conversations s'est estompé jusqu'à n'être plus qu'un murmure, ce qui constituait déjà un niveau de coopération acceptable.

— Comme vous le savez tous, il s'est produit une coupure de courant, a-t-il commencé. D'après nos estimations, toute la région est touchée, puisque le service téléphonique au complet est hors service, autant téléphones fixes que téléphones portables, sans doute à cause de la panne d'électricité.

La clameur de la foule est montée d'un cran dès que tous ceux qui n'avaient encore rien remarqué ont sorti leurs portables dans le but de corroborer ses dires.

— Du calme, tout le monde ! Plus tôt nous en aurons terminé, plus tôt vous pourrez tous rentrer chez vous !

Les élèves se sont mis à pousser des cris de joie, bientôt suivis d'une salve d'applaudissements.

— Silence, s'il vous plaît ! Quel que soit le problème, a poursuivi le directeur quand le bruit s'est estompé, je suis persuadé que des gens s'en occupent et qu'il sera résolu très bientôt.

Pour une raison que j'ignore, j'avais l'impression que ce serait loin d'être aussi simple. Je me demandais encore pourquoi les batteries des ordinateurs portables s'étaient déchargées.

— Nous avons décidé d'annuler la dernière période de cours de la journée et de vous laisser rentrer plus tôt.

L'auditoire a recommencé à pousser des acclamations.

Le directeur a levé la main dans le but de calmer tout le monde, puis il a ajouté :

— Vous pouvez rester dans le gymnase en attendant l'arrivée des autobus. Si vous êtes en voiture ou à pied, gardez à l'esprit que les feux de circulation seront probablement en panne.

Par conséquent, soyez prudents. Vous pouvez partir, maintenant.

Nous avons poussé des cris de joie encore plus puissants que précédemment, puis nous nous sommes tous précipités vers les sorties.

2

Le flot des élèves s'est échappé par toutes les portes du gymnase. Mon père étant absent, me suis-je dit, je devais probablement récupérer les jumeaux à l'école primaire, car je savais qu'on allait demander à ma mère de rester à son poste à cause de la coupure de courant. Tous les agents seraient tenus de demeurer en service et, en tant que capitaine du poste de police, elle serait complètement immobilisée jusqu'à ce que le problème ait été résolu. Et comme cette panne laissait présager que je n'aurais pas de cours de pilotage, mon après-midi était passablement foutu de toute façon.

— As-tu besoin de récupérer quelque chose dans ton casier ? ai-je demandé à Todd.

— Non. Je suppose qu'il faudra remettre cette dissertation à monsieur Dixon demain, mais nous avons une période d'étude avant son cours pour la terminer.

— Je dois te féliciter pour ta persévérance.

— Ça va, j'ai juste besoin de rentrer à la maison. Hé, est-ce que tu la vois ?

— Baisse le ton, ai-je grommelé. Oui, je la vois.

Tout juste devant nous se trouvait Lori. Elle et Chad sortaient du bâtiment, main dans la main. J'ai senti mes dents grincer. Quelque chose d'aussi magnifique ne devrait pas entrer en contact avec quelque chose d'aussi horrible. Il n'y avait pas beaucoup de personnes que je détestais, mais Chad faisait partie du lot. C'était un joueur de crosse riche et snob qui louchait et qui avait deux ans de plus que moi, et lui non plus ne m'aimait pas. Comme Todd n'avait pas manqué de le mentionner à de nombreuses reprises, il n'était pas nécessaire d'être un génie pour comprendre que j'avais le béguin pour Lori. Elle ne l'avait pas remarqué jusqu'à présent, ou du moins, si c'était le cas, elle faisait semblant de ne pas s'en être aperçue.

— Je me demande bien ce qu'elle lui trouve, ai-je maugréé.

— Allons le lui demander. Hé, Lori! a crié Todd.

Lori et Chad se sont retournés; j'aurais voulu disparaître six pieds sous terre.

— Je me demandais…, s'est écrié mon ami dès l'instant où nous les avons rattrapés, ou plutôt, *nous* nous demandions tous les deux…

— … combien tu as eu pour ton examen d'histoire! me suis-je empressé de continuer.

Lori, Todd et moi étions dans la même classe pendant la troisième période de cours.

— Quatre-vingt-neuf, a-t-elle répondu en nous décochant un sourire.

J'ai senti mes jambes ramollir.

— Excellent, a déclaré Todd, mais j'étais vraiment curieux de savoir…

— … si tu voulais te joindre à notre groupe d'étude pour les examens, l'ai-je coupé de nouveau.

Todd s'est mis à rire, mais je n'y ai pas prêté attention.

— Je sais qu'il est encore tôt, mais c'est important de régler cette question-là rapidement.

— Hmm, ce serait génial, a affirmé Lori.

Chad m'a lancé un regard assassin. Ma manœuvre n'a pas eu l'heur de l'impressionner ni de le duper.

— Bon, alors, à demain. Viens, Todd, nous ferions mieux de partir maintenant.

— Mais...

— Si nous ne partons pas maintenant, je connais quelqu'un qui va rentrer chez lui à pied, si tu vois ce que je veux dire.

— Compris. C'est bon, allons-y. À demain, les *filles* !

Lori a esquissé un sourire tandis que Chad nous fusillait du regard, mais il était suffisamment intelligent pour ne pas répliquer. Todd était plus jeune mais plus costaud, et il avait la réputation bien méritée de s'emporter facilement et d'être un gars coriace, prêt à se battre contre importe qui. Si Chad s'était fait tabasser par un élève qui avait deux ans de moins que lui, cela aurait pu nuire à son image de type sympa. Ils ont tout simplement quitté les lieux.

— Je pense que cela répond en partie à ta question, a dit Todd en faisant un geste en direction de la BMW de Chad.

— Je ne crois pas. Elle est trop bien pour se laisser séduire par la voiture de quelqu'un. Il faudrait être assez superficiel pour se laisser influencer par ce genre de chose.

— Hé, fais attention à ce que tu dis. Si ce gars-là n'était pas un abruti fini, je me ferais copain avec lui rien que pour monter dans sa bagnole. Regarde le tas de ferraille que tu conduis.

— Mon auto est une voiture de collection, pas un tas de ferraille, ai-je répliqué en ouvrant la portière.

— Une Chevrolet Corvette 57 est une voiture de collection, pas une Oldsmobile Omega 81.

J'ai étiré le bras pour déverrouiller sa portière avant de poursuivre :

— C'est une Omega des années soixante-dix, donc c'est une voiture de collection. Par définition, une automobile qui a plus de vingt-cinq ans est une voiture de collection. Fais le calcul.

— Je calculerai à partir du prochain semestre, quand je serai obligé de prendre un cours de maths.

J'ai mis le contact, et la voiture a gémi, mais elle a refusé de démarrer.

— Allez, allez !

— Je te parie que la voiture de Chad va démarrer, elle, a soutenu Todd.

— La mienne aussi.

— J'espère, sinon je vais être obligé de demander à Chad de me recon...

Le moteur a eu un regain de vie. J'ai ajusté le rétroviseur et je m'apprêtais à faire marche arrière lorsque j'ai vu des tas de gens debout près de leurs voitures. Je suis sorti lentement et, pour une fois, je n'ai pas eu à me faufiler entre les autres véhicules. Ils étaient immobilisés. Tous. Partout sur le parking, les élèves soulevaient leurs capots. Qu'est-ce qui se passait ? Je me suis arrêté et j'ai baissé ma vitre. J'entendais des voix, mais aucun moteur autre que le mien ne tournait.

— C'est bizarre, a fait Todd. Qu'est-ce qui leur arrive ?

— Je me le demande.

J'ai immobilisé l'Omega, et Todd et moi en sommes descendus.

Toutes les automobiles étaient en panne, excepté la mienne. C'est alors que j'ai vu une vieille minifourgonnette déglinguée se frayer lentement un chemin à travers la foule.

— Dis-moi que je rêve, a déclaré Todd. Comment est-il possible que toutes les autos du parking aient cessé de fonctionner en même temps à l'exception de deux vieilles épaves ?

Une pensée m'a traversé l'esprit.

— C'est sûrement à cause des ordinateurs, ai-je répondu.

— Qu'est-ce que les ordinateurs viennent faire là-dedans ?

— Il y a plus d'ordinateurs de bord installés dans les auto-mobiles modernes que dans une navette spatiale. Si quelque chose a provoqué la panne des ordinateurs de l'école, cela a dû en faire autant ici sur le parking.

— Et ta voiture ne possède pas d'ordinateur parce qu'elle est aussi vieille que celle de Fred Caillou, c'est bien ça ? a demandé Todd.

— C'est exact.

La véritable signification de tout cela m'est apparue en un éclair. Cela ne présageait rien de bon. Absolument rien de bon.

— Nous devons aller chercher mon frère et ma sœur. Remonte dans la voiture.

— Attends ! Il te reste encore une place libre, a fait savoir Todd. Lori ! a-t-il hurlé de manière à couvrir le bruit croissant des voix qui retentissaient dans le stationnement.

Lori, qui se tenait à côté de la voiture de Chad, s'est tournée vers nous.

— Est-ce qu'on peut te raccompagner ? a crié mon ami.

Elle a souri, a hoché la tête, puis s'est dirigée vers nous – non sans avoir au préalable donné un petit baiser à Chad. J'en ai eu la chair de poule.

Todd a ouvert la portière avant côté passager, elle est montée et lui s'est assis sur la banquette arrière. C'était merveilleux qu'elle soit là à mes côtés, me suis-je dit, et...

Mais je suis revenu brusquement à la réalité. Quelle que soit la situation, elle risquait d'être grave, du moins beaucoup plus grave que ne le laissait entendre le directeur de l'école. Soit il tentait de minimiser la gravité du problème, soit il ignorait de quoi il... Un instant... Il n'était pas au courant pour les automobiles, sinon il n'aurait pas mentionné que nous pouvions prendre la voiture ou l'autobus pour rentrer chez nous.

— Nous devons nous arrêter prendre mon frère et ma sœur.

— D'accord. Je n'arrive pas à comprendre ce qui se passe, a dit Lori. Tout ça est tellement incroyable.

— Je pense que c'est à cause des systèmes informatiques, a répondu Todd. Il y a beaucoup d'ordinateurs à bord des autos. Enfin, à l'exception des vieilles bagnoles comme celle-ci.

Je lui ai lancé un regard réprobateur dans le rétroviseur.

— C'est du moins ce que pense Adam, a-t-il corrigé.

J'ai secoué la tête en signe d'approbation.

— Les ordinateurs contrôlent tout : pompe à essence, boîte de vitesses, système électrique, freins et direction assistés, serrures, vitres, etc.

Nous avons commencé à rouler et, lorsque nous sommes passés près d'eux, tous les élèves nous ont fixés du regard. Ils paraissaient amusés, troublés et inquiets tout à la fois. Quand nous avons atteint la sortie, aucune autre voiture n'attendait de pouvoir quitter le stationnement.

C'est alors que nous avons tous les trois remarqué ce qui se passait au-delà du terrain de l'école.

— Quel spectacle ! s'est exclamé Todd.

La route tout entière était devenue une aire de stationnement interminable. Une foule de véhicules se trouvaient immobilisés aux feux de circulation, qui étaient d'ailleurs en panne. Un nombre encore plus considérable de personnes, tout aussi troublées, mais également en colère, s'attroupaient autour des

voitures. Un vieux camion – presque aussi démodé que ma bagnole – a roulé lentement en vrombissant, se faufilant au milieu
des véhicules à l'arrêt comme s'il s'était agi de pylônes. Le
conducteur m'a regardé et m'a salué. Je lui ai fait un petit geste
de la main à mon tour, comme si nous étions tous deux membres
d'une société secrète. Je me suis alors rangé sur le bord de la
route dans le but de contourner les automobiles agglutinées les
unes aux autres qui nous bloquaient le passage. Tout ça était
assez inquiétant.

— Donc, tu penses qu'il s'agit d'une espèce de problème
informatique... d'un virus, par exemple ? s'est informée Lori.

— Ouais, d'un virus quelconque. D'un virus *malveillant*.

— Mais comment a-t-il pu se propager de manière à infecter les voitures ? a demandé Todd.

— Aucune idée. Peut-être par ondes radio.

— Tu parles du réseau Internet ou wifi ? a-t-il poursuivi.

— Disons que c'est peut-être de cette façon que les ordinateurs de l'école ont été infectés. Sauf que les ordinateurs de
bord ne sont pas connectés à Internet. Peut-être que le virus
s'est propagé au moyen des systèmes GPS ou de radionavigation
par satellite, ou même de communication OnStar, ai-je suggéré.

— C'est tout à fait logique. Presque toutes les voitures en
ont un, a admis Todd.

— Mais pas toutes. Il doit quand même y avoir autre
chose...

C'est alors que l'explication m'est venue à l'esprit.

— *Toutes* les voitures ont une radio. Le virus pourrait se
transmettre par signaux radio AM ou FM. Cela expliquerait
comment il est parvenu à infecter les systèmes informatiques.

— Sais-tu ce que ça me rappelle ? a demandé Todd.

Je n'en avais aucune idée. Cela ne correspondait à rien de ce que j'avais entendu ou vu jusqu'à présent.

— Quoi ? l'a interrogé Lori.

— Vous allez trouver ça complètement ridicule.

— Regarde autour de toi, lui ai-je répondu. À côté de ce qui se passe, rien ne peut avoir l'air ridicule.

— Cela me rappelle un de ces films où les seuls êtres humains encore vivants sur terre se promènent en voiture, des zombies à leurs trousses.

Il a marqué une pause avant d'ajouter :

— Alors, à vous de me dire maintenant si ma comparaison est ridicule ou non.

— Ce n'est pas bête, ai-je répondu en secouant la tête. Je pense même que je comprends ce que tu veux dire.

Parvenu à une intersection, je me suis faufilé entre les véhicules en panne, tandis que ma progression était balisée par les regards pleins de surprise ou d'admiration de ceux qui se tenaient à côté de leurs moyens de transport paralysés. De simple conducteur d'un vieux tas de ferraille, j'étais devenu pilote d'un objet d'émerveillement.

3

Rachel et Danny ont franchi les portes de leur école à ma suite. Leur directeur s'était réjoui de me voir les prendre avec moi. Il était aux prises avec des centaines d'enfants et il n'y avait aucun autobus et presque personne pour venir les chercher. En le libérant de deux élèves de quatrième année, je lui facilitais d'autant la tâche.

Les enfants étaient toujours persuadés que c'était une simple coupure de courant. J'étais pour ma part convaincu que cette défaillance électrique n'était pas la cause mais plutôt la *conséquence* du problème.

— J'espère que tout sera encore en panne demain, a lancé Danny. Ce serait un peu comme un jour de congé pour cause de tempête de neige, mais sans neige.

Sa blague m'a bien fait rigoler. Peut-être n'était-ce rien de grave au fond ; nul doute que je m'en faisais trop et que tout allait rentrer dans l'ordre en l'espace de quelques heures. C'était logique. Ce sont des choses qui arrivent, puis l'alimentation en électricité est rétablie peu après. C'est du moins ainsi que ça fonctionnait jusque-là. Sauf que, lorsque les lumières s'éteignaient, c'était généralement une tempête ou quelque chose du genre qui faisait tomber les lignes électriques et provoquait des interruptions de courant. Je savais aussi qu'il ne s'agissait pas simplement d'une question liée à l'alimentation électrique, mais je n'ai rien dit. Il n'y avait aucune raison d'inquiéter les jumeaux en soulevant des questions auxquelles je n'avais moi-même pas de réponses.

— Notre professeur nous a parlé d'une panne d'électricité qui a frappé l'est de l'Amérique du Nord il y a quelques années, a déclaré Danny.

— Je m'en souviens vaguement, a dit Lori. C'était bizarre et assez inquiétant.

— Adam et moi sommes là, il n'y a pas de raison de vous tinquiéter, a affirmé Todd.

— Vous *tinquiéter*? a demandé Danny. Qui t'a appris à parler?

— Génial! Voilà qu'un élève de quatrième me manque de respect à présent, s'est plaint Todd.

— Un élève de quatrième brillant, a précisé mon frère.

— Pas si brillant que ça, a commenté Rachel en riant.

— Penses-tu que cette panne pourrait être tout aussi important? m'a lancé Danny.

— Je l'ignore, ai-je avoué.

— Notre professeur a dit qu'il avait fallu trois jours pour réparer cette panne majeure. Il n'y aura peut-être pas d'école pour le reste de la semaine. Ce serait merveilleux, non?

— En effet, ce serait merveilleux, a convenu Todd.

* * *

Rien ne saurait être plus impressionnant que ce dont nous étions témoins. Les gens avaient commencé à abandonner leurs voitures après avoir compris qu'elles n'allaient pas redémarrer, qu'il n'y avait pas moyen d'appeler à l'aide et que, même s'ils avaient pu le faire, personne n'allait venir à leur secours, puisque même les véhicules d'urgence étaient immobilisés. Les personnes qui auraient normalement dû se déplacer en voiture étaient maintenant en train de marcher. C'était drôle de les voir aller parce que, dans les banlieues, personne n'a vraiment l'habitude de se déplacer à pied.

Des tas de gens marchaient au milieu de la route, constituant autant d'obstacles sur mon chemin. La plupart d'entre eux se contentaient de nous observer, mais d'autres nous faisaient signe de la main, comme ce couple qui levait le pouce en l'air dans l'espoir de se faire prendre en stop.

— Tiens, une autre voiture ! a crié Danny.

Un autre vieux tacot venait en effet à notre rencontre. Le conducteur s'est penché par la fenêtre et nous a fait un signe. Voyant qu'il s'arrêtait, je me suis rangé à côté de lui et je me suis immobilisé lorsque nos deux vitres se sont trouvées l'une vis-à-vis de l'autre.

— Voiture ancienne, lui ai-je fait remarquer en montrant son véhicule du doigt.

— On dirait que ce sont les deux seules bagnoles encore en état de rouler par ici. Quelle distance as-tu réussi à parcourir ? m'a-t-il demandé.

— À peine quelques kilomètres.

— Est-ce que c'est la même chose partout ?

— D'après ce que nous avons pu voir, oui. D'où venez-vous ?

— De Milton. J'ai roulé pendant cinquante kilomètres et c'est comme ça partout où je suis passé. Je me suis dit que la seule façon pour que ma femme puisse rentrer du travail, c'était encore d'aller la chercher.

— Elle fait partie des rares personnes qui auront la chance de rentrer chez elles. Soyez prudent.

Il m'a regardé d'un air étrange.

— Conduisez prudemment... Vous comprenez, il y a tellement de voitures abandonnées, ai-je ajouté.

Ce n'était pas exactement ce que j'avais voulu dire, mais je pense qu'il m'avait compris. J'avais éprouvé un sentiment d'appréhension en voyant la façon dont les gens nous avaient dévisagés lorsque nous étions passés près d'eux. Il y avait quelque chose d'inquiétant dans leur regard, en particulier dans les yeux du dernier type qui nous avait fait signe de nous arrêter. Il avait eu l'air en colère quand il avait vu que je ne ralentissais pas.

L'autre conducteur a repris sa route et nous sommes repartis dans la direction opposée.

— Comment les gens vont-ils faire pour rentrer chez eux ? a lancé Todd.

— Je présume qu'ils vont être obligés de marcher.

— Où est papa ? m'a interrogé Rachel.

Pris dans le tourbillon des événements, je l'avais complètement oublié. J'ai regardé ma montre et calculé rapidement le temps qui nous séparait.

— Il est à l'extérieur du pays. Son avion est au sol, à Chicago, et il n'a pas de vol prévu avant une heure.

— Alors, il va bien ? a demandé Rachel.

— Bien sûr qu'il va bien, a répondu Danny. Il est à des millions de kilomètres d'ici. Probablement qu'il ne se passe rien du tout là-bas.

— Je suis sûr qu'il va bien, ai-je ajouté. Vous connaissez papa. Rien ne peut le déranger. Mais il s'inquiète sûrement pour nous.

Nous avons continué de rouler, laissant les dernières maisons derrière nous. Lori habitait une des rares petites fermes qui subsistaient encore en bordure de la banlieue. J'avais vu de plus en plus de ces fermes transformées en nouveaux lotissements. J'ai supposé que la sienne ne tarderait pas à disparaître, elle aussi.

— Tu habites loin ! s'est exclamé Danny.

— Pas si loin que ça. Ma famille a toujours vécu ici. Mon père et son père sont nés dans cette ferme.

— C'est comment d'habiter sur une ferme ? a lancé ma petite sœur.

— J'adore ça. Nous avons beaucoup d'espace. Nous avons des vaches, des chevaux et...

— Vous avez des chevaux ? l'a interrompue Rachel.

— Trois.

— J'adore les chevaux !

— Alors, il faudra venir faire de l'équitation un jour.

— Est-ce que ce serait possible aujourd'hui ?

— Pas aujourd'hui, suis-je intervenu avant que Lori ait pu répondre. Nous devons rentrer à la maison.

— Mais aujourd'hui, c'est la journée idéale, a insisté Rachel. On ne pourra même pas regarder la télé en rentrant.

— Un autre jour alors, a suggéré Lori avant de se tourner vers moi. Ta sœur est adorable. Il faut me promettre de la ramener.

— Si lui ne le fait pas, je suis sûre que ma mère le fera..., a déclaré Rachel.

— Non, je vais le faire ! ai-je objecté en lui coupant la parole.

Todd a commencé à glousser sur la banquette arrière. Il connaissait le fond de ma pensée.

— Voilà mon père ! a annoncé Lori.

Au milieu d'un grand champ qui longeait la route, un homme conduisait un tracteur qui tirait une charrue. Derrière les instruments aratoires, une volée de mouettes se posait sur la terre fraîchement remuée, dévorant la moindre larve déterrée.

C'est alors que j'ai réalisé que le tracteur fonctionnait aussi. J'ai supposé qu'il s'agissait d'un vieux tracteur.

Nous avons emprunté le chemin de terre qui menait à la maison de ferme. C'était une route cahoteuse, parsemée de nids-de-poule, et j'ai ralenti sérieusement l'allure afin d'empêcher le dessous de la voiture de toucher le sol. Même dans le meilleur des cas, ma suspension n'était pas terrible ; avec autant de monde à bord, le problème ne pouvait qu'empirer. Le poids supplémentaire s'était d'ailleurs fait sentir dans les virages, et l'accélération avait été encore plus lente que d'habitude. Todd n'arrêtait pas de se moquer de ma voiture en disant qu'elle pouvait passer de zéro à cent en moins de dix minutes.

Je me suis arrêté au bout de l'allée. Quand Lori est descendue, j'ai mis le frein à main, mais je n'ai pas éteint le moteur. Je ne voulais pas courir le risque qu'il refuse encore une fois de démarrer.

— Le tracteur que ton père conduit, est-ce qu'il est vieux ? ai-je demandé.

— Très vieux. Mon père ne fait pas confiance à tout ce qui est nouveau tant que ce qui est ancien fonctionne encore.

Ma théorie tenait debout.

— Merci de m'avoir déposée chez moi, Adam, a dit Lori.

Elle m'a effleuré le bras, m'envoyant du coup une décharge électrique à travers tout le corps. Au moins ce réseau électrique-là était pleinement opérationnel !

— Euh... il n'y a pas de quoi. Bon, je pense que nous ferions mieux d'y aller.

— Mais vous reviendrez, pas vrai? m'a-t-elle interrogé. Rappelle-toi, Rachel aimerait faire du cheval. Tu pourrais même te joindre à nous.

— Pourquoi pas? Allez, au revoir.

Pendant que Todd et les jumeaux s'évertuaient à déterminer lequel d'entre eux parviendrait à faire ses adieux avec le plus de force à Lori, je lui ai adressé un dernier signe de la main, puis j'ai fait demi-tour et j'ai rebroussé chemin. Une fois arrivé à la route, j'ai freiné et regardé machinalement à gauche et à droite, mais en vain : il n'y avait toujours pas de circulation.

— Tu ne m'as toujours pas dit pourquoi je ne pouvais pas faire d'équitation aujourd'hui, a marmonné Rachel.

— Pas aujourd'hui, petite sœur. Nous reviendrons peut-être demain.

— Tu détestes les chevaux, a lancé Danny.

— Ce ne sont pas les chevaux de Lori qui l'intéressent, a renchéri Todd.

— Ferme-la, Todd, l'ai-je prévenu.

— En voilà une façon de traiter son meilleur ami, lui qui s'est même arrangé pour que Lori monte dans ta voiture, je te signale! Plutôt que de me dire de me taire, tu devrais me remercier.

J'ai pris une profonde inspiration.

— Merci, Todd.

— Voilà! Ça n'a pas été trop difficile? Pas étonnant que je te trouve aussi charmant!

4

J'ai manœuvré au milieu des voitures qui bloquaient l'intersection de la route menant à notre quartier. Sur la gauche se trouvait le poste d'essence. Il y avait quelques voitures garées là, de même qu'un énorme camion-citerne immobilisé au niveau des pompes. J'avais songé à m'arrêter faire le plein avant de rentrer, mais je savais que ce n'était pas possible désormais. La jauge indiquait que le réservoir était à moitié plein – elle indiquait en permanence qu'il était à moitié plein pour la simple raison qu'elle était défectueuse –, mais je savais qu'il me restait beaucoup moins de carburant que la quantité affichée. Je n'avais pas prévu raccompagner Lori chez elle.

Nous avons quitté la promenade Erin Mills[3] et sommes passés devant le petit centre commercial situé en haut du lotissement avant de descendre la côte en direction des habitations avoisinantes. Tout paraissait tellement normal. J'ai roulé lentement jusqu'à notre rue.

Il y avait une voiture d'un côté de notre entrée : c'était celle de mon père. Ma mère avait pris sa camionnette pour se rendre au poste de police ; elle avait toutefois déposé mon père à l'aéroport avant d'entreprendre son quart de travail. Sa voiture étant toute récente, il lui serait impossible de rentrer à la maison.

---

3. Erin Mills Parkway en anglais : autoroute à six voies qui traverse Erin Mills, un quartier de banlieue de la ville de Mississauga situé à une trentaine de kilomètres du centre-ville de Toronto, en Ontario. (Source : en.wikipedia.org/wiki/Erin_Mills.) (*N.D.T.*)

Mais, je le répète, je ne pensais pas qu'elle serait en mesure de quitter son boulot dans l'immédiat de toute façon. J'ai donc garé ma voiture juste à côté de celle de mon père et nous sommes tous descendus.

— Hé, Adam !

Je me suis retourné. C'était notre voisin, Herb Campbell.

— Regarde, a chuchoté Todd, c'est James Bond.

— Ce n'est pas du tout l'agent 007, ai-je rétorqué à voix basse.

Herb s'est approché. Il marchait toujours d'un pas rapide pour un homme de son âge (il devait avoir près de soixante-dix ans). Environ un an plus tôt, il avait emménagé à côté de chez nous. Il nous avait affirmé avoir pris sa retraite après avoir travaillé pour le compte du gouvernement dans différentes ambassades un peu partout dans le monde. Mon père aimait particulièrement sa compagnie. En tant que pilote, il avait parcouru le monde entier en avion, et tous deux n'arrêtaient pas de parler de politique, ainsi que des endroits qu'ils avaient visités et des gens qu'ils avaient rencontrés. Herb était un véritable bricoleur ; il semblait avoir en sa possession tous les outils de l'univers. En plus de nous les prêter, il nous avait même prodigué ses conseils lorsque mon père et moi avions travaillé à la construction d'un ULM dans notre garage. Herb était toujours affable et serviable.

Mais il me mettait mal à l'aise.

La plupart du temps, il était simplement Herb, notre voisin, mais tout à coup on pouvait voir qu'il y avait quelque chose d'autre ; on avait l'impression qu'il regardait au plus profond de notre être. Il n'était pas du genre vieux grincheux, comme ces bonshommes qui chassent les enfants de leur pelouse en leur criant des invectives. Je le suivais parfois du regard sans qu'il le sache. Il étudiait vraiment les gens. Il agissait de la même manière que ma mère et tous les autres flics de ma connaissance lorsqu'ils inspectaient les lieux d'un crime, balayaient une pièce du regard, vérifiaient certains détails. Herb ne nous avait jamais beaucoup parlé de son travail, même lorsque nous le questionnions de manière explicite à ce sujet. En dépit de ce qu'il nous racontait, j'avais l'impression qu'il était davantage que le simple gratte-papier qu'il prétendait être. Bien davantage. Les espions n'opèrent-ils pas à partir des ambassades ? Jusqu'à quel point était-il insensé de ma part de le croire ? Todd était la seule personne à qui j'avais parlé de mes soupçons. Depuis, il ne cessait de me le rappeler.

— Comment la situation se présente-t-elle là-bas ? a demandé Herb.

— Les choses sont plutôt calmes, ai-je répondu. Tout est en panne.

— Tous les appareils qui utilisent du matériel informatique, a-t-il rectifié. Manifestement, ta voiture est assez ancienne pour rouler encore.

— Des fois, plus c'est vieux, mieux c'est, a lancé Todd.

— C'est ce que je me dis depuis quelque temps, a approuvé Herb en esquissant un sourire. Je me réjouis de voir que vous avez réussi à vous rendre jusqu'ici. Même si ta voiture est en état de fonctionner, j'avais peur que vous ne puissiez pas rentrer.

Herb manifestait de l'intérêt pour notre famille. Tous mes grands-parents nous avaient quittés depuis des années et il était pour ainsi dire la seule personne âgée que je connaissais. Comme il vivait seul, ma mère avait commencé à l'inviter à manger avec nous les jours de fête. Mon père plaisantait en disant qu'elle avait toujours eu pitié des animaux errants.

— Ç'a été un peu compliqué, mais pas plus qu'il faut. Je suis sûr que le problème va être réglé rapidement, ai-je ajouté en m'efforçant de paraître rassurant.

— L'optimisme est une belle qualité, a dit Herb.

— Nous avons parlé à un homme qui a affirmé que c'était pareil à Milton, a précisé Todd.

— Ce n'est pas une panne de courant ordinaire. C'est quelque chose de très différent. Quelque chose d'un peu plus grave, a déclaré Herb avant de s'adresser à mon frère et à ma sœur. J'ai une génératrice, alors il y a de l'électricité chez moi. Si vous voulez, vous pouvez aller regarder un DVD tout en dégustant une boisson fraîche.

— Super ! s'est exclamé Danny.

— Vous pourriez même fouiller dans le congélateur et vous préparer un cornet de crème glacée.

Les jumeaux n'allaient pas refuser pareille offre. Herb a attendu qu'ils soient partis avant de continuer :

— J'étais en train d'écouter la radio et...

— Je pensais que les radios ne fonctionnaient pas, l'a interrompu Todd.

— J'ai une radio à ondes courtes. Un vieux poste à lampes. Entièrement analogique. Ce n'est pas de chance pour tous ceux qui possèdent des postes numériques. Quant aux stations qui diffusent sur les fréquences AM et FM ou par satellite, elles ont toutes cessé d'émettre.

— Herb est radioamateur, ai-je expliqué tout en pointant le doigt vers la longue antenne qui s'élevait au-dessus de son toit.

— J'ai fait quelques appels au cours de la dernière heure. À cause de la coupure de courant, la plupart de mes correspondants ont été forcés de quitter l'antenne. J'ai quand même réussi à communiquer avec un opérateur qui possède un vieux poste à Detroit. La situation là-bas est la même qu'ici.

— Et à Chicago ? ai-je demandé.

— Probablement... Attends un peu... Est-ce que c'est là que ton père devait se rendre aujourd'hui ?

J'ai opiné de la tête.

— Il a décollé tôt ce matin et il était prévu qu'il rentre cet après-midi.

— Quand cet après-midi ? m'a interrogé Herb. À quelle heure son avion était-il censé redécoller ?

Le ton de sa voix traduisait un sentiment d'urgence ; j'ai su pourquoi en un éclair et j'en ai aussitôt éprouvé un pincement au cœur.

— Et les avions seraient aussi touchés en pareil cas ?

— Je n'en suis pas sûr. Évitons de sauter aux conclusions. À quelle heure devait avoir lieu le vol de retour de ton père ?

J'ai regardé ma montre.

— Il devrait être dans les airs à cette heure-ci... mais son avion devait être encore au sol quand la panne est survenue, si jamais elle est survenue en même temps qu'ici.

— Elle a touché Detroit au même moment, donc il est probable qu'elle ait touché Chicago en même temps aussi.

— Alors, il va bien, n'est-ce pas ? l'ai-je imploré.

— J'en saurai davantage cette nuit sur l'ensemble de la situation, quand les ondes voyagent plus loin. J'espère que je pourrai entrer en liaison avec d'autres opérateurs.

— Alors, c'est grave, a reconnu Todd.

— Très grave, a confirmé Herb. Adam, je me demandais si tu pourrais me rendre un petit service.

— Bien sûr.

— J'ai besoin que tu me conduises quelque part.

— Il ne me reste pas beaucoup d'essence, ai-je objecté, à la recherche d'une excuse pour ne pas avoir à bouger de là.

— C'est tout près.

J'aurais dû refuser. Mais il était trop tard à présent.

— Todd, pourrais-tu rester avec Danny et Rachel ? ai-je lancé.

— Penses-tu vraiment qu'ils ont besoin d'une gardienne ?

— J'espérais qu'eux t'auraient à l'œil, ai-je rétorqué en riant.

— Tu peux aller les rejoindre chez moi, a suggéré Herb.

— Est-ce que j'ai droit à un cornet de crème glacée, moi aussi ?

Herb a souri.

— Vas-y et ferme la porte à clé derrière toi.

— Et je ne dois pas parler aux étrangers, sinon...

Herb s'est avancé vers Todd et lui a posé une main sur l'épaule.

— Je suis sérieux, mon garçon. Tu fermes la porte à clé et tu veilles sur les jumeaux. Ce n'est pas une blague. Compris ?

— Bon, d'accord.

Un brusque changement d'attitude venait de se produire chez Herb – du genre de ceux dont j'avais été témoin auparavant. Todd s'en était aperçu, lui aussi. En un éclair, Herb avait cessé d'être un aimable vieux fou pour devenir quelqu'un de différent, de dangereux presque.

Todd est entré dans la maison de Herb au moment où ce dernier et moi montions dans ma voiture. J'ai été soulagé de voir qu'elle redémarrait sans problème.

— Où va-t-on ? me suis-je informé tout en sortant de l'allée en marche arrière.

— Pas loin. Va jusqu'à Burnham Road, tout simplement.

Il y avait davantage de gens devant davantage de maisons à présent ; ils se rassemblaient et discutaient. Comme ils ne pouvaient rien faire chez eux, ils sortaient, probablement à la recherche de réponses qu'aucun d'eux n'était en mesure de fournir. J'avais l'impression que Herb en savait plus à ce sujet que n'importe qui d'autre. Combien savaient, par exemple, que le problème était généralisé ?

— Selon vous, quelle peut bien être la cause de la panne de courant ? l'ai-je interrogé.

— De toute évidence, il s'agit d'un problème d'ordre informatique, mais tu t'en doutais déjà. Les ordinateurs gèrent pratiquement tout ce qui exerce une influence sur nos vies, depuis le réseau électrique jusqu'aux textos que tu envoies à la fille de ton école qui te plaît.

Il se trompait. Même lorsque nous avions de l'électricité, je ne pouvais pas envoyer de texto à Lori pour la simple raison que je n'avais pas encore eu le courage de lui demander son numéro de téléphone.

— Combien de temps pensez-vous qu'il faudra pour régler ce problème ?

— Peut-être plusieurs jours. La question est de savoir combien de jours... ou de semaines.

— De semaines ! Vous le pensez sérieusement ?

— Les spéculations sont comme les rumeurs. J'ignore si quelqu'un connaît la vérité. Par conséquent, nous nous trouvons à la fois face à un danger et à une occasion à saisir.

— Pardon ?

— Les rumeurs peuvent déclencher la panique, qui engendre à son tour des actions désespérées et dangereuses. En ce qui concerne l'occasion à saisir, elle reste présente tant et aussi longtemps que les gens ne se rendent pas pleinement compte de ce qui se passe. Et tu me conduis justement là où nous allons pouvoir tirer parti de la situation.

— Si vous avez besoin de nourriture, nous avons beaucoup de provisions à la maison.

— Merci, Adam, mais je dispose de réserves en quantité suffisante. J'ai même un important surplus de carburant pour pouvoir faire fonctionner ma génératrice.

— C'est peut-être nous qui devrions aller chez vous dans ce cas, ai-je répondu en plaisantant.

— Ta famille est toujours la bienvenue, tu sais, a-t-il affirmé. Vous êtes des gens bien.

— Vous êtes quelqu'un de bien vous aussi, lui ai-je confié, même si ma façon d'exprimer mes impressions m'a paru maladroite.

Mais qu'aurais-je bien pu dire d'autre ?

* * *

À l'exception des piétons et des quelques cyclistes qui défilaient devant nous, j'étais le seul à circuler sur la voie publique. Nous étions au centre de l'attention générale. Je me sentais presque coupable de rouler en voiture pendant que tous les autres devaient user leurs souliers.

Sans crier gare, un individu a bondi du trottoir et surgi devant ma voiture en agitant les bras frénétiquement. J'ai donné un coup de volant qui m'a permis de l'éviter sans difficulté. Tandis que nous poursuivions notre route, il a proféré un flot d'injures qui ont réussi à pénétrer par la vitre ouverte.

Droit devant, l'intersection était partiellement bloquée par des voitures et les personnes qui grouillaient tout autour. La voie à suivre n'était pas du tout évidente. J'ai ralenti, mais Herb s'est penché vers moi et a appuyé sur le klaxon, qui a aussitôt retenti. Les gens se sont rangés avec lenteur sur le côté, certains lançant même des regards furieux sur notre passage.

— Continue d'avancer, a ordonné Herb.

Nous nous sommes engouffrés dans la brèche.

— Il ne faut surtout pas t'arrêter. Tu ne peux rien faire pour eux. Poursuis ta route.

— Jusqu'où ?

— Rends-toi au magasin Jamison Pools, dans le petit centre commercial de Burnham Road, pas très loin du pont.

— Mais vous n'avez pas de piscine.

— Je veux profiter de l'occasion.

— Pour acheter une piscine ?

— Non, bien sûr. Tes parents me laissent utiliser la vôtre à volonté. Tu sais où se trouve le vendeur de piscines, non ?

— Je sais où il est, mais j'ignore toujours *pourquoi* nous allons là-bas.

— Pour acheter du chlore.

— Encore une fois, vous n'avez pas de piscine.

— Le chlore est un produit chimique absolument indispensable. C'est l'une des rares choses que je n'ai pas en stock... Regarde, d'autres véhicules qui roulent !

Droit devant, deux motos venaient effectivement dans notre direction. Elles étaient de petite taille ; l'une d'entre elles ressemblait d'ailleurs plus à une moto tout-terrain pour gamin de douze ans qu'à une motocyclette conforme au code de la sécurité routière.

— Tout ça est parfaitement logique, a déclaré Herb. J'ai démarré mon chasse-neige, ma tondeuse et mon motoculteur, et tous ont fonctionné parce qu'ils ne sont pas munis d'ordinateurs. As-tu toujours tes vieilles minimotos ?

Mes minimotos démodées étaient probablement équipées de moteurs plus petits que sa tondeuse à gazon.

— Ouais, mais l'une d'elles ne marche plus depuis l'été dernier.

— On peut la réparer.

Le petit centre commercial et son magasin d'accessoires pour piscines se trouvaient à présent devant nous. Nous sommes entrés dans le stationnement. Ici encore des gens se tenaient près de leurs véhicules, beaucoup d'entre eux regardant dans le compartiment moteur. Je me suis garé juste en face de la boutique ; tout le monde avait maintenant les yeux fixés sur nous.

— Verrouille les portes de la voiture derrière nous, a recommandé Herb.

Nous sommes sortis et Herb a saisi la poignée de la porte du magasin, mais celle-ci était fermée à clé.

— Bon sang ! a-t-il pesté. Il nous faudra aller aill... Non, attends, je vois quelqu'un à l'intérieur !

Herb a commencé à marteler la vitre à coups de poing.

Un homme est apparu. Il a actionné le verrou et entrouvert la porte.

— C'est fermé, a-t-il dit avant de pousser la porte pour la refermer.

Herb l'a bloquée de manière à ce qu'elle reste ouverte.

— J'ai simplement besoin d'acheter quelque chose vite fait, a-t-il mentionné calmement.

— Je regrette, mais, sans électricité, ni les cartes de crédit ni les caisses enregistreuses ne fonctionnent.

— Et si je payais comptant ?

Herb a alors exhibé une liasse de billets qui m'ont fait écarquiller les yeux.

— Vous n'allez pas refuser de servir de bons clients, n'est-ce pas ? a-t-il lancé au type en lui faisant un large sourire.

— Qu'est-ce qu'il vous faut ?

— Pourrions-nous en parler à l'intérieur ? Je me sens mal à l'aise à rester planté là avec autant d'argent dans les mains.

J'ai regardé par-dessus mon épaule. On nous observait.

L'homme nous a laissés entrer. Herb a fermé la porte à clé derrière nous.

— Reste près de la porte, m'a-t-il lancé discrètement. Surveille ta voiture.

J'ai hoché la tête.

— Alors, de quoi avez-vous besoin ? a demandé le vendeur.

— De tablettes de chlore.

— Vous êtes venus jusqu'ici aujourd'hui rien que pour ça ?

— Oui. Il me faut des comprimés, des bâtonnets, des cristaux, peu importe.

— J'ai des tablettes en promotion par là. Combien de boîtes en voulez-vous ?

— Combien en avez-vous ?

— C'est un magasin d'accessoires pour piscines, cher monsieur.

— Je veux autant de boîtes qu'il est possible d'acheter avec deux mille dollars.

— Êtes-vous sérieux ? a fait l'homme.

— Est-ce que j'ai l'air de plaisanter ?

— Mais pourquoi avez-vous besoin de tout ça ?

— Vous voulez mon argent, oui ou non ? a rétorqué Herb.

— Je veux bien, mais comment vous allez transporter tout ça?

— Vous allez nous aider à mettre le chlore dans sa voiture, a précisé Herb en me désignant du doigt.

— Avec plaisir, mais... Attendez, vous avez une voiture qui fonctionne?

— Êtes-vous ici pour conclure une vente ou pour poser trente-six questions? Réglons les détails et procédons ensuite au chargement.

Le vendeur et Herb se sont mis à parler chiffres. De mon côté, j'étais surtout préoccupé par ce qui se passait à l'extérieur du magasin. Beaucoup de gens semblaient nous regarder et pointer le doigt dans notre direction. Cela commençait à m'inquiéter sérieusement.

— Viens prendre des seaux, m'a dit Herb.

— Bon, d'accord.

Il y avait là plein de contenants en plastique de dix kilos empilés de manière à former une pyramide. Herb et moi en avons pris un dans chaque main. Le vendeur en a attrapé un, puis il a ouvert la porte avec sa main libre.

— Vous avez une très petite voiture, a-t-il fait remarquer lorsque nous nous sommes arrêtés à côté de mon auto.

— Espérons qu'elle pourra contenir quarante-deux seaux, a déclaré Herb. Commençons par le coffre.

J'ai posé mes seaux, sorti mes clés et ouvert le coffre, qui était vide et spacieux.

— Je vais commencer à charger la voiture. Vous deux, dépêchez-vous de sortir le reste des seaux, a ordonné Herb.

Le vendeur et moi avons fait plusieurs va-et-vient entre le magasin et l'auto, transportant deux seaux à la fois, les déposant par terre et laissant à Herb le soin de s'occuper du chargement.

— Qu'est-ce qu'il veut faire avec tout ce chlore ? m'a demandé l'homme à un moment donné.

— Je n'en ai aucune idée.

— Est-ce qu'il a bien toute sa tête ? Je ne voudrais pas qu'on m'accuse d'avoir abusé d'un pauvre vieux bonhomme.

— Ne vous inquiétez pas pour lui. J'ignore pourquoi il veut tout ça, mais il a ses raisons.

Nous avons pris une autre cargaison et sommes sortis. Herb avait passablement rempli le coffre et la banquette arrière. Il avait ouvert quelques seaux et en sortait les paquets de chlore emballés individuellement afin de combler les espaces entre les autres seaux.

— Il faut les compacter le plus possible, sinon ils ne vont pas tous rentrer, a-t-il expliqué.

— Je ne comprends toujours pas pourquoi vous en voulez tant, a répété le commerçant.

— J'ai l'intention d'avoir la piscine la mieux désinfectée au monde. Il reste combien de seaux ?

— Huit, je pense, a répondu le vendeur.

— Si je m'y prends bien, ils devraient tous pouvoir rentrer. Adam, aide-moi à terminer pendant que lui rapporte tout le reste ici.

Le vendeur est retourné dans le magasin au moment où Herb a ouvert un autre seau.

— Hé, vous, là-bas, a crié quelqu'un derrière nous.

Herb et moi nous sommes retournés. Un groupe d'hommes s'était détaché de la foule et se rapprochait de nous. Ils étaient d'âge moyen et trois d'entre eux étaient en complet-cravate. Ils n'auraient guère paru menaçants dans des circonstances normales, mais la situation actuelle était tout sauf normale et il se dégageait d'eux une certaine dose de nervosité.

— Votre voiture fonctionne ? s'est enquis le plus imposant d'entre eux.

— Ouais, elle fonctionne, a dit Herb.

— Écoutez, a lancé un autre type, on a besoin que vous nous conduisiez quelque part.

Les autres ont acquiescé.

— Tout le monde a besoin d'être conduit quelque part aujourd'hui, a constaté Herb.

— On a de l'argent.

— Nous n'en voulons pas. Et nous ne pouvons pas vous être utiles. La voiture est déjà pleine. Je regrette.

— Papi, j'essaie simplement d'être aimable avec vous, a rétorqué le plus costaud.

Il a fait quelques pas en avant et les autres l'ont suivi en se déployant légèrement. Ils avaient tous l'air désespéré.

— Premièrement, je ne suis pas votre grand-père, a répliqué Herb. Et deuxièmement, je ne vous trouve pas très aimable. Laissez-nous tranquilles.

— Écoute, l'ancêtre, nous sommes six et il nous faut ta voiture. D'une façon ou d'une autre, nous allons...

Herb a ramené le pan de sa veste vers l'arrière, faisant du coup apparaître un pistolet dans son étui. Ils se sont tous figés sur place et moi également.

— Vous pointez un revolver sur nous ? a demandé le grand gaillard.

— Je ne le pointe pas sur vous. Je vous montre simplement une arme pour laquelle je détiens un permis et dont j'ai appris à me servir.

L'homme s'est mis à rire, d'un rire qui paraissait nerveux.

— Et qu'est-ce que vous faites alors, vous nous *menacez* de tirer sur nous ?

— Si nécessaire.

Herb avait répondu d'un ton détaché qui le rendait inquiétant. Sa voix était si calme et si posée que j'en avais presque des frissons dans le dos.

— C'est mal de plaisanter avec une arme. Vous pourriez blesser quelqu'un, a averti l'autre.

— Recule, l'ami, sinon quelqu'un va être blessé, a riposté Herb en pointant carrément un doigt vers l'énorme type qui avait pris le plus souvent la parole.

L'homme a ri de nouveau, mais d'un rire vraiment nerveux, cette fois.

— Est-ce que ça vous prend souvent de menacer les gens comme ça ?

— Et vous, est-ce que ça vous prend souvent de menacer les gens de leur voler leur voiture ? a dit Herb. Vous êtes-vous déjà permis ce genre de plaisanterie dans le passé ?

— Jamais de la vie ! a protesté un troisième, tandis que les autres marmonnaient en signe d'approbation.

— Dans ce cas-là, pourquoi faire quelque chose que vous n'oseriez jamais faire sous prétexte que vous êtes contrariés parce que vous êtes privés d'électricité depuis quelques heures ? Pourquoi faire quelque chose que vous allez regretter dès que tout va revenir à la normale ?

Les bonshommes avaient perdu de leur aplomb, et l'expression de leur témérité s'était atténuée sous mes yeux ébahis.

— Nous sommes inquiets, c'est tout, a balbutié l'un d'eux.

— Il est parfaitement normal d'être inquiet, a convenu Herb.

— Nous ne voulions pas vous faire de mal, a expliqué un homme qui n'avait pas encore pris la parole.

— Nous cherchons juste un moyen de retourner auprès de nos familles, a ajouté un autre.

— Je comprends, mais ce n'est pas une raison pour perdre la tête, pas vrai ?

Le gros homme a baissé les yeux vers le sol. Ils avaient cessé de se comporter comme des voyous et ressemblaient désormais à une bande de petits garnements terriblement embarrassés.

— Inutile de vous inquiéter, a poursuivi Herb. Bientôt, tout ça ne sera rien de plus qu'un mauvais souvenir. Dans une heure ou deux, le problème sera réglé.

— Vous croyez ?

— Nous avons déjà tous connu des pannes d'électricité et des problèmes informatiques. Ce n'est rien d'extraordinaire, pas vrai ?

Encore une fois, ils ont acquiescé à l'unanimité.

— Vous pourriez attendre ici, a continué Herb, mais pourquoi ne pas verrouiller vos voitures et vous mettre en route sur-le-champ ? Plus tôt vous partirez d'ici, plus tôt vous serez de retour chez vous pour vous assurer que vos familles vont bien.

Les hommes ont commencé à murmurer entre eux et à s'éloigner. Je me fichais de savoir où ils allaient ; j'étais tout simplement soulagé de les voir partir.

— Et bonne chance ! leur a crié Herb. Je suis sûr que tout ira bien.

Ils se sont retournés et nous ont salués avant de continuer leur chemin. J'ai poussé un grand soupir de soulagement.

— Ça ne m'a pas plu du tout, ai-je avoué.

— Les gens peuvent se comporter de manière assez étrange quand les choses ne se passent pas normalement. Finissons de charger la voiture, a déclaré Herb.

Nous avons achevé rapidement de mettre ce qui restait de chlore dans l'auto et nous sommes montés dedans. Avant de mettre le contact, j'ai été pris d'une nouvelle petite crise de panique. *Et si elle refusait de démarrer ?* Mais j'ai tourné la clé et le moteur s'est mis à rugir du premier coup. Tout autour de nous, les gens se sont retournés pour voir ce qui se passait.

— Sortons d'ici en vitesse, a lancé Herb.

Je ne me le suis pas faire dire deux fois. J'ai fait marche arrière, puis je me suis dirigé vers la rue.

— Qu'est-ce qui vous a fait changer d'avis et penser que le problème serait bientôt réglé ? ai-je demandé.

— Je n'ai pas changé d'avis. J'essayais juste de calmer la situation. Évidemment, mon arme m'a facilité la tâche.

— Je n'arrive pas à croire que vous êtes armé.

— Nous vivons à une époque dangereuse. Plusieurs membres du personnel de l'ambassade devaient porter une arme.

— Même les gratte-papier ?

— Absolument. Dans certains pays, les membres du personnel d'ambassades sont les premières cibles d'enlèvements et d'attaques terroristes. Tu n'as qu'à lire les journaux.

— Mais vous êtes à la retraite.

— J'avoue que c'est devenu une habitude. J'ai un permis de port d'arme.

J'ai supposé qu'il n'avait aucune raison de me mentir à ce sujet, mais je comptais bien en parler à ma mère.

— Je suis juste content qu'ils n'aient pas cherché à savoir si je bluffais ou non avec mon revolver, a-t-il ajouté. J'avais plus de chances de me tirer dans le pied que d'en blesser un de la bande.

— Vous avez une arme, mais vous ignorez comment vous en servir ?

— J'ai suivi une formation, mais c'était il y a longtemps.

— Il m'a semblé que vous étiez assez confiant.

— Je suis assez bon comédien. Voilà en quoi consiste en grande partie le travail des diplomates.

Il ignorait peut-être comment manier une arme, mais il avait drôlement bien joué la comédie dans le parking. Ou bien jouait-il la comédie en ce moment même ?

— Pensez-vous vraiment qu'ils allaient essayer de voler ma voiture ?

— Ne t'en étonne pas. L'éthique de situation est quelque chose qui peut s'installer en un rien de temps.

En voyant l'expression de mon visage, il a compris que je n'avais aucune idée de ce dont il parlait.

— C'est simple. Ce qui pousse les gens à agir et ce qu'ils croient être mal ou contraire à la morale varient en fonction de la situation. Aucun de ces types ne s'est réveillé ce matin en se disant qu'il allait essayer de voler une vieille bagnole toute déglinguée à un ado et à un petit vieux. Les circonstances peuvent évoluer rapidement, surtout quand une mentalité de gang s'installe, a expliqué Herb.

— Ils étaient six. On peut difficilement parler d'une bande de voyous.

— Ce n'est pas le nombre qui compte, mais l'attitude. La situation a pavé la voie à leur offensive, elle a servi de combustible en quelque sorte, mais c'est ce grand gaillard qui a servi de bougie d'allumage. Quand on est attaqué par une meute de chiens, il faut toujours affronter leur chef.

— Il s'agissait d'êtres humains, pas d'une meute de chiens.

— Oui, bien sûr, a-t-il répondu en souriant, mais j'ai appris que les deux ont certains points communs.

— Affronter les chefs de meute faisait-il partie de votre travail à l'ambassade ? ai-je demandé.

— Ça fait partie de la vie.

Ses réponses énigmatiques me tapaient un peu sur les nerfs.

— Donc, tout le personnel des ambassades est automatiquement initié au maniement des armes ?

— Tu connais bien les armes à feu, toi aussi. Ta mère est agent de police et vous possédez des armes d'épaule à la maison, pas vrai ?

— Nous avons quelques fusils.

Nous en avions trois, en fait, plus un fusil de chasse, qui étaient conservés avec les munitions dans une armoire fermée à clé. La première chose que ma mère faisait le soir en rentrant, c'était d'y planquer son revolver de service.

J'ai alors réalisé qu'il avait évité de répondre à ma question en m'en posant une.

— Comme ça, certains des endroits où vous avez travaillé et habité étaient plutôt dangereux.

— Le danger est quelque chose de tout à fait relatif.

— Mais par rapport à ici ?

— Presque tous les endroits du monde sont plus dangereux qu'ici. Le fait de vivre dans un pays extrêmement riche comme le nôtre émousse la capacité des gens à percevoir les réalités des autres pays.

— Et quels sont ces autres pays ?

— J'ai été en poste dans des pays où il n'y avait pratiquement aucune infrastructure ou règle de vie en société. Pas de services de police efficaces, pas de services de communications fiables, pratiquement aucun système de transport, pas d'eau courante, pas d'électricité. Un peu comme ici en ce moment, a-t-il conclu en riant.

— Mais notre situation est différente : ici c'est seulement temporaire.

— C'est seulement temporaire *après* que le problème a été réglé.

— Mais le problème sera bientôt réglé, ai-je insisté.

Il ne m'a pas répondu.

— Pas vrai ?

— Bien sûr, il le sera. Ce n'est qu'une question de temps. Est-ce que tu t'interroges toujours au sujet du chlore ?

Encore une fois, il était en train de changer de sujet, mais j'étais curieux de connaître la réponse.

— Est-ce que tu connais la règle de trois ? m'a-t-il demandé.

J'ai secoué la tête.

— Il s'agit d'une expression qui a un rapport avec la survie dans des situations d'urgence. Une personne peut survivre sans air pendant trois minutes, sans eau pendant trois jours et sans nourriture pendant trois semaines, a-t-il expliqué. Passé ces délais, elle meurt. À petites doses contrôlées, le chlore, le produit qu'on met dans les piscines pour tuer les bactéries et les algues et pour que l'eau reste claire, permet de transformer de l'eau contaminée en eau potable.

Voilà qui était plein de bon sens.

— Maintenant qu'il n'y a plus d'électricité, l'ensemble du système d'approvisionnement en eau potable est hors service, a-t-il poursuivi. Il n'est plus possible de désinfecter l'eau, ni d'alimenter les foyers en eau potable, parce que tout le processus est paralysé quand les pompes sont arrêtées.

— Mais pourquoi aviez-vous besoin de toute cette quantité de produit ? ai-je demandé avant de comprendre pourquoi. Vous pensez que la panne va durer longtemps, c'est bien ça ?

— En fait, je *l'ignore*, a-t-il répondu. Je sais simplement qu'il vaut mieux avoir quelque chose dont on n'a pas besoin que d'avoir besoin de quelque chose qu'on n'a pas.

— Mais en si grande quantité ?

— J'espère que je n'en aurai pas besoin. Et si les ordinateurs se remettent bientôt à fonctionner, je sens que je vais devoir m'acheter une piscine.

5

La sonnerie désagréable de mon vieux réveille-matin mécanique m'a tiré d'un profond sommeil. Il était deux heures et demie du matin.

J'ai été surpris de constater que j'avais réussi à trouver le sommeil malgré toutes les pensées qui se bousculaient dans ma tête. Je m'étais laissé choir sur le divan. D'une certaine manière, il valait mieux que je sois au rez-de-chaussée, entre la porte d'entrée et la chambre des jumeaux. Était-ce un gage de prudence ou un signe de paranoïa de ma part?

Je me suis efforcé d'ouvrir les yeux. La petite veilleuse de la salle de bain du premier étage n'émettait aucune lumière, pas plus que les témoins lumineux de l'imprimante, de la télévision ou du lecteur DVD. Notre micro-ordinateur gisait dans un coin; l'appareil auquel j'avais consacré tant d'heures était tout à fait inutile désormais. De même, aucune lueur ne provenait du lampadaire situé près de l'extrémité de notre allée. Tout était plongé dans l'obscurité la plus complète.

Je me suis levé, toujours habillé, mes chaussures aux pieds. J'ai traversé la pièce, tout en essayant de ne pas heurter d'objets. Pourquoi n'avais-je pas posé la lampe de poche sur la table du salon plutôt que sur le bureau placé à l'autre bout de la pièce? J'ai avancé à tâtons jusqu'à ce que je la trouve. J'ai ressenti en l'allumant une impression rassurante et troublante à la fois, qui m'a ramené brutalement à la réalité.

Les jumeaux dormaient à l'étage. Ma mère n'était toujours pas de retour à la maison. Peu de temps après que Herb et moi étions rentrés du magasin d'accessoires pour piscines, un policier à vélo m'avait remis un mot dans lequel elle disait qu'elle allait bien, mais qu'elle était très occupée, et que nous devions l'attendre patiemment.

Brett, l'agent qu'elle avait envoyé, était une recrue. Selon lui, elle avait posté des agents tout autour de son secteur. Lui-même avait été chargé de patrouiller dans notre quartier.

Maman pensait-elle réellement que cette mesure était nécessaire ?

Herb avait également décidé de monter la garde au sommet de notre rue, là où les rues Powderhorn Crescent et Folkway Drive se rencontrent. Encore là, je n'en voyais pas la nécessité, mais, curieusement, il y avait somme toute quelque chose de rassurant dans cette initiative. J'avais mis mon réveil dans l'intention d'aller voir si tout allait bien.

J'ai suivi le faisceau de la lampe jusqu'à la porte d'entrée. Au moment d'ouvrir la serrure, j'ai hésité quelques instants avant de fouiller dans le porte-parapluie qui se trouvait derrière la porte et de m'emparer d'une batte de baseball. Puis j'ai ouvert la porte, je suis sorti et j'ai refermé derrière moi. Les jumeaux dormaient toujours ; je pouvais les laisser seuls quelques minutes.

J'ai senti un léger frisson me parcourir le dos. Il faisait beaucoup plus frais à l'extérieur. J'imagine que le fait d'avoir fermé et verrouillé toutes les fenêtres le soir précédent avait contribué à garder la chaleur à l'intérieur de la maison. Tout était tellement silencieux que je sentais le bruit de mes pas résonner sur le trottoir. Il n'y avait pas de voitures sur l'autoroute située à quelques pâtés de maisons de là, pas de trains au loin ni d'avions dans le ciel. Il n'y avait pas non plus de sons s'échappant de quelque fenêtre ouverte, ou encore de vent dans les arbres.

On n'entendait rien, hormis le chant des insectes, lequel paraissait lui-même plus doux que d'habitude.

J'ai pris une profonde respiration. Il y avait dans l'air une forte odeur de nourriture grillée. Dans chaque foyer, les grillades avaient été au menu de la veille au soir. Les barbecues au propane ou au charbon de bois fonctionnaient encore. Les congélateurs ayant commencé à décongeler, les gens avaient craint de se retrouver avec de la viande avariée et il en était résulté un festin dans chaque cour. Nous en avions fait autant. Du moins, j'avais essayé. Papa était expert en la matière, mais j'ai quand même réussi à ne pas trop calciner les galettes de viande en voie de décongélation. Cela n'avait toutefois pas empêché Danny et Rachel de se plaindre.

Au-dessus de moi, le ciel était parsemé de milliers d'étoiles que nous n'avions pas coutume de voir la nuit. J'étais tellement habitué à voir les lampadaires que je trouvais quelque peu étrange de pouvoir contempler tous ces astres, qui étaient incroyablement lumineux lorsque aucune autre lumière ne les dissimulait à la vue. De concert avec la demi-lune qui éclairait à l'horizon, ils baignaient la rue d'une lumière douce et délicate. Il faisait plus clair ici qu'à l'intérieur de la maison. Je n'étais pas du tout certain d'avoir besoin de ma lampe de poche – même si elle me rendait plus visible. Je n'avais pas envie de surprendre Herb et de risquer d'être abattu par un vieux gratte-papier paranoïaque armé d'un pistolet qu'il feignait, selon moi, de ne pas savoir utiliser correctement. Il fallait vraiment, d'ailleurs, que j'en parle à ma mère.

C'est alors que j'ai senti le cigare de Herb. J'ai reconnu l'odeur qui provenait fréquemment de sa cour. Au coin de la rue, j'ai aperçu la braise incandescente de son cigare.

— Herb ! l'ai-je interpellé tout en dirigeant le faisceau de ma lampe sur lui.

Il m'a fait signe de la main et je me suis approché de lui. Il était assis sur une chaise de jardin, au beau milieu de l'intersection. Un vélo, appuyé sur sa béquille, se trouvait à côté de lui.

— As-tu l'intention d'aller jouer au baseball à cette heure-ci?

J'avais oublié que j'avais un bâton à la main.

— Ouais, je me demandais si vous vouliez faire une partie avec moi.

— Il est plus facile de jouer au baseball le soir quand les projecteurs sont allumés, tu ne trouves pas? Qu'est-ce que tu fais ici?

— J'ai pensé que vous aimeriez avoir de la compagnie.

— Comme les habitants du quartier ont été forcés de marcher pour rentrer chez eux, j'ai eu de la compagnie toute la nuit.

— Ils étaient nombreux?

— Passablement. Assis ici, j'entends les gens venir de loin. Je suis allé à leur rencontre en vélo. Les derniers ont fait tout le chemin à pied à partir de la ville.

— Ce qui veut dire entre cinquante et soixante-cinq kilomètres. Il leur aura donc fallu...

— une partie de la journée et la moitié de la nuit, a complété Herb.

— Et ils étaient sains et saufs?

— La plupart étaient épuisés et désorientés, mais soulagés de pouvoir enfin rentrer chez eux et surtout impatients de revoir les membres de leur famille. Ils avaient tous faim et soif. J'ai donné une bouteille d'eau à tout le monde, a-t-il conclu en tapotant la caisse pratiquement vide qui se trouvait à ses pieds.

— C'est gentil de votre part.

— La plupart en ont besoin, mais ça sert aussi à les calmer pour qu'ils puissent parler. Vu que toutes les communications locales sont coupées, le bouche à oreille reste la seule façon de savoir ce qui se passe là-bas.

— Et... ?

— Il y a eu des actes de bonté. Certaines épiceries ont distribué des bouteilles d'eau et des fruits. Certaines personnes ont donné des vestes et des chaussures ou prêté leurs vélos.

J'ai eu l'impression qu'il ne me racontait que la moitié de l'histoire.

— Mais tout le monde n'a pas été aussi sympa, n'est-ce pas ?

— Pas tout le monde, en effet. Des magasins ont été pillés, de l'équipement électronique et des objets de valeur ont été dérobés et, d'après certaines rumeurs, des bijouteries ont été dévalisées. Un homme qui habite rue Stonemason s'est fait agresser au couteau et il est passablement ébranlé depuis. J'ai même entendu dire que plusieurs bâtiments étaient en feu.

— Est-ce qu'il est arrivé quelque chose à notre mini-centre commercial ?

Je songeais aux quelques magasins qui se trouvaient à proximité de la station-service.

— Aucun problème de ce côté-là. Pour l'instant, un policier aisément reconnaissable reste la meilleure garantie que tout se passera bien.

— Pour l'instant ?

Il ne m'a pas répondu tout de suite.

— Adam, tant que les gens pensent que les choses vont reprendre rapidement leur cours normal, ils ne paniqueront pas.

— Mais, vous, vous ne pensez toujours pas que la situation va s'améliorer de sitôt.

— Regardons les choses en face. Le problème ne concerne pas seulement des lumières éteintes ou des écrans d'ordinateurs personnels hors service. Sont aussi touchés tous les équipements et tous les systèmes informatisés qu'utilisent les services de secours – comme les services de police, d'ambulance et d'incendie – chargés de venir en aide aux gens en cas d'urgence. Ça comprend les véhicules qui transportent la nourriture et les fournitures médicales, par exemple. Ou encore, les camions et les outils dont se sert la compagnie d'électricité pour réparer les pannes de courant. Or, rien de tout ça ne fonctionne.

— Et vous pensez que les gens vont agir différemment si la panne n'est pas bientôt réparée.

— Tout change à partir du moment où les gens ont besoin d'eau et de nourriture, et où ils craignent pour la sécurité de leurs enfants.

— Mais il est impossible que ça se produise ici. Nous vivons dans un pays... euh...

— civilisé ?

J'ai approuvé d'un signe de tête.

— Ce qu'on appelle « civilisation » n'est rien d'autre qu'une mince couche de vernis. Une fois qu'elle s'est détachée, les choses se détériorent très rapidement, comme j'ai pu le constater de mes propres yeux.

Je ne savais pas quoi répondre.

— Tu ne me crois probablement pas.

J'ai secoué la tête.

— Non, ce n'est pas ça. J'espère simplement que vous avez tort.

— Moi aussi.

Herb a fait une pause.

— Dans la matinée, je vais installer un câble électrique chez vous. Comme ça, vous aurez de l'électricité grâce à ma génératrice.

— Ce serait génial ! Peut-être que nous n'en aurons plus besoin d'ici là. Du moins, je l'espère.

— C'est bien de garder espoir, a-t-il répondu avec un sourire inquiétant. Je dois maintenant aller m'assurer que notre jeune policier se porte bien. Tu devrais peut-être rentrer chez toi.

— Je pourrais attendre ici jusqu'à votre retour, du moins si vous pensez qu'il est nécessaire que quelqu'un reste ici.

— Je ne serais pas ici si je pensais le contraire, a répliqué Herb en enfourchant son vélo. Ce ne sera pas long. Rappelle-toi que prudence est mère de sûreté.

— Pardon ?

— Parfois, la chose la plus courageuse qu'on puisse faire, c'est de courir.

Herb s'est éloigné, sa silhouette devenant de plus en plus sombre avant de disparaître complètement. J'étais sur le point de m'asseoir sur la chaise de jardin quand je me suis ravisé. J'ai jugé que je me sentirais mieux debout. J'ai jeté un coup d'œil à chacune des deux extrémités de la rue, puis, pour faire bonne mesure, j'ai fait un tour complet sur moi-même.

J'ai entrepris d'aller et venir au milieu de l'intersection. Vingt pas dans un sens, vingt pas dans l'autre. J'ai posé mon bâton sur mon épaule comme s'il s'était agi d'un fusil. J'aurais été plus à l'aise si j'avais eu un fusil. D'ailleurs, j'aurais pu m'en procurer un. Je savais où se trouvait la clé de notre armoire à fusils et je pouvais être de retour dans quelques minutes. Mais je n'avais pas l'intention de faire ça. Je refusais de me laisser contaminer par la paranoïa de Herb. Je n'avais pas besoin d'arme à feu, ni même de batte de baseball.

J'ai entendu un bruit en provenance du pied de la colline. Des gens approchaient en traînant les pieds. Je pouvais les entendre venir de loin, comme Herb l'avait dit. Au bout d'un moment, j'ai pu distinguer une tache floue dans la pénombre. Il n'y avait là qu'une personne. J'ai reculé de quelques pas et j'ai contourné la chaise de manière à ce qu'elle se retrouve entre moi et l'individu en question. Il était certes ridicule de chercher ainsi refuge derrière un meuble de jardin en plastique, mais je trouvais sa présence tout de même rassurante.

L'homme avançait lentement, tête baissée. Il ne m'avait pas encore remarqué. Mais... ce n'était pas un homme : c'était une femme et je l'ai aussitôt reconnue. C'était madame Gomez, qui habitait tout près.

— Bonjour, lui ai-je lancé tout en allumant ma lampe de poche.

Elle a sursauté et poussé un cri.

— Ne me faites pas de mal !

— Je suis désolé ! Je voulais pas vous...

— Laissez-moi tranquille !

— C'est *moi*, madame Gomez, *Adam*, Adam Daley. J'habite au bout de la rue.

J'ai attrapé une bouteille d'eau et fait quelques pas dans sa direction.

— Adam... Je suis tellement contente que ce soit toi, m'a-t-elle répondu d'une voix rauque.

— Tenez, buvez ça.

Je lui ai tendu la bouteille. Elle l'a inclinée vers l'arrière et l'a à moitié vidée.

— Merci. J'ai tellement soif et mes pieds me font tellement mal.

J'ai dirigé le faisceau de ma lampe vers le sol. Elle ne portait pas de chaussures et ses pieds étaient ensanglantés.

— Qu'est-ce qui s'est passé ?

— On marche mal avec des talons hauts ! J'arrive de la ville. J'ai fait tout le chemin à pied.

On aurait dit qu'elle allait s'écrouler sur le sol. Je lui ai pris le bras pour la soutenir.

— Je vais vous aider à rentrer chez vous.

Je l'ai entraînée le long de la rue. Elle avançait à petits pas laborieux.

— Comment ça s'est passé là-bas ?

— Pas très bien. J'ai vu un homme se faire agresser. J'étais avec un groupe la plupart du temps, principalement des femmes et aussi quelques hommes qui marchaient dans cette direction. Ça m'a semblé plus sûr. Ils se sont dispersés à mesure qu'ils arrivaient chez eux ou qu'ils devaient prendre un autre chemin. Personne d'autre ne devait venir jusqu'ici. Pendant la dernière heure, je me suis retrouvée toute seule. J'avais *tellement* peur.

— J'aurais eu peur aussi.

— Je voulais juste rejoindre ma famille.

— J'ai vu votre mari et vos enfants dans la rue plus tôt ce soir. Ils s'inquiétaient pour vous.

Elle s'est mise à pleurer. Nous approchions de sa demeure à présent. Elle a sorti sa clé et tenté de l'introduire dans la serrure, mais sa main tremblait tellement qu'elle n'y parvenait pas.

— Laissez-moi vous aider.

Juste au moment où j'allais prendre la clé, la porte d'entrée s'est ouverte. Monsieur Gomez s'est précipité et a pris sa femme dans ses bras. Leurs enfants ont surgi de derrière lui et se sont jetés sur leur mère, puis tous les quatre se sont mis à s'étreindre et à pleurer.

La situation devenait embarrassante et j'ai commencé à m'éloigner.

— Adam !

Je me suis retourné.

— Merci beaucoup, m'a lancé madame Gomez.

— Oui, merci de l'avoir ramenée à la maison ! a ajouté son mari.

— Ce n'est rien. Je l'ai seulement aperçue au coin de la rue. Je dois y retourner maintenant.

— Tu surveilles la rue ?

— Herb est avec moi.

Monsieur Gomez est sorti pour me serrer la main.

— Je m'assure que ma femme et mes enfants sont confortablement installés, puis je vais venir monter la garde moi aussi.

— Tout va bien, on gère la situation.

— Non, il est important d'unir nos efforts. J'arrive.

— Merci.

Ce serait une bonne chose d'avoir du renfort. Même si cela devait s'avérer parfaitement inutile.

6

J'ai d'abord ouvert un œil, puis l'autre. J'étais de nouveau sur le canapé du salon, sur lequel je m'étais affalé peu après que Herb m'avait renvoyé chez moi pour le reste de la nuit. La lumière du soleil pénétrait par les fenêtres. J'entendais des voix faibles et je sentais de fortes odeurs en provenance de la cuisine. Les voix étaient trop discrètes pour que je puisse les distinguer, mais il était impossible de se méprendre au sujet des odeurs de café et de bacon qui assaillaient mes narines. Cela signifiait-il que nous avions de nouveau de l'électricité ? J'ai jeté un coup d'œil au lecteur de DVD, mais le voyant lumineux rouge était éteint, signe qu'il n'y avait toujours pas de courant dans les prises murales.

Je me suis levé et ai traîné les pieds jusqu'à la cuisine. Avant même d'avoir tourné l'angle pour voir qui était là, je pouvais entendre les voix de Rachel et de Danny, ainsi que de maman.

— Tu es rentrée ! me suis-je écrié une fois parvenu dans l'embrasure de la porte.

Il n'y avait pas seulement ma mère et les jumeaux, mais aussi Herb et Brett, le policier ; tous étaient assis à la table de la cuisine.

— Bonjour ! Je suis contente de voir que tu ne vas pas passer toute la journée à dormir, m'a lancé ma mère.

J'ai consulté ma montre. Il n'était pas encore huit heures.

— Il n'est pas si tard que ça. En plus, je suis resté debout une bonne partie de la nuit.

— Mais ta mère a passé *toute* la nuit debout, elle, a-t-elle répliqué.

— Nous sommes deux dans le même cas, a précisé Herb.

— Trois, a dit Brett.

— Viens t'asseoir, m'a enjoint ma mère. Sers-toi du café et prends le petit-déjeuner avec nous.

J'ai remarqué la rallonge qui passait par la porte coulissante en verre et qui serpentait sur le plancher avant de grimper jusqu'au comptoir, où elle était connectée au grille-pain, à la cafetière et à une poêle électrique. De toute évidence, le câble était relié à la génératrice de Herb. Je me suis versé une bonne tasse de café chaud, puis j'ai déposé quelques tranches de bacon et quelques tranches de pain grillé dans une assiette.

— Où en sont les choses ? ai-je demandé.

— Compte tenu de tous les problèmes qu'il aurait pu y avoir, tout se passe bien, d'autant plus que plusieurs policiers étaient absents.

— Pourquoi ?

— Certains ont un long trajet à parcourir, alors ils n'ont pas pu se rendre au travail. Quant aux autres, j'imagine qu'ils étaient inquiets pour leurs familles et qu'ils sont restés chez eux.

— C'est tout à fait compréhensible, a déclaré Herb.

— Je suis bien d'accord, a convenu ma mère. J'ai la chance non seulement d'habiter à proximité du poste de police, mais aussi d'avoir Adam pour s'occuper des enfants.

— On n'a pas besoin de gardienne, a protesté Danny.

— Oui, on en a besoin ! a objecté Rachel.

Tous deux divergeaient d'opinions sur des tas de sujets.

— Je dis simplement que je comprends les policiers qui veulent protéger leurs familles, a ajouté Herb en esquissant un sourire.

— Je ne pourrais pas rentrer chez moi, même si je le voulais, a dit Brett. Mes parents habitent dans l'Ouest et ma maison est à plus d'une heure de voiture d'ici.

— Tu es le bienvenu chez nous aussi longtemps qu'il le faudra, a répondu ma mère.

— Je vous en remercie sincèrement, capitaine. Je sais que certains hommes ont dormi au poste.

— Et je m'en réjouis, a fait remarquer ma mère. Nous ne pouvons pas le laisser sans surveillance.

— Brett a fait du bon boulot la nuit dernière. Il était indispensable qu'un policier monte la garde, a indiqué Herb.

— Il y a trois autres agents du poste de police qui vivent ici dans le quartier. Et ils m'ont tous informée qu'ils seraient là.

— Et s'ils ne se pointaient pas ? s'est enquis Herb.

— Je suis sûre qu'ils vont venir. Tous les trois sont des policiers d'expérience et...

— Je veux dire : si vous leur demandiez plutôt de patrouiller dans le secteur ?

— Alors, je serais privée de trois autres policiers que je ne peux pas me permettre de perdre.

— Il ne s'agit pas de les perdre, mais de les *réaffecter*, a insisté Herb. Avec eux et Brett, le secteur au complet serait protégé.

— Sauf que d'autres secteurs le seraient moins bien. Je ne peux pas accepter ça, a objecté ma mère. On m'accuserait d'agir dans l'intérêt de ma famille plutôt que dans l'intérêt de la communauté tout entière.

— Est-ce que notre quartier ne constitue pas un des plus importants secteurs sous la responsabilité du poste de police ? l'a interrogée Herb. Quatre patrouilles pourraient protéger des centaines de maisons, des milliers de personnes, les magasins et leurs marchandises, la station-service et son carburant, etc.

— Quatre policiers à pied ne suffiraient pas à couvrir tout le secteur, a déclaré Brett.

— Mais quatre patrouilles suffiraient, si elles étaient mobiles, a rétorqué Herb.

— À quel genre de moyen de transport songez-vous ? s'est informée ma mère.

— Je pense aux vélos, par exemple. Mais aussi aux voitures plus anciennes et aux minimotos et aux motos tout terrain qui roulent encore. Vous pourriez même doubler l'étendue de la zone couverte en autorisant chaque agent à faire équipe avec un civil. Un peu comme dans le cas du programme de surveillance de quartier, mais qui serait doté d'une équipe ambulante.

— Ça pourrait être une solution envisageable, a acquiescé ma mère. Mais il va de soi qu'aucun des civils qui participeraient à ces patrouilles ne devrait être armé.

Je me demandais comment elle réagirait si elle me voyait me balader avec un bâton de baseball ou si elle voyait Herb sortir son artillerie.

— Seulement ceux qui détiennent un permis de port d'arme devraient être autorisés à être armés, a convenu Herb.

— C'est-à-dire les gens qui ont un permis, comme vous, a commenté ma mère.

Elle était donc au courant à propos de son arme.

— Au fait, Adam, a-t-elle poursuivi, je songeais à emprunter ta voiture aujourd'hui.

— D'accord, ai-je répondu, même si l'idée de voir quelqu'un d'autre, y compris ma mère, utiliser ma voiture me mettait mal à l'aise, car elle tombait en panne chaque fois qu'une tierce personne s'aventurait à la conduire.

— Mais, tout bien réfléchi, j'ai changé d'idée. Ta voiture n'est pas très fiable. J'ai l'impression que tu es le seul à pouvoir la faire fonctionner. Je vais trouver une autre solution.

— Je peux faire du repérage dans le quartier, si vous voulez, a dit Herb, et faire l'inventaire des véhicules en état de marche.

— Je vous en serais reconnaissante. Nous pourrions tenter l'expérience ici et, si ça fonctionne, il serait possible d'en faire autant dans les autres quartiers sous la responsabilité du poste de police.

Maman était très spontanée et décontractée avec Herb. J'avais l'impression qu'elle appréciait sincèrement l'aide qu'il apportait à notre quartier, même si elle-même se devait de tenir compte de l'ensemble des quartiers dont elle était responsable.

— Tout en faisant mes recherches, je pourrais aussi essayer de trouver des personnes susceptibles d'effectuer des contrôles nocturnes à des endroits stratégiques du quartier, a proposé Herb. Cela pourrait rassurer vos agents de savoir que leurs familles sont en sécurité pendant qu'eux-mêmes patrouillent dans le secteur. Bien entendu, j'agirais uniquement avec votre permission.

— Je comprends le raisonnement qui sous-tend toutes vos suggestions, Herb, a admis ma mère, mais je ne pense pas que ce soit nécessaire à l'heure actuelle.

— D'accord, a-t-il répondu. Mais si vous changez d'avis, je peux mettre les choses en branle rapidement.

— C'est bon à savoir. Je vous remercie d'y avoir songé.

J'étais heureux de constater qu'elle évitait de céder à la paranoïa ou d'avoir des réactions excessives. Après tout, il n'y avait même pas vingt-quatre heures que nous étions privés d'électricité. Tout allait bientôt rentrer dans l'ordre.

— Je suis pratiquement certaine de ne pas pouvoir rentrer avant demain matin au plus tôt, a conclu ma mère en se levant de table. Adam, je sais que je peux compter sur toi pour t'occuper de ton frère et de ta sœur pendant mon absence.

— Veux-tu que j'aille te conduire au poste ? lui ai-je demandé.

— Ce serait formidable ! C'est une longue marche jusque-là.

— Si ça ne vous dérange pas, j'aimerais y aller avec vous, a annoncé Herb. Histoire de vous tenir compagnie.

— J'ai besoin de récupérer quelques affaires au poste. J'irais aussi, a dit Brett.

— Il y a assez de place pour nous quatre, ai-je précisé. Mais est-ce qu'on peut laisser Rachel et Danny seuls pendant ce temps-là ?

— Si c'est pour un court laps de temps, ça ne pose aucun problème, a approuvé ma mère.

— Pas de problème, a affirmé Danny.

— Mais pas trop longtemps, a ajouté Rachel.

* * *

J'ai tourné la clé de contact, et la voiture a démarré aussitôt. Curieusement, elle semblait fonctionner mieux que d'habitude, même si elle était passablement chargée à cause du supplément de poids dû aux trois passagers ainsi qu'à la minimoto et aux deux motos tout terrain qui étaient sanglées à l'intérieur du coffre. Ma mère avait l'intention de demander aux policiers de les utiliser pour faire leur patrouille, puis de rentrer en minimoto à la fin de son quart de travail. J'ai fait marche arrière lentement dans l'allée, de manière à éviter que le dessous de la voiture ne touche le sol.

— Je crois que ton grand-père serait fier de la façon dont son vieux tacot se comporte, a commenté ma mère en riant.

— Je crois que nous devrions tous en être fiers, a ajouté Herb. Parfois, les vieilles choses peuvent encore servir.

— J'ai l'impression que vous ne parlez pas seulement de la voiture, a fait remarquer ma mère.

— Vous avez parfaitement raison, a-t-il acquiescé tandis que nous pouffions de rire tous ensemble.

J'ai été surpris de voir qu'il y avait autant de monde dans la rue à une heure aussi matinale. Les gens étaient sortis de leurs maisons et discutaient entre eux, à deux ou par petits groupes. En temps normal, à cette heure-là, on n'apercevait que les personnes qui promenaient leurs chiens. Tous sans exception ont cessé de parler pour nous regarder passer.

— Ça doit faire la même chose quand on conduit une Ferrari ou une Lamborghini, ai-je noté.

— D'autant plus qu'aucune de ces voitures n'est en mesure de rouler actuellement, a commenté Brett.

— Disons que les plus anciens modèles de Ferrari doivent pouvoir rouler, ai-je fait observer tout en empruntant Folkway Drive vers l'ouest, en direction de la promenade Erin Mills.

J'ai traversé sans m'arrêter l'intersection située en haut de la colline et j'ai examiné du coin de l'œil le mini-centre commercial. La situation ne me paraissait pas du tout normale. Le stationnement était rempli de voitures abandonnées, mais des centaines et des centaines de personnes grouillaient autour des commerces.

— Les magasins sont-ils déjà ouverts ? ai-je demandé.

— Je ne suis pas du tout certain que la plupart d'entre eux vont ouvrir leurs portes, a répondu Herb.

— Arrête-toi, m'a enjoint ma mère.

J'ai tourné le volant et nous sommes entrés dans le parking.

— Les foules nombreuses m'inquiètent toujours, a-t-elle ajouté. Allons voir ce qui se...

Un fracas terrible a retenti et la vitrine du supermarché a volé en éclats. Une clameur est montée de la foule tandis que celle-ci se pressait vers l'avant.

— Laisse-nous descendre ! a ordonné ma mère.

J'ai freiné brusquement, et elle et Brett ont bondi hors de la voiture. Ils se sont précipités vers la foule, qui se bousculait en vue de s'engouffrer dans l'ouverture créée par le bris de la vitrine. J'ai vu maman et Brett disparaître à l'intérieur du magasin. De l'endroit où je me trouvais, je pouvais presque percevoir le désordre qui y régnait. Les choses étaient nettement en train de déraper.

— Roule ! a lancé Herb.

— Je ne bouge pas d'ici !

— Nous n'allons nulle part. Tu vas simplement te stationner en dissimulant ton auto parmi les autres voitures, puis tu vas la verrouiller. Ensuite, nous irons les aider.

— Mais comment... ?

— Fonce !

J'ai appuyé sur l'accélérateur, pris un virage serré et trouvé une place libre où me garer, puis j'ai éteint le moteur.

— Monte les vitres et ferme la voiture à clé, a dit Herb, dont la voix était redevenue calme.

Nous avons fermé les vitres promptement, puis nous sommes sortis et avons laissé derrière nous la voiture bien verrouillée. Il s'est de nouveau produit un bruit terrible. J'ai levé les yeux et constaté alors qu'une seconde vitrine venait tout juste d'être fracassée ; il pleuvait à présent des éclats de verre et la foule s'est dispersée quelques instants avant de se précipiter dans la seconde ouverture ainsi formée.

— Reste avec moi, Adam, tout juste *derrière* moi, m'a enjoint Herb.

Il avait la main sur son pistolet, qui était toujours dans son étui. Tandis que nous avancions rapidement, des gens s'éloignaient déjà en emportant des caisses de bouteilles d'eau et de boissons gazeuses, les bras chargés de boîtes de céréales et de biscuits ainsi que de sacs de chips. Leurs visages avaient pris un air étrange, leurs yeux étaient écarquillés et vitreux ; on aurait dit qu'ils étaient à la fois excités, effrayés et heureux. Où était passée ma mère ? Où était passé Brett ?

Soudain, un claquement sec s'est fait entendre.

— Baisse-toi ! a hurlé Herb.

Il s'est accroupi et j'en ai fait autant, me dissimulant presque derrière lui.

— Est-ce que c'était un coup de feu ?

Un deuxième coup a retenti, puis un troisième. Il n'y avait plus aucun doute à présent quant à la nature du bruit en question. La foule a réagi aussitôt. Certains se sont immobilisés ; d'autres se sont mis à courir. Herb s'est redressé tandis que je restais recroquevillé, essayant de m'abriter derrière lui. J'ai vu Brett qui sortait du magasin par l'une des vitrines brisées. Ma mère est apparue dans l'encadrement de la deuxième. Du sang coulait sur son visage, en provenance d'une blessure au cuir chevelu.

— Arrêtez ! a-t-elle crié.

Elle a pointé son arme vers le ciel et a fait feu encore une fois. La foule s'est soudain figée.

Brett tenait son revolver dans une main et sa matraque dans l'autre. Herb avait également dégainé son arme. Il la serrait maintenant dans une main placée le long de son corps, la cachant partiellement à l'aide de son autre main.

— Que tous ceux qui sont à l'intérieur du magasin sortent ! a tonné ma mère. Si vous tentez de partir avec des marchandises volées, vous serez arrêtés et inculpés pour avoir participé à une émeute et à des actes de pillage. Sortez et rentrez chez vous maintenant !

Un homme est passé près d'elle, puis un autre, puis une femme qui tenait un gamin par la main. Cette femme avait emmené son enfant avec elle alors qu'elle allait voler dans le magasin !

Les gens quittaient le supermarché, mais ils ne quittaient pas le parking pour autant. Au contraire, ils étaient de plus en plus nombreux à s'approcher lentement de la devanture du magasin.

— C'est loin d'être terminé, a déclaré Herb posément. Viens.

Nous nous sommes frayé un chemin à travers la foule et j'ai remarqué que sa main se trouvait maintenant dans la poche de son pantalon, son pistolet étant désormais hors de vue.

— Nous voulons simplement de la nourriture et de l'eau ! s'est écrié un homme, porté par les encouragements de la foule mécontente.

— Vous n'avez pas le droit de vous en procurer de cette façon-là, a répliqué ma mère, tandis que du sang coulait sur le côté de son visage.

— De quelle façon alors ? a hurlé quelqu'un d'autre.

La foule, de plus en plus bruyante, avait entrepris de se rapprocher derechef.

— Nous avons le droit d'avoir de la nourriture et de l'eau ! a vociféré une autre personne, suscitant de nouveau une vive réaction parmi l'assistance.

Encore une fois, la foule était en train de se transformer en meute sous mes yeux. Ma mère s'est essuyé le visage avec la main.

Herb s'est avancé de manière à se retrouver à ses côtés. Il lui a murmuré quelque chose à l'oreille et elle a hoché la tête. Puis il s'est adressé à la foule.

— Les amis, vous avez le droit d'avoir de la nourriture et de l'eau. Et je sais comment vous pouvez vous en procurer !

— On vous écoute ! a lancé une voix.

Je voulais écouter, moi aussi, mais je voulais également savoir ce qui était arrivé à ma mère. Je suis passé devant Herb et me suis faufilé jusque derrière elle.

— Est-ce que ça va ? ai-je chuchoté.

— Tout va bien, c'est juste une petite entaille de rien du tout, causée par un éclat de verre. Tu sais à quel point les coupures à la tête peuvent saigner, a-t-elle ajouté avant de s'adresser à la foule. Mon ami ici présent a quelque chose à vous dire. Il s'appelle Herb.

— Vous allez tous pouvoir acheter de l'eau et de la nourriture dans ce magasin, a enchaîné Herb.

— Même sans argent comptant ? lui a demandé quelqu'un. Impossible de retirer de l'argent de la banque et les cartes de crédit ne fonctionnent pas !

— Un système de crédit basé sur l'honneur va être mis en place. Des marchandises vous seront remises contre la promesse que vous rembourserez le magasin une fois le courant rétabli, a précisé Herb.

— Il n'a pas l'autorisation de faire une telle offre ! s'est écrié un homme qui sortait du magasin. C'est moi le gérant ici et il n'a pas le droit de...

— Taisez-vous et écoutez ! l'a interrompu sèchement ma mère avant de se tourner vers Herb. Continuez.

— Nous avons besoin de la collaboration de tout le monde pour que les choses se déroulent dans le calme et dans l'ordre, a poursuivi ce dernier. Je sais que vous êtes tous des gens bien et que vous voulez bien faire. Voici comment ça va fonctionner. Vous allez vous mettre en ligne. La queue va commencer là-bas, près du panneau qui est dans la rue.

D'un seul mouvement, les gens se sont retournés et ont regardé dans l'autre direction. La foule au complet s'était transformée en une bande d'enfants obéissants. Tel un magicien, Herb avait le public en son pouvoir.

— Je tiens à vous dire ceci : je vous donne ma parole que les vivres seront répartis de façon équitable, de manière à ce que toutes les personnes actuellement présentes dans ce parking reçoivent de la nourriture.

J'ai regardé ma mère. Son visage perplexe reflétait mes pensées : comment allait-il s'y prendre ? Mais lui semblait si calme et si imperturbable que je le croyais capable de trouver une solution à ce problème. La foule aussi, à en juger par sa réaction.

— OK, les femmes avec des enfants et les personnes âgées, avancez-vous doucement. Les autres, dans une minute, je veux que vous formiez une file bien alignée près du panneau, là-bas. Et rappelez-vous : nous sommes tous des gens civilisés et la meilleure façon de prendre soin de vos familles, c'est de respecter le droit des autres personnes de prendre aussi soin de leurs familles.

La foule a commencé à se rassembler autrement. Une queue se formait tandis que les plus vieux et des femmes avec enfants s'avançaient vers nous.

— Il n'a pas le droit de..., a répété le gérant, mais ma mère lui a aussitôt coupé la parole.

— À l'intérieur ! lui a-t-elle ordonné.

Il a hésité, puis il a obéi. Le verre brisé répandu sur le sol craquait sous ses pas.

— Herb, pouvez-vous venir aussi et nous expliquer comment l'opération va se dérouler ? a lancé ma mère.

— Ce n'est pas compliqué, a répondu Herb.

— Reste ici et fais le guet, a-t-elle demandé à Brett.

Pendant que Brett demeurait sur le trottoir, j'ai suivi Herb et ma mère dans le magasin. En plus du verre brisé, le plancher était jonché de sacs, de cartons, de boîtes de conserve et de présentoirs qui avaient été renversés.

— Écoutez, je comprends que vous vouliez aider les gens, mais vous n'aviez pas la permission de leur faire ce genre de promesse, a déclaré le gérant, qui paraissait inquiet et effrayé.

— Je suis le capitaine Daley et je suis autorisée à prendre certaines mesures dans les situations d'urgence, s'est interposée ma mère. Et ce monsieur est mon adjoint.

Herb a tendu la main à l'homme.

— Je m'appelle Herb, et vous ?

— Ernie Williams.

— Ernie, je sais que tout ça est très difficile pour vous. Je peux à peine m'imaginer ce que vous avez dû ressentir quand ces gens-là ont fracassé vos vitrines et commencé à tout saccager.

— C'était terrible! J'avais peur. Quelqu'un aurait pu me tuer si j'avais essayé de les arrêter.

— Les foules sont comme les incendies de forêt: elles peuvent échapper à tout contrôle. Vous aviez bien raison d'être terrifié, Ernie. Si vous aviez essayé de les arrêter, ils auraient pu vous blesser.

J'ai remarqué que Herb a laissé à Ernie le temps d'intérioriser l'idée qu'il aurait pu être blessé.

— Comprenez-moi bien, je vous suis infiniment reconnaissant d'avoir mis fin au pillage, mais qu'est-ce qui va se passer quand les gens vont se rendre compte qu'il est impossible de donner suite à votre promesse? a demandé Ernie.

— Oh! mais nous allons y donner suite, a rétorqué Herb.

— Je ne peux quand même pas donner de la nourriture aux gens sans les faire payer. Ce n'est pas mon magasin: je suis seulement gérant ici!

— Ernie, a dit Herb en posant une main rassurante sur son épaule. Personne ne vous demande de donner quoi que ce soit. Vous allez demander aux gens qui ont de l'argent de payer comptant et à ceux qui n'ont pas d'argent liquide sur eux de vous fournir suffisamment de renseignements pour que vous puissiez vous faire rembourser plus tard. C'est comme s'ils utilisaient une carte de crédit, vous voyez ce que je veux dire?

— Un peu comme s'ils signaient une reconnaissance de dette, si j'ai bien compris.

— Exactement. En plus, vous allez leur donner la permission d'acheter seulement des articles que vous aurez sélectionnés. Faites le tour du magasin. À cause de la panne, il y a beaucoup d'aliments qui risquent de se gâter aujourd'hui.

— Un vrai cauchemar. Tout ce gaspillage de nourriture ! a admis Ernie.

— Justement, vous pouvez empêcher que ça se produise. Vous allez transformer ces pertes potentielles en profits substantiels qui vont faire gagner de l'argent à votre entreprise. Et, quand tout ça sera fini, vos clients se souviendront de vous comme de l'homme qui leur aura permis de nourrir leurs familles. Vous deviendrez un héros aux yeux de tout le monde. À partir de ce moment-là, votre clientèle vous restera fidèle.

Herb a mis son bras autour d'Ernie et l'a entraîné jusqu'à la vitrine afin qu'il puisse voir la queue en train de se former.

— N'aimeriez-vous pas devenir leur héros plutôt que leur victime ?

— Mais comment ? a fait Ernie.

— Combien d'employés sont actuellement en mesure de vous aider ?

— Ils sont plus d'une douzaine en temps normal. Mais, aujourd'hui, seulement deux sont rentrés au travail. Avec moi, ça fait trois.

— Et si vous nous comptez aussi, moi et le jeune Adam qui est là, ça fait cinq. J'ai également repéré quelques personnes dans la queue qui vont pouvoir nous donner un coup de main. Ils pourront rester quand je renverrai tous les autres chez eux.

— Vous comptez les renvoyer chez eux ? a demandé à ma mère. Je ne suis pas sûre que ce soit une bonne idée.

— Ils ne repartiront pas les mains vides. Ernie, je vous demanderais d'aller à l'arrière du magasin et de me rapporter le distributeur de tickets qui se trouve sur le comptoir de charcuterie. Ensuite, vous et moi allons rencontrer toutes les personnes qui se trouvent dans la file d'attente et leur assigner un numéro. Nous allons leur demander de revenir à une heure bien précise. Il vaut mieux avoir affaire aux gens quand ils sont peu nombreux à la fois. Le fait de leur distribuer des tickets numérotés nous permettra également de savoir combien il y a de personnes en tout et de décider comment répartir la nourriture.

— Et nous allons leur remettre seulement certains types de denrées, c'est bien ça ? l'a interrogé Ernie.

— C'est exact. Vous allez les autoriser à acheter tous les produits qui risquent de se gâter s'ils ne sont pas consommés rapidement : les viandes qui ne sont pas complètement congelées, les produits laitiers comme le lait, le yogourt, le beurre et la crème glacée, les légumes congelés en train de décongeler, etc.

— Et en ce qui concerne les fruits et les légumes qui risquent de s'abîmer ? a ajouté Ernie. Est-ce que je peux aussi les vendre ?

— Là, vous faites travailler vos méninges ! Vendez-leur aussi de petites quantités d'eau en bouteille quand vous aurez épuisé toutes les autres boissons. Refusez toutefois de vendre des aliments non périssables : pas de nourriture en conserve, en boîte, séchée, ou encore emballée de façon à pouvoir se conserver sans réfrigération. Vous sentez-vous capable de faire tout ça ?

— Certainement !

— Parfait. Alors, allez chercher vos employés et, tous ensemble, nous allons y arriver ! a conclu Herb.

Ernie s'est rué vers le fond du magasin.

Les opérations se déroulaient à présent de manière ordonnée, tant à l'intérieur qu'à l'extérieur du magasin. Brett était en train de constituer une file d'attente composée d'un premier groupe de clients.

— Votre façon de gérer la situation et d'agir avec les gens m'a vraiment impressionnée, a avoué ma mère à Herb.

— Si vous n'aviez pas pris les choses en main dès le début, je n'aurais pas pu agir comme je l'ai fait.

— Ça s'est aussi passé comme ça avec les types qui ont essayé de voler ma voiture hier, ai-je commenté.

Ma mère s'est tournée vers moi. Elle paraissait stupéfaite. Je venais de commettre une erreur.

— Rien de grave, ai-je corrigé. Il s'agissait plutôt d'un malentendu.

— C'était plus sérieux que ça, mais votre fils et moi avons su gérer le problème, a dit Herb. Ensemble, nous pouvons en faire autant ici. Nous avons la situation en main pour l'instant, mais, une fois la nuit tombée, les choses vont empirer. C'est à ce moment-là que les policiers, les patrouilles et les postes de contrôle pourraient nous être utiles.

Ma mère n'a pas répondu tout de suite. Mais, au bout de quelques instants, il était clair qu'elle avait changé d'avis à propos de sa requête antérieure.

— Je vais demander à quatre agents de se présenter ici dès dix-huit heures. Je vous laisse le soin de les mettre en rapport avec leurs partenaires civils et de définir ensuite les itinéraires des patrouilles.

Elle a souri, puis a ajouté :

— Vous les avez déjà établis, je parie ?

— Il n'y a pas que les scouts qui doivent être toujours prêts ! a répliqué Herb en lui rendant son sourire.

— Vous savez, Herb, ces gens-là, je les connais pour la plupart : ce sont des voisins, des gens dont les enfants jouent au football et au baseball avec mes enfants. Jamais je n'aurais imaginé que les choses puissent tourner si mal si rapidement.

— Ces choses-là peuvent survenir en un clin d'œil.

— Si je ne l'avais pas vu de mes propres yeux, je ne vous aurais pas cru. Je vous suis reconnaissante pour l'aide que vous m'avez apportée aujourd'hui. Nous aurons sûrement l'occasion de reparler de la façon dont je pourrais utiliser davantage vos compétences.

— Je reste à votre disposition. Si vous avez besoin de quoi que ce soit, je suis à votre service. À présent, nous ferions mieux de vous déposer au poste. Comment se présente votre blessure ?

Ma mère a porté la main à sa tête. Le sang avait cessé de couler, mais il était à peine sec sur son visage et ses cheveux étaient maculés sur le côté.

— J'avais complètement oublié cette entaille. Elle ne saigne plus.

— Vous devriez la désinfecter. Il ne faut pas que vos agents vous voient dans cet état. Je vais tâcher d'organiser la distribution des aliments avec Ernie, puis je vais l'aider à les répartir. Est-ce que ça vous semble un bon plan d'action ?

— J'imagine que c'est le meilleur plan d'action possible dans les circonstances, a conclu ma mère.

7

La file d'attente n'était jamais très longue. Les gens ne cessaient de venir par petits groupes et à l'heure qui leur avait été assignée. Ceux qui arrivaient plus tôt attendaient patiemment sur le côté, tandis que ceux qui étaient déjà en ligne attendaient aussi patiemment leur tour.

Après avoir déposé ma mère au poste de police, Herb et moi étions allés chez moi récupérer les jumeaux et nous étions revenus participer à la distribution des marchandises pendant qu'Ernie faisait les comptes et se faisait remettre soit de l'argent, soit une reconnaissance de dette de la part de ses clients. À mesure que les denrées disposées sur des tables à l'extérieur du supermarché s'écoulaient, de nouvelles provisions de l'intérieur venaient les remplacer. Personne d'autre que nous n'était autorisé à pénétrer dans le magasin. Ainsi en avait décidé Herb.

Tous recevaient à peu près la même chose : un peu de viande dont la nature variait selon le cas, une douzaine d'œufs, un carton de lait ou une boîte de jus congelé, quelques fruits et soit une demi-plaque de beurre, soit un pot de yogourt. C'était suffisant pour nourrir une famille pour la journée, et peut-être même le lendemain en partie. Il était évident que très peu de personnes avaient songé à se constituer des réserves auparavant. Nous avions de la chance : la veille, ma mère avait fait le plein de provisions. Je m'en étais plaint à cause des innombrables sacs que j'avais dû transporter. Mais, maintenant, je lui en étais reconnaissant.

Le supermarché n'était pas le seul à avoir ouvert ses portes. Le centre de consultation sans rendez-vous accueillait des patients et la pharmacie fournissait des médicaments en vente libre et préparait même quelques ordonnances. Tout comme le magasin d'alimentation, elles interdisaient l'accès de leurs locaux aux clients, mais ne se privaient pas pour autant de faire des affaires devant leur porte.

Le magasin populaire, qui avait déjà épuisé la veille son stock de piles, de lampes de poche et de bougies, était lui aussi ouvert. Lait, crème glacée et tout ce qui était susceptible de fondre ou de se dégrader étaient expédiés à l'extérieur en vue d'être écoulés à une table. À contrecœur, le propriétaire vendait au prix courant. Il avait bien tenté de majorer les prix, vendant l'eau, le pain et ses autres produits trois fois plus cher que d'habitude. Beaucoup de gens s'en étaient plaints, mais, comme ils étaient désespérés, ils avaient fini par payer. C'est alors que Herb était intervenu.

Accompagné de Brett, il était allé trouver le propriétaire du magasin. Brett m'en avait informé après coup. Herb avait expliqué calmement à l'homme que, outre le fait qu'il allait veiller personnellement à ce que des accusations de pratiques commerciales abusives soient portées contre lui, personne n'oublierait jamais ce qu'il avait fait. Une fois les choses revenues à la normale, les habitants du quartier allaient inévitablement l'acculer à la faillite, en supposant qu'il ait encore son commerce à ce moment-là, avait ajouté Herb, car personne ne pourrait être tenu pour responsable si des individus en colère faisaient voler ses vitrines en éclats et pillaient son magasin. Les prix étaient aussitôt redescendus.

À la boulangerie, tout avait été vendu. Contrairement à ce qui s'était produit au magasin populaire, pains et petits pains avaient même été bradés en tant qu'invendus. Voilà qui était la preuve d'une grande classe, selon moi.

Le plus étrange était probablement le fait que la moitié des gens s'étaient mis à manger de la crème glacée. En compagnie de Danny et de Rachel, qui étaient enchantés de pouvoir l'aider au comptoir, le propriétaire du Baskin-Robbins en distribuait de petites portions dans des gobelets en papier. Depuis le début de la panne, il avait fait fonctionner son congélateur grâce à une génératrice alimentée au gaz naturel, mais il était désormais à court de combustible et il avait décidé d'abandonner la partie. La crème glacée allait fondre complètement, mais les cornets eux-mêmes pourraient se conserver. Il avait confié à Ernie qu'étant de toute façon presque entièrement assuré contre les pertes, il avait ainsi voulu se faire une bonne réputation auprès de sa clientèle.

À voir les parents qui transportaient leurs enfants dans des poussettes, les gens qui tiraient des chariots, les gamins qui se promenaient à bicyclette, les habitants du quartier qui bavardaient dans la file d'attente et, bien sûr, les consommateurs de crème glacée, on aurait dit qu'un pique-nique ou le carnaval de l'école avait lieu dans le stationnement.

Brett, qui affichait un air solennel et paraissait quelque peu nerveux, marchait le long du trottoir, une main posée sur son arme, l'autre sur sa matraque. Quelque chose en moi me disait que ce n'était pas nécessaire. Mais, d'un autre côté, je n'avais pas oublié ce qui venait de se passer. Toutes ces personnes – mes voisins! – avaient pris part à une émeute et s'étaient livrées à des actes de pillage. C'était comme si une ampoule avait été allumée, puis éteinte. Il fallait faire en sorte qu'elle reste éteinte.

Herb s'était éclipsé à l'intérieur du supermarché afin de s'étendre sur le divan qui se trouvait dans la salle du personnel.

Même si on ne le voyait pas, il restait aussi près de l'action que possible, de manière à pouvoir entendre ce qui se passait et intervenir en cas de besoin. Après avoir tout organisé, il avait fait savoir qu'il avait besoin de dormir un peu afin d'être prêt pour la nuit qui s'annonçait. Il n'était plus très jeune et ne s'était pas arrêté une seconde depuis le début de la panne. Après l'avoir vu à l'œuvre, je ne pouvais m'empêcher de me demander encore une fois quel genre de gratte-papier il avait bien pu être.

8

— Il faut se dépêcher, a recommandé le sergent Evans. Il va faire noir dans moins d'une heure, alors tout le monde doit avoir commencé sa ronde d'ici là.

Quatre policiers – Brett, le sergent Evans, l'agent O'Malley et Howie – et leurs quatre partenaires civils, dont monsieur Gomez, étaient réunis dans notre salon, avec Herb et moi. Je m'étais porté volontaire pour être l'un des partenaires civils, mais ils avaient jugé qu'il valait mieux que des adultes assument cette tâche. D'ailleurs, dans la mesure où je devais m'occuper des jumeaux, j'étais de garde de toute façon. Ma mère était au poste. Pendant que nous tâchions de protéger notre quartier, elle s'efforçait de protéger l'ensemble du territoire placé sous la responsabilité du poste de police.

— Je m'excuse pour l'ensemble hétéroclite de véhicules que vous allez devoir utiliser pour effectuer vos patrouilles, a déclaré Herb.

Dans notre entrée se trouvaient trois minimotos, un kart, deux petits scooters à essence et deux motos tout terrain.

— C'est drôlement mieux que ce que nous avons l'habitude d'utiliser, a raillé le sergent Evans.

— Ce sera amusant de conduire un kart, a lancé Brett.

— Hé, le bleu, qu'est-ce qui te fait croire que le kart est pour toi? a demandé l'agent O'Malley. Je pensais plutôt que tu allais prendre le petit scooter rose.

Les autres se sont esclaffés.

— Surtout si on fixe des roues stabilisatrices à l'arrière, a ajouté O'Malley.

— Ce *bleu* pourrait venir avec moi n'importe quand, O'Malley, est intervenu Herb. Ce garçon s'est comporté comme un vétéran la nuit dernière et aujourd'hui aussi.

Les moqueries ont cessé et Brett en a paru soulagé, son visage exprimant même une certaine fierté. Herb se montrait certes aimable avec lui, mais j'avais l'impression que ce n'était pas son seul but. Il me faisait un peu penser à un entraîneur qui prend la défense d'un jeune qui n'a pas nécessairement bien frappé la balle, au baseball, dans le but que celui-ci ait davantage confiance en lui lors de sa prochaine présence au bâton.

— Deux postes de contrôle sont tenus par des civils, a dit le sergent Evans en montrant le plan du secteur qui avait été collé au placard de la cuisine. Ils sont situés ici et en haut du quartier, tout près de l'intersection avec la promenade Erin Mills, d'où il est possible de surveiller à la fois les commerces du mini-centre commercial et la station-service.

— Il y a huit personnes à ces deux postes-là, a précisé Herb.

— Même s'ils sont équipés de bâtons de baseball ou de clubs de golf, on leur a demandé de ne pas se bagarrer avec qui que ce soit, a expliqué le sergent Evans. Ils ont pour consignes d'interpeller toutes les personnes qui vont chercher à s'aventurer dans le quartier, de les empêcher de passer s'ils ont des questions et, si nécessaire, de tenter de les retenir jusqu'à l'arrivée d'une patrouille.

— J'ai un peu peur que quelqu'un tente de piller les magasins, a déclaré Herb. Il faudra surveiller attentivement le centre commercial et patrouiller dans les environs.

Le nécessaire avait été fait pour barricader les vitrines brisées du supermarché au moyen de feuilles de contreplaqué, et Ernie et un autre employé allaient y passer la nuit à faire le guet.

— Mais la pharmacie représente aussi une cible, tout comme le gros camion-citerne stationné dans la station-service située de l'autre côté de la rue, a signalé Herb.

— Il a raison, a approuvé le sergent Evans. Howie, je veux que, toi et ton partenaire, vous alliez faire un tour par là au moins toutes les quinze minutes.

— D'accord, sergent, ce sera fait.

Je connaissais Howie. Il vivait dans le quartier avec sa famille. Il était grand, presque gigantesque, mais c'était un gentil géant qui aimait plaisanter.

— Rappelez-vous une chose : ces postes de contrôle ne pourront probablement pas arrêter ceux qui tenteraient de passer par le ruisseau Mullet ou par les bois, ou même par l'arrière de la cour de l'école, a expliqué le sergent Evans.

— C'est pourquoi une des patrouilles doit faire régulièrement une ronde à travers le champ qui se trouve sous les lignes à haute tension et qui sépare les résidences de l'autoroute, a ajouté Herb.

— Ma patrouille va s'en occuper, a lancé O'Malley. Mon jardin donne sur ce champ-là, alors je le connais assez bien. C'est là que je promène mes chiens et que je joue au ballon avec mes enfants.

— Excellent, mais n'oubliez pas qu'il y a quinze cents maisons dans ce secteur, parce que nous allons patrouiller de l'autre côté de la promenade Erin Mills jusqu'au boulevard Winston Churchill et au sud jusqu'à la rue Dundas, a indiqué le sergent Evans.

— Est-ce qu'il y a des postes de contrôle surveillés par des civils à l'un ou l'autre de ces endroits ? lui a demandé Brett.

— Négatif. Nous avons le devoir de patrouiller ces quartiers, mais je tiens à ce que vous vous souveniez aussi de l'endroit où vous habitez et où vos familles habitent.

Ils ont hoché silencieusement la tête en signe d'approbation.

— Je vous rappelle également que je ne veux pas de héros morts. La seule personne sur qui vous pouvez compter, c'est l'homme qui est à côté de vous. Si vous n'arrivez pas à maîtriser ou à gérer une situation, partez. Revenez ici, demandez l'aide d'une autre patrouille, mais, je le répète, ne tentez rien tout seuls. Quant aux civils, faites ce qu'on vous dit de faire, contentez-vous de suivre les ordres.

— C'est entendu, a dit monsieur Gomez, et les autres ont acquiescé.

— Et maintenant, allons-y et soyons prudents.

Tout le monde s'est levé et est sorti de la pièce, mais comme Herb n'a pas bougé, semblant perdu dans ses pensées, je suis resté aussi. Finalement, il a sursauté, un peu comme s'il venait de s'apercevoir que les autres étaient partis, puis il s'est levé à son tour. Je l'ai suivi jusqu'à la porte et jusqu'à l'extérieur.

Les quatre équipes ont enfourché leurs montures. C'était presque comique de voir les huit hommes, dont quatre étaient en uniforme, monter sur les deux-roues ou dans le kart miniature. Les moteurs ont démarré l'un après l'autre en faisant un vacarme assourdissant. Tout cela paraissait tellement irréel. On aurait dit un mauvais sketch de l'émission *SNL* ou la partie du défilé des Shriners où ils conduisent de petites voitures. Mais, en réalité, ces hommes avaient pour mission de protéger notre quartier tout entier et les quartiers avoisinants. Le sort de toutes les maisons du voisinage et des milliers de personnes qui y habitaient était entre les mains de quatre flics et de quatre volontaires montés sur des engins qui auraient pu provenir du circuit de courses automobiles d'un parc d'attractions.

Par équipe de deux, ils ont commencé à rouler lentement. Il y avait des gens partout dans les rues, certains ayant été attirés par le bruit, et, quand la troupe est passée, tous se sont mis à applaudir et à pousser des cris d'acclamation exactement comme s'ils assistaient à un défilé.

Arrivée au coin de Folkway Drive, une première équipe a pris la direction du sommet de la colline et du mini-centre commercial. Les deux motos tout terrain ont quitté la route pour se diriger vers le nord, vers le terrain où se trouvaient les pylônes électriques longeant l'autoroute. Et deux autres équipes ont descendu la colline jusqu'à l'extrémité est de Sawmill Valley Road, qui décrivait une boucle autour du côté opposé de notre lotissement. Les gaz d'échappement continuaient de flotter dans l'air même si le bruit s'était atténué. En l'absence d'autres sons, on pouvait entendre les motos pétarader longtemps après les avoir perdues de vue, jusqu'à ce que leur bruit disparaisse aussi complètement.

— Nous sommes en bien meilleure posture que la nuit dernière, ai-je fait remarquer à Herb.

— Nous devons nous améliorer *tous* les soirs pour éviter que la situation ne dérape.

— Parce que vous pensez que la situation va s'aggraver d'un soir à l'autre, pas vrai ?

— Soit le problème se règle rapidement, soit il va empirer.

Il n'a pas eu besoin d'ajouter quoi que ce soit. Je lisais dans ses pensées, même si je n'étais pas disposé à croire qu'il avait raison.

9

Le lendemain matin, je suis sorti pour vérifier le temps qu'il faisait. Le ciel était couvert et il faisait doux. J'étais content de savoir que nous n'aurions pas un printemps froid, de sorte que nous ne devrions pas avoir de problème de chauffage. Deux minimotos étaient garées dans l'entrée. Brett dormait à l'étage dans la chambre d'amis. Il m'avait dit, avant d'aller se coucher, qu'aucune des patrouilles n'avait connu de trop graves difficultés. Peut-être que ce qui s'était produit au mini-centre commercial n'avait été qu'un incident ponctuel après tout, ai-je conclu.

Presque au même moment, Herb est sorti de chez lui.

— Bonjour, m'a-t-il lancé. Qu'est-ce que tu dirais d'aller faire un petit tour ?

— Avez-vous encore besoin de produits pour votre piscine ? ai-je demandé.

— Je pense que j'ai pas mal plus de chlore qu'il ne m'en faut pour l'instant, a-t-il répondu en riant.

— Dans ce cas, où voulez-vous aller ?

— Tout près d'ici. J'ai besoin de voir ce qui se passe là-bas. Y a-t-il un endroit en particulier où tu aimerais aller ?

— Euh... j'aimerais rendre visite à quelqu'un.

— Nous pourrions aller la voir chez elle, à la ferme, a déclaré Herb.

Je lui ai lancé un regard interrogateur. Comment avait-il pu lire dans mes pensées ?

— Je me demande si je devrais m'aventurer aussi loin et laisser les enfants ici.

— Ils pourraient nous accompagner. Rachel m'a dit que tu avais promis de l'emmener faire de l'équitation.

— C'est vrai, mais je ne suis pas sûr que ma mère serait d'accord.

— Elle t'a demandé – et m'a demandé aussi – de veiller sur eux, et c'est exactement ce que nous allons faire. Elle n'a pas mentionné qu'il fallait les surveiller sur place.

— Mais est-ce que ça peut être dangereux ?

— Il n'y a pas de danger. Nous pourrions même emmener quelqu'un d'autre.

— Je suis convaincu que Todd ne demanderait pas mieux, ai-je affirmé. Il doit déjà commencer à s'impatienter.

— Je pensais plutôt à Brett, a avoué Herb. Quoiqu'ils pourraient nous accompagner tous les deux.

— C'est faisable.

Une personne supplémentaire ne serait pas de trop, surtout si elle avait un pistolet. Je pouvais me permettre d'être un brin parano.

— Combien d'essence te reste-t-il ?

— Pas beaucoup.

— Excellent ! Je voulais d'abord passer à la station-service.

— Mais les pompes à essence ne marchent pas, ai-je protesté.

— On peut siphonner l'essence à partir des réservoirs de stockage. Dis aux jumeaux de se préparer. Ensuite, va chercher Todd. Je viendrai vous retrouver dans votre entrée de garage dans trente minutes.

* * *

Danny ne voulait pas venir. Comme il n'était pas une fille, m'a-t-il dit, il ne tenait pas du tout à monter à cheval. Je n'étais pas une fille non plus, mais une fille en particulier me donnait drôlement envie de faire de l'équitation. Je n'en avais jamais fait auparavant, mais ça ne pouvait pas être si difficile après tout.

Danny m'a suivi jusque chez Todd. La mère de ce dernier était en train de jardiner et elle a accepté de garder mon petit frère, qui semblait sincèrement enchanté de pouvoir l'aider dans le jardin. Le père de Todd, lui, se trouvait dans son atelier de menuiserie, situé dans le garage, et il m'a fait signe de la main au moment où je suis arrivé à la porte d'entrée. Il était banquier de profession, mais c'était aussi un véritable artisan ébéniste. À l'aide de ses outils, il avait fabriqué la moitié du mobilier de leur maison, y compris le lit dans lequel Todd dormait quand je l'ai rejoint. Je l'ai réveillé et il a refusé mon offre en me lançant un oreiller et en m'injuriant, puis il s'est contenté de se tourner sur le côté et de se couvrir la tête avec le drap.

Quand je suis rentré seul à la maison, Herb et Brett m'attendaient. Rachel était toujours à l'intérieur, s'efforçant de trouver les vêtements qui convenaient le mieux à une balade à cheval.

— Pendant ce temps, je me demandais si nous ne pourrions pas jeter un coup d'œil à ton ULM, m'a dit Herb.

— Tu as un avion ? a lancé Brett.

— Mon père et moi sommes en train de le construire, alors il n'est pas encore tout à fait terminé. Je vais vous le montrer.

J'ai ouvert la porte du garage. L'engin était posé sur un chariot, où il attendait qu'on lui pose les ailes. Je ne pouvais m'empêcher de penser à mon père, espérant que tout allait bien pour lui. J'aurais voulu qu'il soit ici pour prendre soin de nous. Curieusement, j'avais le sentiment que, d'une certaine manière, nous aurions été plus en sécurité s'il avait été là.

— Il a l'air de rien, a commenté Brett.

— Il ne faut pas grand-chose pour voler, ai-je répliqué, me sentant subitement sur la défensive, pas seulement à cause de ses paroles, mais aussi à cause de l'expression de son visage.

— Tu as déjà volé là-dedans ? s'est-il s'étonné.

— J'ai volé à bord d'un *autre* ULM, un biplace semblable à celui-ci. Mon père était aux commandes. On s'en sert pour la formation des pilotes.

— C'est vrai, ton père est pilote, a fait Brett.

— Adam aussi, est intervenu Herb.

— Je dois encore suivre quelques leçons avant de pouvoir voler en solo, mais c'est pour bientôt, du moins quand les choses seront revenues à la normale.

— Il n'y a pas d'ordinateur intégré dans ton ULM, n'est-ce pas ? m'a interrogé Herb.

— Pas du tout. Son fonctionnement est très simple. Il utilise même de l'essence normale. Il pourrait être rapidement opérationnel.

— Sais-tu que nous aurions un avantage considérable si nous étions en mesure de voler dans les airs ? a poursuivi Herb.

J'ai de nouveau songé à mon père. S'il avait été là, nous aurions pu nous envoler presque immédiatement avec lui aux commandes de l'appareil. Puis je me suis imaginé ce qui se serait passé si lui avait été en possession de l'ULM. Même s'il se trouvait à Chicago, il aurait pu rentrer à la maison en l'espace de quelques jours, une semaine tout au plus.

— Il suffit simplement de lui ajouter les ailes et il pourrait voler, ai-je répondu.

— Est-ce qu'un tel appareil est difficile à piloter ? a demandé Herb.

— Pas spécialement, quand on sait déjà piloter. On apprend d'abord à piloter dans un avion, en compagnie d'un pilote, puis, une fois qu'on sait ce qu'il faut faire, on peut piloter un ULM.

— Donc, techniquement parlant, tu pourrais piloter cet appareil, a-t-il conclu.

— Techniquement parlant, oui.

— Voilà qui est très intéressant.

Un frisson m'a parcouru l'échine. Laissait-il entendre par là que je devrais le piloter ? Mais encore là, si mon père et moi avions décidé de le construire, c'était dans le but de le faire voler. Il était difficile et dangereux de piloter un ULM sans avoir reçu de formation préalable ; il fallait même être un peu fou pour oser le faire. Mais j'avais passé beaucoup de temps sur un simulateur de vol et je connaissais les commandes de cet appareil aussi bien que n'importe quel pilote, à l'exception de mon père. Par conséquent, j'étais en mesure de le piloter.

— Mais tout d'abord, allons faire une petite balade. Brett, tu as pris ton équipement, n'est-ce pas ? a lancé Herb.

Brett, qui était vêtu en civil, a entrouvert son blouson, dévoilant du coup l'insigne qu'il portait à la ceinture et son revolver de service, qui était logé dans un étui latéral.

— Je fais en sorte de ne jamais partir sans lui.

— Je suis prête ! s'est écriée Rachel en s'avançant vers nous.

— Dans ce cas, nous ferions mieux d'y aller, a déclaré Herb. Nous devons être de retour avant la nuit.

Rachel s'est installée sur la banquette arrière de l'Omega en compagnie de Brett, tandis que Herb prenait place sur le siège du passager.

J'étais en train de faire marche arrière dans l'allée lorsque quelqu'un est apparu dans mon rétroviseur. J'ai aussitôt freiné brusquement. C'était Todd, qui s'est approché de ma vitre ouverte.

— As-tu envie de te faire écraser ? lui ai-je demandé.

— Non seulement je peux aller plus vite que ta voiture, mais si elle m'avait renversé, probablement qu'elle aurait calé ou qu'elle serait tombée en morceaux.

— N'insulte pas la meilleure voiture de tout le quartier.

— Tu te trompes. Le juge qui habite rue Trapper Crescent possède une Chevrolet 1957 et monsieur Langston de la rue Wheelwright conduit une Camaro 1966. Il nous a fait monter hier, mon père et moi.

— Bon, d'accord, *une* des meilleures voitures du quartier.

— J'ai changé d'idée, a avoué Todd. Je viens avec vous. Dès que tu m'as réveillé, j'ai commencé à m'ennuyer. Si je ne fais pas attention, ma mère va me demander de travailler dans le jardin ou de surveiller ton petit frère. Il est beaucoup plus facile de se défendre contre ses parents quand ils sont partis bosser.

Avant même que j'aie pu répondre, il a ouvert ma portière, a poussé mon siège vers l'avant de telle sorte que je me suis re-trouvé coincé contre le volant et il a grimpé à l'arrière.

— Nous allons faire de l'équitation, a dit Rachel.

— Excellent ! Je déteste les chevaux, mais je me sens un peu claustrophobe ici.

J'étais plutôt content de le savoir avec nous, et pas seule-ment parce qu'il était mon ami. Une autre personne, une per-sonne costaude, ne pouvait que nous être utile.

La voiture a remonté la rue en rugissant et nous sommes passés devant le mini-centre commercial. À l'exception du contreplaqué qui couvrait deux de ses vitrines, le supermarché paraissait normal. Je savais qu'Ernie allait ouvrir pour distribuer la nourriture plus tard dans la journée. Tout se déroulerait de manière ordonnée et selon le même schéma que la veille. En vertu du système que Herb avait mis en place, personne ne souffrirait de la faim dans le quartier.

Le poste de contrôle se trouvait droit devant nous. Des meubles de jardin provenant des habitations voisines avaient été installés au milieu de l'intersection. Il y avait là beaucoup de monde (bien davantage, en tout cas, que les huit hommes qui y avaient été affectés) : des femmes et des enfants, y compris des gamins qui roulaient à vélo et d'autres qui jouaient au frisbee. Comme si tous avaient décidé de faire un pique-nique au milieu de la rue.

— C'est la fête dans la rue ! s'est exclamé Herb.

— Voulez-vous qu'ils arrêtent ? a demandé Brett.

— Non, c'est probablement mieux comme ça. Plus il y a de gens sur place, mieux ils sont protégés. Laissons-les s'amuser.

J'ai donné quelques petits coups de klaxon et tous les regards se sont tournés vers nous. Quelques-uns des hommes en poste nous ont fait signe de la main, puis quatre autres ont déplacé une table de pique-nique de manière à nous permettre de passer. J'ai traversé le carrefour et j'ai tourné à droite à la hauteur de la station-service. Je m'apprêtais à me garer à côté d'une pompe après avoir contourné l'énorme camion-citerne qui était immobilisé sur place.

— Non, arrête-toi juste en face, a ordonné Herb.

J'ai arrêté la voiture devant la porte d'entrée et Herb est descendu. Un large sourire est apparu sur son visage et il a fait signe à l'homme qui se trouvait à l'intérieur, lequel a agité mollement la main et lui a souri nerveusement en retour.

— Ouvrez! lui a crié Herb. Nous avons besoin de faire le plein.

L'homme s'est approché de la porte à contrecœur et l'a entrebâillée.

— Désolé, mais, sans électricité, les pompes ne fonctionnent pas.

— Nous pourrions siphonner l'essence. Nous vous paierions, bien sûr. En espèces, a répondu Herb en sortant une épaisse liasse de billets de sa poche.

— Avec tout cet argent, vous pourriez acheter la moitié de l'essence qui est dans ce camion-citerne! s'est exclamé l'homme.

— Ce n'est vraiment pas de chance pour vous que ce camion se soit trouvé là au moment où tout s'est arrêté de fonctionner.

— Ce n'est pas mon camion, mais, maintenant, c'est comme si j'en étais responsable.

— Et c'est déjà assez regrettable que vous soyez responsable de la totalité de l'essence entreposée là-dessous. Quelle est la capacité de vos réservoirs?

— En comptant l'essence ordinaire, le super et le diesel, ils peuvent contenir presque cinquante-cinq mille litres.

— Et combien y en a-t-il actuellement? a demandé Herb.

— Environ quarante-cinq mille litres. Je ne sais même pas ce que ce camion est venu faire ici au départ. Le niveau de mes réservoirs n'était pas suffisamment bas, ils n'avaient pas besoin d'être remplis.

— Avec tout ce carburant, les pilleurs et les vandales vont vous prendre pour cible, a déclaré Herb.

— C'est pourquoi je dors sur place. Quelqu'un doit surveiller les lieux.

— J'imagine que oui. Et maintenant, mettons un peu de cette essence dans notre réservoir.

* * *

Alors que nous quittions la station-service, l'homme nous a salués de la main, un grand sourire aux lèvres. Herb et le gérant de la station-service s'étaient servis d'un bout de tuyau d'arrosage et d'une pompe à pied pour transvaser dans ma voiture de l'essence siphonnée à partir des réservoirs de stockage. Pendant l'opération, Herb avait parlé à l'homme, monsieur Singh, d'acheter plus d'essence, beaucoup plus d'essence. Par la même occasion, il avait fait plus ample connaissance avec lui et lui avait offert de poster à l'intersection des sentinelles chargées de surveiller sa station-service et de demander aux patrouilles de police d'effectuer régulièrement des rondes dans le secteur. Il s'était également fait remettre une barre de chocolat pour chacun d'entre nous.

Herb avait fait bien davantage que simplement remplir mon réservoir.

10

— Ralentis, mais continue de rouler, m'a recommandé Herb.

J'ai levé le pied de l'accélérateur.

Brett s'est penché au-dessus du siège et j'ai freiné légèrement lorsque nous sommes arrivés à la hauteur d'un véhicule carbonisé se trouvant en plein milieu de la route.

— C'est ce qu'on appelle un barbecue, a déclaré Brett. Quelqu'un l'a fait brûler.

Il ne restait plus que le squelette de métal noirci du châssis de la voiture.

— Mais pourquoi quelqu'un aurait-il fait ça ?

— Certains individus sont stupides et font ça tout simplement pour s'amuser, a répondu Herb.

— Mais comment font-ils ? a demandé Rachel de la banquette arrière.

— C'est facile. Ils ouvrent le réservoir d'essence, y introduisent un morceau de chiffon, y mettent le feu puis s'éloignent aussi vite que possible, a expliqué Brett. J'en ai vu une autre dans le même état la nuit dernière. Je suis étonné qu'il n'y en ait pas eu plus.

Lorsque nous sommes passés près du véhicule, une odeur âcre de brûlé a pénétré par les fenêtres.

— Qu'est-ce qui se produirait si quelqu'un en faisait autant avec le camion-citerne qui est bloqué à la station-service ? ai-je demandé.

— Il y aurait un grand feu d'artifice ! Ça provoquerait une énorme explosion, suivie d'une boule de feu et d'une onde de choc qui détruiraient tous les bâtiments environnants. Il faut faire quelque chose avec ce camion, a affirmé Herb.

— Nous pourrions le ramener dans notre quartier, ai-je suggéré.

— Est-ce qu'il ne vaudrait pas mieux l'éloigner plutôt que de le rapprocher de nos maisons ? a demandé Rachel sur un ton qui trahissait son anxiété.

— Adam a raison. Il serait mieux protégé dans le quartier : avec les patrouilles et les postes de contrôle, personne ne pourrait y toucher, a dit Herb. Ça nous permettrait en outre d'alimenter les patrouilles en combustible pendant un bon bout de temps.

— De combien d'essence pensez-vous que huit ou neuf petits moteurs à deux temps et quelques voitures ont besoin ? s'est informé Brett.

— Et combien de temps pensez-vous que nous en aurons besoin ? a ajouté Todd.

— J'imagine que je ne suis rien d'autre qu'un vieil imbécile qui se fait bêtement des soucis pour rien. C'est une simple mesure de précaution, rien de plus, a assuré Herb.

Ils ont eu l'air d'être quelque peu rassurés par ses propos, mais j'avais l'impression que Herb avait trop parlé, avant de faire marche arrière. Il était tout sauf un vieil imbécile qui se faisait bêtement des soucis pour rien. Je ne pouvais m'empêcher de me demander s'il avait obtenu plus d'informations sur ondes courtes que ce dont il avait bien voulu nous fait part.

Nous avons emprunté le viaduc surplombant l'autoroute 403. Énormément de voitures abandonnées étaient immobilisées en dessous de nous. Le viaduc nous a conduits jusqu'à l'espèce de limite non officielle séparant la banlieue et la campagne. La ferme de Lori n'était pas très loin de là, mais on aurait dit qu'elle se trouvait dans un autre univers.

Nous avons continué de rouler jusqu'au moment où nous sommes arrivés au chemin menant à la ferme. J'ai tourné dans cette direction, puis j'ai ralenti considérablement, même si je n'avais qu'une envie : remonter l'allée en vitesse pour voir Lori. Malheureusement, droit devant nous, une charrette de foin nous bloquait le passage. Nous nous sommes arrêtés tout juste devant. J'ai éteint le moteur et Brett, Herb et moi sommes descendus. Herb a demandé à Todd de rester à l'arrière de la voiture avec Rachel jusqu'à ce qu'il leur ait donné le feu vert.

— Je présume que nous devrons faire le reste du chemin à pied, ai-je affirmé. Peut-être que je devrais klaxonner pour leur faire savoir que nous sommes là.

— Je pense qu'ils le savent déjà, a répondu Herb. Attends.

À peine avait-il prononcé ces paroles que j'ai cru percevoir un léger mouvement sur le côté. C'était le père de Lori. Il s'est avancé vers nous, tenant dans une main un fusil de chasse dont le canon était dirigé vers le sol. Herb ne semblait pas surpris de voir l'arme à feu, mais j'ai vu la main de Brett glisser vers l'étui de son revolver.

— Dis bonjour, fiston, a murmuré Herb.

— Hé, monsieur Peterson, je m'appelle Adam. Je suis un ami de Lori.

L'homme s'est arrêté et nous a fixés du regard un moment, puis il nous a fait un signe de la main et la tension a soudain baissé d'un cran.

— J'ai reconnu ta voiture. Je t'ai vu quand t'as déposé Lori, a-t-il dit d'une voix forte. Excusez-moi pour le fusil. Ce n'est pas dans mes habitudes d'accueillir les gens avec une arme comme ça. Mais en ce moment, on n'est jamais trop prudent.

Il s'est présenté sous le nom de « Stan » et il a serré la main à tout le monde. Il était effectivement du genre à s'appeler Stan.

— C'est tout à fait compréhensible, a commenté Herb. C'était bien pensé d'avoir tendu un fil-piège le long de l'allée.

De quoi parlait-il ?

— Quand nous sommes arrivés, je l'ai aperçu juste avant que tu roules dessus, a expliqué Herb.

— Le fil est relié à des clochettes qui se trouvent dans la maison, a confirmé monsieur Peterson.

— C'est toujours bon de savoir quand quelqu'un arrive, a approuvé Herb. Tout comme il est sage d'être armé. Brett et moi avons tous les deux une arme... Brett, ici présent, est agent de police. Et maintenant, monsieur Peterson, pourriez-vous me rendre un grand service en demandant à votre femme de baisser son arme ? C'est toujours un peu désagréable d'avoir une carabine de gros calibre pointée sur soi.

Il avait vu autre chose qui nous avait échappé.

Monsieur Peterson a hoché la tête avant de crier :

— Susie, tout va bien ! Tu peux sortir.

De l'autre côté de l'allée, une femme équipée d'un fusil à lunette est sortie de derrière un buisson. On aurait dit Lori, mais en plus âgée.

— Excusez-nous encore une fois, s'est-elle justifiée, mais nous devons être prudents.

— Pas la peine de vous excuser. Étant donné les circonstances, c'est tout simplement faire preuve de sagesse, l'a rassurée Herb.

— Je vous avais dit que c'était Adam! a lancé Lori en sortant précipitamment de derrière la charrette de foin. Il n'y a pas de quoi s'inquiéter : c'est mon ami.

Elle m'a pris dans ses bras et m'a serré très fort. J'ai été tellement surpris que je n'ai même pas songé à l'étreindre à mon tour.

— Franchement, pointer une arme sur mon ami, a-t-elle reproché à son père.

— Vous devez vous méfier de tous ceux qui s'aventurent dans votre allée, a commenté Herb.

— Seize ans et ça pense tout savoir, a ajouté son père en secouant la tête.

— Enfin, il existe au moins un remède à ça, a renchéri Herb, et c'est de vieillir.

Il s'est retourné et a fait un signe en direction de la voiture. Todd et Rachel en sont descendus et se sont joints à nous. Lori a également donné une accolade à Todd et j'ai présenté ma sœur à ses parents.

— Nous avons eu un autre genre de visiteurs cette nuit, a déclaré monsieur Peterson. J'ai dû tirer plusieurs coups de feu.

— Qu'est-ce qui s'est passé? a demandé Brett.

Se glissant aussitôt dans la peau du flic qu'il était, il a ramené les pans de sa veste vers l'arrière, découvrant ainsi son arme et son insigne.

— C'était probablement juste des gens qui cherchaient de la nourriture, mais je ne peux pas prendre de risques.

— Et vous avez tiré sur eux? a fait Brett.

— Non, pas sur eux, dans les airs. Je me suis contenté de les avertir, de les chasser. Mais, ce matin, j'ai constaté que je n'avais pas été assez rapide. Il manque une demi-douzaine de poulets.

— Est-ce que les chevaux sont sains et saufs ? s'est alors inquiétée Rachel.

— Ils vont bien, a répondu Lori.

— Les chevaux et les vaches ont passé la nuit dans la grange avec moi, a précisé son père. J'imagine que je devrais sortir les poulets du poulailler et les rentrer à l'intérieur eux aussi.

— Es-tu venue faire de l'équitation ? a lancé Lori à Rachel, qui a aussitôt souri et opiné de la tête.

Lori s'est alors tournée vers son père.

— Est-ce qu'on peut en faire, papa ?

— D'accord. Mais je ne veux pas que vous vous éloigniez trop de la maison sans surveillance.

— Je pourrais les accompagner, s'est offert Brett. Si vous avez un troisième cheval, bien sûr.

— Ils en ont trois ! s'est écriée Rachel.

— Euh, j'avais pensé que je pourrais..., ai-je commencé à dire.

— Ce serait merveilleux que vous alliez avec elles, Brett, est intervenu monsieur Peterson avant que je puisse terminer ma phrase. Au risque d'avoir l'air paranoïaque, je serais plus rassuré de savoir qu'elles sont escortées par un policier. Vous savez monter à cheval ?

— Je suis né et j'ai grandi sur une ferme, a dit Brett. J'ai appris à faire de l'équitation avant même de pouvoir conduire un tricycle. Je suis peut-être flic, mais je suis resté un paysan dans l'âme.

Monsieur Peterson s'est mis à rire et a passé son bras autour des épaules de Brett avant de conclure :

— Raison de plus, dans ce cas-là, pour que tu restes avec nous. Allez, viens, fiston !

Il a entraîné Brett, Lori et Rachel jusqu'à la grange, pendant que Todd et moi restions sur place avec Herb.

— Je suppose que ça ne correspond pas tout à fait au scénario que t'avais imaginé, a murmuré Todd. Tu sais comment t'y prendre, il n'y a pas à dire.

— Un mot de plus et tu rentres chez toi à pied.

* * *

Rachel paraissait enchantée, mais quelque peu nerveuse, assise sur son cheval. Lori, elle, semblait à l'aise... et magnifique. Quant à Brett, il avait l'air d'un cow-boy sur une affiche d'eau de toilette Ralph Lauren.

— Lori, tiens-toi loin des bois et des sentiers qui se trouvent près de la route, a recommandé monsieur Peterson.

— Oui, papa.

— Et suis bien les directives de Brett.

— *Compris*, papa !

Ils sont partis tous les trois en nous abandonnant dans le petit jardin situé devant la maison.

— On pourrait peut-être aller manger une tarte dans la cuisine, pas vrai, Susie ? a lancé Stan.

— Fraîchement sortie du poêle à bois traditionnel de la ferme et encore toute chaude, a-t-elle précisé. Il y en a assez pour que tout le monde puisse en avoir au moins deux parts.

— Ce serait génial ! s'est exclamé Todd.

— Effectivement, qu'est-ce que tu dirais d'aller à l'intérieur t'en prendre un morceau, ou peut-être même deux ? lui a suggéré monsieur Peterson avant de se tourner vers moi. Lori m'a dit que tu savais bricoler.

— Il sait *presque* tout faire, a commenté Todd.

— Herb est plutôt habile de ses mains, lui aussi, ai-je renchéri en feignant d'ignorer la plaisanterie de mon ami.

— J'ai un problème avec une de mes tondeuses et j'aurais besoin que quelqu'un m'aide à la réparer. Pourriez-vous me donner un coup de main ?

— Avec plaisir, a répondu Herb.

Todd s'est dirigé vers la cuisine en compagnie de madame Peterson, et Herb et moi avons suivi Stan. Non seulement je n'aurais pas l'occasion de passer un peu de temps avec Lori, mais je serais aussi privé de tarte.

— On dirait que les choses se gâtent dans le coin, a déclaré monsieur Peterson pendant que nous marchions. J'avais espéré obtenir plus d'informations de la part du policier.

Il avait posé un tas de questions à Brett pendant qu'ils sellaient les chevaux, mais celui-ci n'avait pu lui fournir de réponses adéquates à ses interrogations.

— Saviez-vous que la mère d'Adam est la supérieure de Brett ? lui a demandé Herb.

— Ah bon ? a fait monsieur Peterson, l'air surpris. Je me demande si elle ne pourrait pas envoyer des patrouilles dans le coin.

— Elle se ferait certainement un plaisir de vous venir en aide, mais votre secteur n'est pas sous sa responsabilité et elle est plutôt à court de personnel en ce moment, ai-je répondu.

— Je regrette d'être porteur de mauvaises nouvelles, Stan, a ajouté Herb après avoir poussé un long soupir, mais soyons francs, rien n'indique que le courant est sur le point d'être rétabli. Il y a eu des actes de pillage et des agressions, et la police est bien impuissante devant cette situation.

Herb ne disait rien que monsieur Peterson ne savait déjà.

— J'ai dit à ma femme que nous ne pouvions compter sur personne d'autre que sur nous-mêmes, a-t-il reconnu.

— Les agriculteurs savent très bien se débrouiller par eux-mêmes. Vous avez suffisamment d'eau, n'est-ce pas ?

— Nous avons un puits que nous utilisons chaque fois qu'il y a un problème d'alimentation en eau courante.

— Excellent. Sachez que j'ai beaucoup de chlore en ma possession. Je peux vous en donner assez pour que vous puissiez boire de l'eau sans danger.

Il avait appuyé sur le mot « donner », mais j'ai vite compris qu'il était passé en mode « négociation ». Que voulait-il en échange ?

— J'apprécie énormément votre offre, a rétorqué Stan. C'est gentil de votre part de vous efforcer d'entretenir des relations de bon voisinage, mais je peux vous assurer que notre eau est parfaitement potable.

— En avez-vous assez ?

— Nous en avons assez pour nous, pour nos animaux et même pour notre jardin potager.

— C'est une des choses qui me manquent le plus depuis que j'habite en banlieue, a déclaré Herb. Mes parents vivaient à la campagne et nous avons toujours cultivé un jardin quand j'étais jeune. Nous faisions pousser la plupart des fruits et des légumes dont ma famille avait besoin pour l'année.

— Notre potager est probablement beaucoup plus gros que ça. Ma femme fait des conserves et nous avons une chambre froide pour les pommes de terre et les carottes. Ça subvient à nos besoins pendant toute l'année et, l'été, nous vendons le surplus à un stand situé à l'autre bout de l'allée.

— J'imagine que vous avez au moins un tracteur qui fonctionne, a dit Herb.

— Ouais, comment le savez-vous ?

— Il vous aura bien fallu un tracteur pour tirer la charrette à foin dans l'allée. Vous avez aussi une génératrice ?

— Ouais, c'est exact.

— Il est rare qu'une ferme n'en possède pas. Simplement, soyez prudents la nuit avec les lumières. Comme il n'y a pas d'éclairage autour, vous êtes visibles de très loin.

— C'est bien pensé.

— C'est probablement comme ça qu'on vous a repérés la nuit dernière. Pensez aux papillons qui sont attirés par la flamme.

— Nous allons faire attention à ça ce soir.

— Votre eau, votre bétail et vos provisions vous rendent autonomes, mais pas seulement. Ils font aussi de vous une cible. Ça vous fait beaucoup de biens à défendre, même s'il y a certaines choses que vous pourriez faire pour vous rendre la tâche plus facile.

— Comme quoi ?

— Pour commencer, il faudrait déplacer la charrette à foin qui se trouve dans l'allée.

— Pourquoi ? ai-je demandé. Elle nous a bien empêchés d'arriver jusqu'à la maison.

— Il n'y a pas assez de véhicules en état de rouler pour que ça vaille réellement la peine de s'en inquiéter, m'a répondu Herb avant de se retourner vers monsieur Peterson. Votre pire crainte doit être que quelqu'un s'en serve pour se mettre à l'abri et ouvrir le feu sur votre maison.

— Je n'avais pas vraiment pensé à ça, a avoué Stan, tout étonné.

À part Herb, qui aurait bien pu songer à ça ? Je ne savais trop si je devais être impressionné ou m'inquiéter de le voir de nouveau un peu trop paranoïaque.

— J'ai aussi remarqué qu'il y a des rouleaux de fil barbelé derrière la grange. Vous pourriez vous en servir pour installer des clôtures supplémentaires, de manière à maintenir un périmètre de sécurité derrière la maison et autour du jardin.

— Ce serait bien si j'avais la main-d'œuvre nécessaire pour le faire. Mais je suis tout seul avec ma femme et Lori.

— Est-ce qu'une quatrième paire de mains pourrait vous être utile ? ai-je demandé.

— Qu'est-ce que tu proposes ? a lancé monsieur Peterson.

— Je pourrais rester ici aujourd'hui et vous aider.

— Tu ferais ça ?

— Certainement, si ça peut vous être utile.

— Je pense bien que oui. Merci, fiston.

— Herb pourrait prendre ma voiture et ramener tout le monde à la maison une fois que les cavaliers seront de retour.

— Il ne sera probablement pas possible de venir te récupérer plus tard dans la journée, a objecté Herb.

— Je pourrais passer la nuit ici, si vous êtes d'accord, ai-je proposé à monsieur Peterson.

J'étais enchanté de pouvoir l'aider, mais, selon moi, il n'avait pas besoin de savoir que j'étais encore plus enchanté de pouvoir passer un peu de temps avec sa fille.

— Ça me convient parfaitement. Penses-tu que tes parents seront d'accord ?

— Ça devrait aller, ai-je répondu.

Je lui ai raconté que mon père était à Chicago et Herb a promis qu'il allait s'occuper des jumeaux. Il allait aussi parler à ma mère quand il la verrait. C'est alors qu'il a ajouté quelque chose que j'aurais préféré ne pas entendre.

— Adam, je ne suis pas sûr que ce soit une bonne idée de te laisser ici tout seul, a expliqué Herb. Si quatre paires de mains peuvent être utiles, cinq seraient encore mieux. Auriez-vous de la place pour héberger deux invités pour la nuit ?

— Vous souhaitez rester, vous aussi ? a demandé monsieur Peterson.

— Je dois rentrer et Brett également, mais je pense que personne ne verra d'objection à ce que Todd reste aussi. Je vais prévenir ses parents quand je serai de retour chez moi.

Moi, j'y voyais une objection, mais qu'aurais-je bien pu dire ? Monsieur Peterson ne demandait pas mieux que d'avoir une personne de plus pour l'aider. Si Todd n'avait pas été à l'intérieur en train de s'empiffrer de tarte, je savais exactement quel genre de regard il m'aurait lancé.

— Dans ce cas, la question est réglée, a conclu le fermier. Et maintenant, allons jeter un œil à cette tondeuse. Elle me met en rogne !

11

— Est-ce que je peux te parler ? m'a demandé Herb un peu plus tard, une fois les cavaliers de retour et pendant que les autres les aidaient à rentrer les chevaux dans la grange.

— De quoi s'agit-il ? ai-je répondu.

— Je veux que tu sois prudent.

— Ne vous inquiétez pas pour moi.

— Tu sais, je ne te laisserais pas ici si je n'avais pas le sentiment que tu y seras en sécurité.

— J'espère simplement que ma mère va penser la même chose.

— Elle va comprendre. Et ne t'inquiète pas pour Rachel et Danny. Je vais veiller sur eux ce soir.

— D'accord.

— J'ai fait savoir à monsieur Peterson qu'il peut compter sur toi. Je lui ai aussi dit que j'allais te remettre ceci, a ajouté Herb en exhibant son petit pistolet à canon court.

J'ai eu un léger mouvement de recul.

— Le cran de sûreté est mis. Tu sais comment t'en servir, pas vrai ?

— Ouais, mais je ne peux pas prendre votre arme.

— Si tu ne prends pas ce pistolet, je ne vais pas pouvoir te laisser ici. Demande à Stan où tu peux le ranger aujourd'hui. Et assure-toi de le porter ce soir.

Je l'ai pris. J'étais à la fois rassuré et terrifié.

— Mais... et vous ? Vous pourriez en avoir besoin, vous ne pensez pas ?

— J'en ai un deuxième sur moi, a-t-il répliqué. J'emporte toujours une arme de secours au cas où.

Évidemment, me suis-je dit pendant que nous faisions passer l'étui du pistolet de sa ceinture à la mienne. L'étui était compact et le pistolet était dissimulé sous mon blouson. Il me semblait si lourd, alors que nous allions rejoindre le reste du groupe, que j'étais certain que tout le monde le remarquerait, mais personne n'a semblé s'apercevoir de quoi que ce soit. J'ai remis les clés de ma voiture à Brett.

— Je continue de penser que ce serait mieux pour moi de rester, a déclaré ce dernier.

— Vous devez aller en patrouille ce soir, monsieur l'agent, a rétorqué Herb.

— C'est vrai. Le devoir m'appelle, a-t-il reconnu en se donnant des airs d'importance.

J'ai donné une accolade à Rachel, tandis que Brett remerciait monsieur et madame Peterson chaleureusement pour la balade qu'il venait de faire. J'ai trouvé qu'il y allait un peu fort et je n'ai vraiment pas aimé la façon dont Lori le regardait.

Ils sont montés dans la voiture et Brett s'est installé au volant. Il m'a semblé inadmissible que ce soit lui qui conduise ma voiture, tout comme il était inadmissible de sa part d'avoir osé reluquer Lori. Rachel nous a fait signe de la main à travers la vitre quand ils ont démarré. Nous les avons observés un moment, puis, arrivée à la route, la voiture a effectué un virage et ils ont disparu.

— Et maintenant ? a demandé Todd.

— Et maintenant, tout le monde au boulot ! a lancé monsieur Peterson.

* * *

Malgré l'épaisseur des gants de travail, les barbelés passaient au travers et me perçaient ou me grattaient la peau. Il n'y avait pas moyen de manipuler adéquatement ces satanés trucs.

Devant moi, Todd et monsieur Peterson enfonçaient des pieux dans le sol à coups de masse. Ils tenaient les piquets et maniaient l'outil à tour de rôle. Je pouvais sentir les vibrations du sol jusque dans mes jambes. Ils progressaient plutôt rapidement ; ils plantaient les pieux juste assez profondément pour qu'ils puissent soutenir les fils de fer, mais pas assez pour qu'ils puissent tenir debout très longtemps. Il y avait là un sacrifice à faire : solidité et profondeur contre rapidité et distance parcourue. Avec un peu de chance, les côtés nord et ouest de la grange et de la maison seraient complètement clôturés avant la tombée de la nuit, ne laissant alors que deux voies d'accès à protéger.

J'ai fixé une troisième agrafe dans un piquet, bloquant de la sorte un des fils en place. J'ai enlevé un gant pour essuyer la sueur de mon front. Le soleil, qui se trouvait presque directement au-dessus de ma tête, était incroyablement chaud.

— On dirait que tu prends du retard.

Lori se tenait devant moi, portant un plateau sur lequel étaient posés un pichet de limonade et trois verres. Cela avait l'air vraiment délicieux. Et elle encore davantage.

— Ils sont deux et, moi, je suis tout seul, ai-je objecté.

— Dans ce cas, tu n'as peut-être pas le temps de prendre un verre de limonade.

— Je pense que je ferais mieux de trouver le temps, ai-je répondu en posant mon marteau.

Elle a rempli un verre et me l'a tendu.

— C'est très gentil de ta part et de la part de Todd de nous donner un coup de main.

— *Je* suis gentil. Todd, lui, est resté uniquement pour la tarte.

— Sérieusement, j'espère qu'avec vous mon père pourra se reposer un peu cette nuit. Il n'a presque pas dormi depuis le début de cette histoire.

— Vous n'avez pas dû dormir beaucoup tous les trois, j'imagine.

— Pas beaucoup, en effet. Je dois être affreuse.

Je l'ai examinée de la tête aux pieds.

— Ce n'est pas le mot que j'emploierais.

— Peut-être que les mots « épouvantable » ou « défaite » conviendraient mieux, a-t-elle poursuivi en esquissant un sourire avant d'étendre la main pour me donner une tape sur l'épaule d'un air espiègle.

— Attention, il ne faut pas brutaliser les ouvriers.

Elle a commencé à rire, puis elle s'est arrêtée brusquement.

— Tu sais quoi? C'est la première fois que je ris depuis deux jours. Ç'a été difficile, très difficile.

Tout à coup, on aurait dit qu'elle allait flancher.

— Cette nuit, vous pourrez tous dormir sur vos deux oreilles pendant que nous prendrons les choses en main.

— Cette nuit peut-être, mais demain soir et la nuit suivante? s'est inquiétée Lori.

— Demain, la panne pourrait bien être réparée et tout sera alors fini.

— Le penses-tu vraiment?

— Pourquoi pas ?

Nous savions tous les deux qu'il s'agissait là d'un pieux mensonge qui se voulait rassurant.

— Pourrais-tu rester une nuit de plus ? a lancé Lori.

— Peut-être.

Mais probablement pas. Ma mère n'allait pas apprécier. Si je pouvais rester ici pour la nuit, c'était uniquement parce que je n'avais pas eu à lui en demander la permission.

— Si, toi, tu ne peux pas revenir, peut-être que quelqu'un d'autre le pourrait... Ton ami est très gentil, tu sais, a-t-elle dit.

— Todd est effectivement un garçon plutôt gentil.

— Je parlais de Brett.

— Brett n'est pas si gentil que ça, ai-je rétorqué.

Lori a semblé surprise par ma réaction. Je n'étais pas peu surpris moi-même, étant donné que je le connaissais à peine.

— Il n'est pas mon ami, je veux dire. J'imagine que c'est un type sympa, mais c'est parfois difficile de savoir. Certaines personnes confondent gentillesse avec fausses manières et belle bagnole.

— Avec belle bagnole ? De qui parles-tu au juste ?

En un clin d'œil, j'étais passé de Brett à Chad.

— Je pourrais parler d'un tas de gens, ai-je dit, m'efforçant ainsi de faire marche arrière.

— Tu n'as jamais beaucoup aimé Chad, avoue ?

J'avais déjà trop parlé, mais, puisque j'avais lancé la discussion, autant continuer.

— J'imagine que je n'aime pas son *genre*, ai-je admis.

— Et tu penses que Brett et Chad sont du même genre ?

— Pas tout à fait. Brett est un adulte, il est assez vieux pour être... disons... ton frère aîné, mais un frère *beaucoup* plus âgé que toi.

— Et Jeremy, le garçon que j'ai fréquenté avant de connaître Chad, tu ne l'aimais pas non plus, hein ?

— Tu ne devais pas l'aimer beaucoup toi-même, je présume, puisque que tu as rompu avec lui.

— Donc, tu penses que je ne m'intéresse pas au bon genre de gars ?

— Ce n'est pas à moi de le dire.

— As-tu déjà songé que je sors avec les *mauvais* garçons parce que les *gentils* garçons ne m'ont jamais invitée à sortir avec eux ?

— D'une certaine façon, j'y ai déjà pensé, tu sais.

— Il serait peut-être temps d'arrêter de *penser* et de commencer à *agir*, a-t-elle répliqué.

Est-ce qu'elle me demandait de l'inviter à sortir ? Ce serait tellement formidable, tellement incroyable et tellement...

— Hé !

Nous nous sommes tous les deux retournés. C'était son père.

— As-tu l'intention de distribuer la limonade, oui ou non ? a-t-il crié.

— Oh, pardon, papa !

Lori m'a repris le verre vide des mains.

— Parfait, monsieur le gentil garçon. J'ai bien peur qu'il faille terminer cette conversation une autre fois.

12

J'ai remonté l'allée, ne ralentissant l'allure qu'à proximité du fil-piège. Je ne pouvais pas encore le voir, mais je savais où se trouvaient les arbres auxquels il avait été fixé. Je me suis arrêté tout juste avant de les atteindre, je me suis penché et j'ai avancé la main de manière à l'effleurer, tout en m'assurant de ne pas le faire vibrer afin d'éviter d'activer les clochettes. Je voulais simplement vérifier qu'il était toujours là.

J'ai fait demi-tour, refaisant le chemin que j'avais emprunté deux douzaines de fois auparavant. Je montais la garde du côté sud de la ferme pendant que Todd surveillait le côté est. La clôture servait à protéger les deux autres côtés. Nous avions bon espoir que cet obstacle parviendrait soit à arrêter les intrus, soit à les ralentir suffisamment pour que nous puissions les entendre si jamais ils essayaient de le franchir.

Située en retrait par rapport à la route, la ferme était cachée à la vue par les deux rangées d'arbres qui se dressaient le long de l'allée. Cette dernière était défoncée et couverte de poussière et de gravier ; elle était si étroite par endroits que les branches des arbres se rejoignaient au milieu, au point qu'elle ressemblait davantage à un tunnel qu'à une allée. Alors que la plus grande partie des terres était composée de champs défrichés, certaines d'entre elles, restées à l'état sauvage, pouvaient permettre à quiconque projetait de s'approcher de la ferme de se dissimuler facilement.

Lori et ses parents dormaient à l'intérieur. Du moins je l'espérais. À leur place, sachant que Todd et moi assurions leur protection, j'ignore si j'aurais pu dormir. Nous avions tous les deux des bâtons de baseball et, bien sûr, j'avais le pistolet que Herb m'avait laissé, mais personne, à part monsieur Peterson, ne le savait. Todd avait tenté de les persuader de nous remettre des fusils. Cependant, Stan avait refusé de céder. Peut-être cela aurait-il donné davantage confiance à Todd, mais, moi, j'aurais été moins rassuré. Avec une arme entre les mains, il aurait été un danger pour tout le monde, y compris pour lui-même et pour moi. Au moins, moi, j'avais appris à tirer auparavant. Étant donné que nous avions des armes à feu à la maison, ma mère avait insisté pour que je suive une formation et que je m'exerce quelque temps sur le champ de tir.

Au moindre signe de danger, nous étions censés aller prévenir monsieur Peterson ou faire suffisamment de bruit pour qu'il se réveille et accoure avec son fusil de chasse afin de nous aider à affronter la situation.

Je faisais de mon mieux pour éviter de faire du bruit. Par conséquent, personne ne pouvait m'entendre, alors que, moi, je pouvais entendre les pas de toute personne venant dans ma direction. Jusqu'à présent, je n'avais perçu que les pas de Todd. On aurait dit un orignal en train de se frayer un passage à travers les bois, mais sa présence n'en était pas moins rassurante. J'ai marché sur une racine quelconque et je suis sorti de sous les arbres. Il faisait incroyablement clair. J'ai aperçu Todd au moment où il débouchait à l'angle de la grange.

— Peux-tu me rappeler pourquoi je fais ça déjà? m'a-t-il demandé une fois que nous nous sommes retrouvés tout près l'un de l'autre.

— Pour aider la famille de Lori.

— Non, non, c'est la raison pour laquelle, *toi*, tu le fais. Mais, moi, pourquoi est-ce que je suis ici ?

— Parce que t'es mon ami.

— Je dois être un sacré bon ami pour passer la nuit à me promener dans le noir avec un bâton de baseball parce que, *toi*, tu cherches à impressionner une fille.

— Mais tu *es* un sacré bon ami.

— Je suis content de l'apprendre. J'espère qu'elle en vaut la peine, au moins.

— Je le pense.

— Tu ferais mieux d'en être convaincu. Je suis là pour t'aider à marquer des points, alors...

Nous avons tous les deux tourné la tête au même moment en entendant un bruit suspect. Quelqu'un marchait dans l'allée. On aurait même dit qu'il y avait plusieurs personnes.

— Va chercher monsieur Peterson, ai-je ordonné à Todd.

— Pas question. Ils sont plusieurs, alors il faut aussi être plusieurs pour pouvoir les affronter.

— On ne pourra pas faire grand-chose à deux s'ils sont à dix. Il faut que quelqu'un vienne à notre aide avec un fusil de chasse.

— Mais je ne peux pas te laisser ici tout seul.

J'ai sorti le pistolet de son étui. Todd a écarquillé les yeux d'étonnement.

— Mais... on était pas censés avoir d'arme, il me semble, a-t-il bredouillé.

— Herb m'a obligé à la prendre. Monsieur Peterson est au courant. Et maintenant, file ! Ils se rapprochent de plus en plus.

Todd a déguerpi en faisant crisser le gravier sous ses pieds. Je les entendais venir ; je percevais non seulement le bruit de leurs pas, mais aussi le son de leurs voix. Ils étaient nombreux, cela ne faisait plus aucun doute. Il fallait que je sois bien placé pour les affronter, ce qui voulait dire que je devais aller directement à leur rencontre, seul, dans le noir, ne sachant combien ils étaient ni comment ils allaient réagir, ni même s'ils avaient des armes avec eux.

J'ai fait un premier pas en avant ; j'ai dû faire appel à toute ma détermination pour en faire un deuxième, puis un autre. À mesure que je me rapprochais d'eux, je les entendais de plus en plus distinctement.

Comme Herb l'avait conseillé, nous avions ramené la charrette de foin jusqu'à la grange. Nous l'avions toutefois remplacée par le tracteur, que *nous* pouvions utiliser pour nous mettre à l'abri et pour nous véhiculer rapidement au besoin. Je me suis caché derrière ; je pouvais maintenant voir les intrus éclairés par la lune en train de remonter l'allée. J'ai tenté de les compter, mais leurs silhouettes et leurs ombres se confondaient ; ils pouvaient être aussi bien six que sept ou cinq. Mais, comme j'étais en infériorité numérique, cela n'avait aucune espèce d'importance.

J'ai appuyé sur l'interrupteur dont monsieur Peterson m'avait indiqué l'emplacement, et les phares du tracteur se sont allumés. Les visiteurs importuns se sont aussitôt figés sur place et se sont protégé les yeux à l'aide de leurs mains. Ils étaient sept et ils avaient des bâtons, des gourdins et même un bâton de hockey. Chacun d'entre eux transportait également un grand récipient en plastique. Comme pour se rassurer, ils se sont serrés les uns contre les autres sous la lueur des phares. J'avais espéré que ces lumières suffiraient à les faire fuir, mais, même s'ils semblaient déconcertés, pour ne pas dire effrayés, ils n'étaient pas disposés à battre en retraite pour autant.

— Qui est là ? a lancé l'un d'eux.

Sans même attendre de réponse, ils ont recommencé à avancer.

— Restez où vous êtes! ai-je crié d'une voix stridente et mal assurée, mais qui a suffi à les arrêter de nouveau.

— Sors de là qu'on puisse te voir! a beuglé l'un d'eux.

Il était hors de question que j'obtempère. Ils se sont remis à marcher petit à petit.

— On vous a dit d'arrêter de bouger! a hurlé monsieur Peterson en sortant de derrière les arbres.

Il se trouvait à moins de dix mètres en face d'eux, précédé de son fusil de chasse. Il a fait quelques pas en avant et ils ont reculé d'autant.

— Qu'est-ce que vous faites ici? leur a-t-il demandé.

Todd est arrivé derrière moi et s'est approché du tracteur. J'ai aperçu madame Peterson sur le côté; elle se tenait dans l'ombre, son fusil à la main.

— C'est une propriété privée ici, a déclaré Stan.

— Il nous faut juste un peu d'eau, a répondu l'un des hommes en montrant un récipient.

— Foutez le camp!

— Allez, monsieur, nous avons besoin d'eau pour nos familles.

— Si vous avez seulement besoin d'eau, pourquoi êtes-vous armés?

— Pour nous protéger, a dit un autre homme. Ça devient dangereux par là-bas.

— Ça va être encore plus dangereux pour vous par *ici* si vous ne partez pas tout de suite! Sortez de ma terre!

Tous sauf un ont entrepris de reculer.

— Écoutez, je comprends que nous n'aurions pas dû vous surprendre au milieu de la nuit comme ça, a avoué celui qui n'avait pas bougé. Mais je ne peux pas repartir sans eau, si vous en avez. Mes enfants en ont besoin. Allez-vous franchement tirer sur moi pour ça ?

Personne n'a bougé. Personne n'a parlé. Il fallait faire quelque chose. J'ai glissé mon pistolet dans ma poche, où il était encore à portée de main, puis je me suis avancé.

— Pourriez-vous abaisser vos armes ? ai-je demandé, me souvenant de la façon dont Herb avait désamorcé la situation tant chez le vendeur d'accessoires pour piscines qu'au supermarché. Monsieur et madame Peterson, pourriez-vous baisser vos armes un peu, vous aussi ?

Personne n'a obtempéré, mais j'ai continué à m'avancer vers eux. J'ai sorti ma main de ma poche et je me suis efforcé de sourire. L'homme qui avait commencé à parler a donné le gourdin qu'il tenait à la main à un autre type et s'est approché de moi.

— Je m'appelle Adam, lui ai-je dit quand nous nous sommes serré la main.

— Je m'appelle Jim.

— Combien d'enfants avez-vous ? l'ai-je interrogé, pensant que Herb essayait toujours d'ajouter une touche personnelle à ce genre de pourparlers.

— Trois. Une fille et deux garçons. Les garçons sont jumeaux.

— Il y a aussi des jumeaux dans ma famille, ai-je répondu. Pourriez-vous demander à vos amis de déposer leurs armes, s'il vous plaît ?

Ils ont tous fait ce que je demandais sans qu'il ait à prononcer la moindre parole. Je me suis alors tourné vers monsieur Peterson.

— Écoutez, je sais que ce n'est pas ma ferme, mais seriez-vous d'accord pour que nous remplissions leurs seaux avec de l'eau ?

— C'est d'accord, a répondu madame Peterson avant même que son mari ait pu dire un seul mot. Personne ne devrait repartir les mains vides quand il y a assez d'eau pour tout le monde.

— Jim, que diriez-vous de déposer vos seaux par terre ? Mon ami et moi allons les remplir et vous les apporter au bout de l'allée.

— Je peux vous donner un coup de main, a déclaré Lori, dont la voix venait de quelque part derrière moi.

— Mais rendez-nous un service en échange : ne dites à personne où vous avez obtenu cette eau, ai-je poursuivi. Si les gens se précipitent ici, il n'y en aura plus pour personne.

— Et si nous ne le disons à personne, pouvons-nous revenir demain ou après-demain pour en avoir d'autre ? a demandé Jim.

J'ai regardé monsieur Peterson. Il a semblé hésitant.

— J'ai une idée, a dit madame Peterson. S'ils cachaient leurs récipients vides dans les buissons au bout de l'allée et que nous faisions en sorte de les remplir et de les remettre en place, est-ce que ça irait ?

— Seriez-vous d'accord, monsieur Peterson ?

Tous les yeux se sont tournés vers lui. Il a abaissé son fusil de chasse complètement.

— Allez attendre à l'autre bout de l'allée. Nous allons chercher l'eau, puis nous allons vous l'apporter et vous montrer où cacher vos récipients à l'avenir.

— Merci, merci beaucoup. En attendant, nous allons voir comment nous pouvons vous rendre service à notre tour, monsieur, a répondu l'homme. Et merci à toi, Adam.

126

13

Le soleil se levait à l'horizon. Après notre nuit passée à l'extérieur, la lumière et la chaleur du jour avaient quelque chose d'extraordinaire. Je me suis levé et me suis étiré afin de faire disparaître les tensions de mon dos. Après avoir connu quelques heures de tranquillité, Todd et moi avions décidé, vers trois heures et demie du matin, d'arrêter nos rondes derrière la clôture. Je m'étais mis en faction devant la maison pendant que Todd s'était accroupi près de la grange.

À la suite de l'affrontement qui était survenu et tout juste après que les intrus étaient repartis avec leur eau, j'avais senti tous les muscles de mon corps se détendre et se relâcher. C'était la conséquence inévitable de la montée d'adrénaline que j'avais eue. Aucun autre incident ne s'était produit du reste de la nuit.

J'ai contourné le côté de la maison et me suis rendu jusqu'à la grange. La porte était fermée et Todd, la tête penchée en arrière, était en train de ronfler sur une chaise, son bâton sur les genoux. Je ne pouvais lui en vouloir de dormir. Alors que j'étais resté debout, je m'étais aussi surpris à somnoler à quelques reprises.

Mais je tenais à rentrer à la maison avant ma mère. Il était de loin préférable que je lui explique ce qui s'était passé et qu'elle constate par elle-même que j'étais sain et sauf avant que quelqu'un d'autre lui dise que j'étais absent et qu'elle s'énerve et s'inquiète jusqu'à mon retour.

— Bonjour.

J'ai sursauté. C'était monsieur Peterson. Il s'est mis à rire, puis il a tenté de dissimuler son hilarité.

— Je sens que je suis un peu nerveux, ai-je déclaré.

— Un peu ? Tu viens de faire un sacré bond dans les airs.

— Peut-être un peu plus que simplement nerveux. Bon, je pense que nous allons devoir y aller bientôt. Tout se passe bien pendant la journée, non ?

— Jusqu'ici, ça va, a-t-il répondu en hochant la tête. Mais ça ne veut pas dire grand-chose, j'en ai bien peur.

— Je regrette de ne pas pouvoir rester.

— Je comprends et je vous remercie d'être restés la nuit dernière, les gars. Surtout toi pour la façon dont tu t'y es pris avec ces types-là. Mieux vaut rester poli et civilisé en pareille circonstance.

— Tant que la chose est possible.

— Ils essayaient juste de subvenir aux besoins de leurs familles et, moi, j'essaie juste de protéger la mienne, a-t-il poursuivi en secouant lentement la tête. Et on en est seulement au quatrième jour. Si ça continue comme ça encore longtemps, quelqu'un va finir par se faire blesser ou se faire tuer. J'ai franchement pas envie de me faire tuer, mais j'ai pas vraiment envie de tuer qui que ce soit non plus.

Ces mots ont résonné dans ma tête. J'avais une arme à feu sur moi, mais je n'avais nullement envie de m'en servir. Aurais-je été capable de braquer une arme sur quelqu'un et d'appuyer sur la gâchette ? Je n'étais pas habitué à penser à ce genre de chose. Je devais plutôt penser à mon école ou à l'université que j'allais fréquenter dans quelques années, ou encore à mes cours de pilotage ou à Lori – même si elle était probablement en train de penser à Chad. Ou encore à Brett.

— Je suis inquiet pour ma famille. Je me demande comment nous allons pouvoir surveiller la ferme à trois seulement.

— Je pourrais peut-être revenir.

— Mais alors je serais inquiet pour toi aussi. Ce n'était pas correct de ma part de mettre la vie du fils de quelqu'un d'autre en danger.

— Je me suis porté volontaire. Écoutez, je vais en parler à ma mère et à Herb et voir ce qu'ils en pensent. Peut-être qu'un des deux saura trouver une solution à votre problème. Je ferais mieux de réveiller Todd à présent. Nous avons une longue route à parcourir.

— Je suis réveillé, a lancé Todd en poussant un gémissement. As-tu parlé de marcher ?

— Bonjour, mon cher, ai-je dit.

— Tu n'as pas répondu à ma question.

— Nous ne pouvons pas attendre que quelqu'un vienne nous chercher. Ce n'est pas si loin. Si nous nous dépêchons, nous pouvons franchir la distance en moins d'une heure et demie.

Il s'est levé, a bâillé et s'est étiré.

— À moins que tu aies l'intention de courir au lieu de marcher, ça va nous prendre plus de deux heures.

— Nous pourrions faire un peu de jogging.

— Est-ce que nous pourrions au moins déjeuner avant de partir ?

— Je vais vous préparer des œufs frais avec du pain grillé, a proposé monsieur Peterson. Ensuite, je peux vous conduire jusqu'au viaduc avec mon tracteur.

— Il vaut peut-être mieux que vous restiez ici, ai-je répondu.

— Il vaut peut-être mieux que nous ne soyons pas obligés de marcher tout ce chemin-là, a objecté Todd.

— Il a raison, a déclaré monsieur Peterson. D'ailleurs, il est trop tôt pour que les gens soient déjà sortis de chez eux... et si c'est le cas, bah, j'aurai mon fusil avec moi.

* * *

Todd et moi avons sauté sur le tracteur et nous sommes installés en position précaire sur l'attelage, face à l'arrière. Je n'étais jamais monté sur un tracteur et je ne m'y sentais pas particulièrement en sécurité. Au moins, le trajet n'a pas été plus pénible que dans ma voiture. Cela en disait probablement long sur ma voiture et sur le fait qu'elle avait besoin de nouveaux amortisseurs.

La route était déserte et vide. Nous avions eu une bonne idée de partir tôt, même si je ne m'attendais pas à ce que nous rencontrions qui que ce soit le long de ce premier tronçon de route. Ce n'était qu'après le viaduc, une fois arrivés au niveau des maisons et des immeubles d'habitation, que nous risquions de croiser des gens. Nous étions samedi, mais nous devions nous attendre à tout sauf à connaître un week-end normal. J'espérais simplement que la plupart des gens seraient encore en train de dormir et que ceux qui étaient déjà debout ne seraient pas en train de causer des ennuis. Monsieur Peterson nous avait prêté deux bâtons de baseball au cas où et, bien entendu, j'avais toujours le pistolet de Herb.

Je songeais au fait que ce trajet de dix minutes nous avait probablement épargné quarante-cinq minutes de marche lorsque j'ai aperçu quelque chose dans le ciel, vers le sud. C'était un petit avion !

— Le voyez-vous ? ai-je crié.

Todd a levé les yeux en direction de l'endroit que je lui indiquais. Monsieur Peterson l'avait remarqué, lui aussi, et il a immobilisé son tracteur. Todd et moi avons sauté par terre. L'avion avait changé de direction et semblait maintenant venir droit sur nous. Je me demandais s'il nous avait vus en train de rouler et s'il était aussi curieux à notre sujet que nous l'étions au sien.

— Je pense que c'est un Cessna, ai-je précisé.

— Mais je croyais que les avions ne pouvaient pas voler ? a fait Todd.

— C'est probablement un ancien avion d'avant l'ère informatique.

Il n'y avait à présent plus aucun doute : il se dirigeait carrément vers nous et avait entrepris de descendre dans le but de nous observer de plus près. C'était bel et bien un Cessna, un vieil appareil à quatre places. Il s'est rapproché davantage, volant à si basse altitude que je pouvais distinguer le pilote et le passager assis à côté de lui. Todd a sauté dans les airs, criant, hurlant et agitant les bras tandis que l'avion passait en vrombissant au-dessus de nos têtes. Nous sommes restés là à le contempler pendant qu'il reprenait de la hauteur et virait sur l'aile de manière à revenir à la trajectoire de vol qui avait été la sienne avant qu'il nous aperçoive.

— C'est bon de savoir que certains avions peuvent encore voler, ai-je commenté.

Cela m'a redonné espoir : peut-être mon père serait-il en mesure d'en dénicher un semblable et de rentrer ainsi à la maison. Plus la situation empirait, plus j'étais inquiet, non seulement pour lui, mais aussi pour nous, du fait de son absence.

14

Nous avons dit au revoir à monsieur Peterson et avons parcouru le reste du chemin en une heure et quelques. Nous avons aperçu quelques personnes à l'extérieur de leurs maisons ou de leurs immeubles, mais toutes ont paru chercher à nous éviter. Sans doute est-ce là l'attitude à adopter quand deux types armés de bâtons de baseball viennent à votre rencontre.

J'ai éprouvé une sensation agréable en passant le poste de contrôle et en me retrouvant dans notre quartier. J'ai senti tout mon corps se détendre. C'était un peu comme si j'avais pris conscience de la tension qui m'habitait seulement au moment où elle avait disparu. Je n'étais pas encore chez moi, mais c'était tout comme. J'avais vécu presque toute ma vie dans ce quartier. Nous avions été parmi les premières familles à emménager dans le lotissement. J'avais été témoin de la construction des maisons et du mini-centre commercial, de l'ouverture des magasins, et j'avais vu les arbustes et les petits arbres parvenir à maturité.

Lorsque nous sommes arrivés chez moi, l'allée de notre garage était encombrée par l'étrange petite armada de véhicules que conduisaient les patrouilles.

— On dirait que c'est complet chez vous, a commenté Todd.

— Ça tombe bien. Je vais pouvoir en savoir plus sur ce qui se passe, et puis il y a moins de risque que ma mère m'engueule devant tout le monde.

— À quel point penses-tu qu'elle est fâchée contre toi ? a demandé Todd.

— Difficile à prévoir. J'espère simplement qu'elle était trop prise par autre chose pour s'inquiéter à mon sujet.

Todd est rentré chez lui se reposer. J'étais sûr que ses parents seraient heureux de le voir revenir sain et sauf.

J'avais à peine passé la porte d'entrée que je pouvais entendre des voix dans la cuisine. Comme il n'y avait aucune raison de remettre les choses à plus tard, j'y suis allé directement. Herb, ma mère et ses quatre agents étaient assis à la table. Ils se sont tournés vers moi quand je suis entré. J'ai salué tout le monde de la tête, tout en m'efforçant de ne pas établir de contact visuel avec ma mère. Je me suis rendu jusqu'à la table et me suis assis comme si de rien n'était. Ils se sont arrêtés de parler.

— Est-ce que je vous dérange ? ai-je demandé.

— Je m'apprêtais à envoyer quelqu'un te chercher, a expliqué ma mère sur le ton de quelqu'un qui fait des efforts pour rester calme.

— Monsieur Peterson nous a déposés à mi-chemin avec son tracteur, puis nous avons marché à partir de l'endroit où la 403 tourne et traverse Burnham Road. Ce n'était pas très loin.

— Plus loin que nécessaire, a répliqué ma mère. Tu n'aurais pas dû aller là-bas pour commencer. Mais nous en reparlerons plus tard.

— Comme je vous l'ai expliqué, c'est de ma faute, a déclaré Herb. J'étais persuadé qu'il n'y aurait pas de problème majeur là-bas.

— Et ç'a été le cas ? a demandé ma mère, qui était visiblement mécontente de la décision de Herb.

J'ai pensé au pistolet qui se trouvait dans ma poche, aux intrus et à monsieur Peterson qui les avait menacés avec un fusil de chasse.

— Tout s'est bien passé.

Elle a paru soulagée.

— J'essayais simplement de les aider, de la même façon que les gens aident papa s'il en a besoin, j'espère, ai-je ajouté.

J'ai vu que mes paroles avaient pénétré son esprit. Ses yeux se sont remplis de tristesse, puis son regard s'est adouci. Nous semblions avoir un accord tacite en vertu duquel tout irait bien pour lui si nous évitions d'en parler. J'imagine que je venais de rompre notre accord.

J'ai fait le tour de la table du regard.

— Alors... comment les choses se sont-elles passées du côté des patrouilles cette nuit ?

— Pas génial, a répondu Howie, le grand policier.

Avec son air bon enfant, il m'avait toujours donné l'impression d'être un gamin. En dépit de tout ce qui s'était passé au cours des quatre derniers jours, son visage affichait encore un sourire.

— Je savais que les choses allaient probablement être pires que la veille, mais je ne m'attendais pas à ce qu'elles aillent si mal que ça, a raconté le sergent Evans. Si on fait le compte des incendies, des vols, des actes de pillage et des agressions, force est de constater que la situation est en train de déraper. Je n'ai pas honte de vous avouer que j'ai eu peur là-bas.

— Seul un imbécile n'aurait pas eu peur, a commenté Howie.

— Ça ne me dérangerait pas d'aller là-bas si je savais que je sers vraiment à quelque chose, a poursuivi le sergent Evans, mais nous sommes inutiles. Nous ne pouvons pas empêcher les incidents de se produire ou rétablir la situation après coup. Tout ce que nous pouvons faire, c'est observer ce qui se passe et faire un rapport.

— On dirait que c'est *nous* qui commençons à avoir besoin de protection, a lancé Brett.

— Parle pour toi, le bleu, a plaisanté le sergent Evans.

— C'est vous qui disiez que vous avez eu peur là-bas...

— Ça suffit, les gars, a déclaré ma mère en coupant la parole à Brett. Écoutez, tout le monde est fatigué et inquiet. Que diriez-vous de rentrer chez vous, d'embrasser vos femmes et de dire bonjour à vos enfants, de caresser vos chiens et de dormir un peu, tout simplement? Je dois retourner au poste. Et vous devez commencer vos patrouilles dans quelques heures à peine.

Ils étaient tous d'accord avec elle. Une fois qu'ils ont eu fini leur café et quitté la maison, il ne restait plus que ma mère, Herb et moi autour de la table. Si elle devait m'engueuler, le moment était tout à fait approprié. C'est sans doute la raison pour laquelle Herb a décidé de prendre la parole:

— La nuit dernière, j'ai entendu des choses sur ondes courtes que je n'ai pas jugé bon de répéter devant tout le monde.

— Voulez-vous que je sorte? ai-je demandé.

— Je pense que tu devrais rester, Adam. Voici de quoi il s'agit. Les choses ont commencé à empirer dans les villes. Plus la ville est importante, plus les problèmes sont graves.

— Avez-vous appris quoi que ce soit concernant la cause exacte, l'origine ou le pourquoi de la panne? Quoi de neuf à ce sujet? l'a interrogé ma mère sur un ton rempli d'espoir.

— Seulement des hypothèses. Aucune information concrète. Les quelques personnes avec qui je suis en contact parlent essentiellement des conséquences de la panne.

Je l'ai écouté parler de vols, d'agressions, d'incendies criminels et de rues qui échappaient complètement au contrôle de la police. Pendant qu'il discourait, je ne pouvais m'empêcher de penser à mon père qui était à Chicago, au milieu de tout ce chaos. Si Herb avait raison, Chicago était l'un des pires endroits où se trouver.

— Donc, tout est en train de s'écrouler, a commenté ma mère. Espérons que les choses ne vont pas empirer ce soir.

— En fait, attendez-vous plutôt à ce qu'elles s'enveniment de manière exponentielle ce soir, a répliqué Herb.

— J'avais peur de vous entendre dire quelque chose du genre, a répondu ma mère.

— En raison de votre travail et de votre formation, Kate, vous connaissez la chanson probablement mieux que personne. Soit les services publics sont rétablis rapidement et la situation va aller en s'améliorant, soit ils ne le sont pas et les choses vont s'aggraver en se multipliant par un facteur de cinq ou même de dix de soir en soir.

— Je pense que je sais à quoi m'attendre. Je ne suis pas certaine que nous pourrons gérer la situation. J'espère que vous avez tort.

— J'aimerais pouvoir me tromper, a fait Herb avec un hochement de tête, mais j'ai déjà vu ça auparavant.

— Personne n'a vu ça auparavant, ai-je fait remarquer.

— Pas ici, mais dans des endroits où j'ai été en poste. Je ne m'attends pas à ce que le scénario soit différent ici. Ça n'a jamais été le cas jusqu'à présent. Après trois jours, les choses commencent à devenir terribles.

Ma mère a paru inquiète, mais pas effrayée pour autant.

— Avez-vous entendu quelque chose d'officiel en provenance d'un palier ou l'autre de gouvernement? a demandé Herb.

— Rien en dehors de quelques messages remis en main propre de la part de notre supérieur, a-t-elle répondu en secouant la tête. Les deux postes placés sous son commandement manquent de personnel, pour la bonne raison que certains policiers désertent pour protéger leurs familles.

Elle a fait une pause avant de poursuivre :

— Pendant que les choses empirent, mes collègues et moi avons de moins en moins d'agents à notre disposition. Ça compromet notre capacité de maîtriser la situation.

— La solution pourrait être d'essayer d'en faire moins, a dit Herb. Vous avez le choix entre tout protéger très mal ou protéger certaines choses très bien. Que diriez-vous de demander aux patrouilles de se replier afin de s'occuper uniquement de notre quartier ?

— Je ne peux pas faire ça. Pas encore.

— Pourriez-vous envisager de demander à plus de civils d'être de faction ?

— La chose est envisageable.

— Et d'armer ces civils ?

Ma mère n'a pas répondu immédiatement. Je me demandais ce qu'elle aurait dit si elle avait su que le pistolet de Herb se trouvait dans un étui fixé à ma ceinture.

— Je ne pense pas être habilitée à prendre une telle décision, a-t-elle finalement admis.

— Vous êtes la seule à pouvoir le faire. Même si je comprends pourquoi vous ne voulez pas le faire... du moins pas encore.

— J'espère ne jamais avoir à le faire. Vous savez, Herb, j'apprécie sincèrement ce que vous faites en mettant les choses en perspective.

— J'essaie simplement de vous soumettre quelques idées susceptibles de vous aider à prendre les décisions qui vous attendent. Je sens que j'ai de la chance de ne pas être à votre place et je suis heureux de constater que vous savez faire preuve de leadership.

— Je vois la chose plus comme une forme de partenariat. Je suis contente que vous soyez là. Merci pour votre contribution. Je dois maintenant retourner au poste. Adam, je te laisse t'occuper des jumeaux... en supposant qu'ils se réveillent.

— Je vais veiller sur eux.

— Et je vais l'aider, a proposé Herb.

Ma mère s'est levée et a quitté la pièce, nous laissant seuls, Herb et moi.

— Alors, qu'est-ce qui s'est réellement passé à la ferme cette nuit ? a-t-il demandé.

— Qu'est-ce qui vous fait croire qu'il s'est produit quelque chose ?

— Tu mens très mal, même quand tu ne dis rien. Est-ce qu'il y a eu un affrontement ?

— Rien que nous n'ayons su gérer, ai-je répondu avant de sortir l'arme de son étui et de la lui tendre.

— Je pense que tu ferais mieux de la garder pour l'instant.

— Je ne pense pas que ma mère serait contente de savoir que j'ai ça sur moi.

— Et quel est ton sentiment à toi ?

Je tenais encore le pistolet dans ma main. Je n'étais pas sûr de vouloir le lui rendre.

— Je suis convaincu que les Peterson ont apprécié que tu sois resté avec eux la nuit dernière.

— Je pense qu'ils apprécieraient que quelqu'un reste avec eux ce soir aussi, ai-je indiqué.

— D'après toi, combien de personnes seraient nécessaires pour assurer leur protection cette nuit ?

— Todd et moi devrions suffire, en plus des Peterson, bien sûr.

— C'était la nuit *dernière*. Ils auront besoin de plus de gens nuit après nuit, jusqu'à ce que finalement...

— Finalement quoi?

— Il faut absolument que la situation évolue. Je ne sais pas encore avec certitude à quoi ce changement-là va ressembler. Tu devrais aller te coucher, toi aussi. On en reparlera plus tard. En attendant, garde l'arme à feu que je t'ai donnée. Si nécessaire, j'en glisserai un mot à ta mère.

15

En montant à l'étage, j'ai entendu des sanglots. Ils provenaient de derrière la porte fermée de la chambre de Rachel. J'ai frappé à sa porte et les gémissements ont cessé.

— Est-ce que je peux entrer ?

— Attends un peu, a répondu ma sœur, des larmes dans la voix. Ça va, entre.

Elle était assise sur son lit et m'a dévisagé de ses yeux rouges.

— Est-ce que ça va ?

— Oui, ça va, a-t-elle répondu en tentant d'esquisser un sourire avant de fondre en larmes de nouveau.

Je me suis empressé de l'entourer de mes bras. Mais cela a eu pour seul effet de l'inciter à sangloter davantage et de plus en plus bruyamment.

— Rachel ? a demandé Danny en se précipitant dans la chambre. Qu'est-ce qui se passe ?

Il m'a regardé d'un air accusateur, comme si j'étais responsable de sa détresse. J'ai haussé les épaules. Danny a également passé un bras autour de Rachel. Elle a bien tenté de répondre à sa question, mais les sons qu'elle émettait ressemblaient à un mélange confus de sanglots et de syllabes hachurées que je ne parvenais pas à comprendre. Danny a néanmoins semblé deviner ce qu'elle essayait de nous dire.

— Papa va s'en tirer, pas vrai, Adam ? m'a-t-il demandé.

— Mais oui.

— Oui, mais... il est tout seul ! s'est écriée Rachel avant de se remettre à pleurer de plus belle.

— Il n'est pas tout seul, lui ai-je assuré. Tout son équipage est avec lui. Ils sont nombreux, si on compte le copilote, le technicien et tous les agents de bord. Ils sont tous ensemble, et en plus il y a tout le personnel de l'aéroport et les membres d'équipage déjà sur place pour les assister au besoin.

— C'est vrai, a fait Danny.

Le visage de Rachel a montré des signes de soulagement et j'ai alors compris que je n'étais pas simplement en train d'essayer d'atténuer ses craintes.

— Je suis sûr qu'ils vont tous prendre soin les uns des autres, ai-je ajouté.

— C'est vrai ? a-t-elle hoqueté.

— Il doit être simplement inquiet pour nous.

— Mais pourquoi devrait-il s'inquiéter pour nous ?

J'en avais trop dit. Il était inutile qu'elle se tourmente au sujet de ce qui se passait ici.

— Tu sais comment il est. Il est toujours inquiet à notre sujet, même quand nous sommes en *sécurité* et qu'il n'y a *aucune* raison de s'affoler. Nous sommes parfaitement en *sécurité* ici.

J'avais appuyé sur les mots que je voulais qu'elle entende. C'est ainsi que Herb aurait procédé. Puis j'ai fait en sorte de détourner l'attention des jumeaux en leur confiant une tâche à accomplir.

— J'ai besoin de votre aide, les amis. Je veux que vous vous leviez, que vous preniez votre petit-déjeuner, puis que vous descendiez à Mullet Creek prendre un peu d'eau pour que nous puissions nettoyer les toilettes.

— Mais pourquoi faudrait-il aller jusqu'au ruisseau quand nous avons une piscine remplie d'eau dans le jardin ? a regimbé Danny.

— Parce que c'est ce que Herb nous a conseillé de faire.

— C'est Herb qui commande maintenant ? a-t-il lancé.

— Bien sûr que non. Son travail lui a appris pas mal de choses. Il a simplement dit qu'il est préférable de boire l'eau de la piscine. Même si elle doit être traitée, elle est encore plus pure que l'eau du ruisseau. Qu'est-ce que vous diriez si je vous accompagnais ? Ce serait plus facile.

Je dormirais plus tard.

— Ça serait bien, a approuvé Rachel en essuyant ses larmes sur sa manche.

— Habillez-vous, mangez quelque chose, puis nous y irons ensemble tous les trois. Ça va être amusant.

— On ne s'amuse plus comme avant, a protesté Danny en secouant la tête.

* * *

Nous avons pris chacun deux seaux. J'ai pensé que nous aurions assez de six seaux d'eau pour nettoyer les toilettes pendant la journée. Même sans eau courante pour les alimenter, les toilettes fonctionnaient encore, simplement par gravité. Il suffisait de verser de l'eau dans le réservoir, puis de tirer la chasse afin d'envoyer le contenu de la cuvette dans les égouts, loin de chez nous, en direction de l'usine de filtration et du lac situé au-delà. Je savais que l'usine était hors service. Je ne pouvais m'empêcher de penser aux conséquences que pouvaient avoir toutes ces eaux usées se déversant dans le lac sans avoir été traitées, mais, en ce moment, j'étais davantage préoccupé par ce qui se passerait si nous ne parvenions pas à les évacuer.

Nous n'étions pas les seuls en quête d'eau. Les gens qui avaient compté depuis toujours sur l'eau du robinet en étaient maintenant réduits à puiser leur eau dans les deux ruisseaux qui traversaient notre quartier. Nombreux étaient ceux qui allaient en direction de Mullet Creek ou qui en revenaient, les bras chargés de récipients débordant d'eau, les muscles et le visage tendus par l'effort.

Nous faisions un signe de tête ou disions bonjour aux personnes que nous croisions. De nombreux visages me semblaient familiers, mais il y avait là très peu de gens que je connaissais vraiment. Bien sûr, je connaissais certains des enfants qui fréquentaient la même école ou qui faisaient partie de la même équipe de football ou de baseball que moi, mais j'étais presque honteux de découvrir qu'au fond je ne savais pas grand-chose de la plupart d'entre eux. Et il ne s'agissait pas simplement des personnes qui habitaient à une ou deux rues de chez moi, mais des voisins vivant dans ma rue et dont je n'avais jamais fait la connaissance auparavant. Au cours des derniers jours, j'avais vu des gens debout devant leur résidence et j'avais même pris part à certaines conversations. En temps normal, ils n'étaient que de petites têtes qu'on voyait à travers les vitres de leurs voitures quand ils passaient à toute allure devant chez nous. Ensuite, soit ils disparaissaient au coin de la rue, soit ils s'engouffraient dans leur garage, puis dans leur maison par une porte dérobée, de sorte qu'ils n'avaient même pas besoin d'affronter le monde extérieur.

Nous avons suivi le sentier qui s'étendait derrière les maisons et nous avons traversé le champ où se dressaient les pylônes électriques pour nous diriger vers le ruisseau le plus proche. Celui-ci était dissimulé aux regards par un mince rideau d'arbres et de mauvaises herbes. D'autres chemins traversaient les broussailles et menaient au cours d'eau. Quelques enfants dévalaient un de ces chemins devant nous en emportant leurs seaux; une femme est apparue peu après en transportant également un seau. Elle nous a fait un signe de la tête quand nous nous sommes croisés. Son visage m'était familier, mais, encore une fois, j'ignorais complètement de qui il s'agissait.

— C'est comme dans la comptine, a fait observer Danny.

— Qu'est-ce que tu veux dire par là? lui ai-je demandé.

— C'est pourtant évident! s'est exclamée Rachel. Jack et Jill ont gravi la colline pour aller chercher un seau d'eau.

— Jack est tombé et a brisé sa couronne et...

— Nous *descendons* la colline, personne n'a rien brisé et il n'y a qu'une sœur jumelle pour penser que c'est évident, ai-je rétorqué.

Il y avait déjà une demi-douzaine de personnes au bord du ruisseau, mais... où était passée toute l'eau? Le ruisseau, qui n'avait jamais été très impressionnant, sauf après la pluie, coulait encore moins qu'en temps normal.

— Qu'est-ce qui s'est passé? ai-je lancé.

— Il y avait plus d'eau hier, a déclaré Rachel. Pas comme d'habitude, mais il y en avait beaucoup plus que ça.

C'était tout juste si un petit filet d'eau parvenait à se frayer un chemin entre les pierres recouvrant le lit du ruisseau. Les gens s'étaient regroupés autour des bassins où l'eau se rassemblait encore. Ils se servaient de tasses pour la recueillir, puis la transvider dans des cruches ou des seaux. Nous n'avions pas apporté de tasse, mais je pouvais peut-être utiliser un des seaux en guise de gobelet. Nous nous sommes accroupis et j'ai plongé un seau dans l'eau peu profonde, me servant de celui-ci comme d'une louche avant de la verser dans un des autres seaux.

— Tu sais ce que ça me rappelle ? a fait Danny.

— Quoi encore ? Je n'en ai aucune idée, ai-je répondu.

— C'est comme ces publicités où on voit des enfants assis sur le sol, sans espoir d'avoir de l'eau. Tu sais, ces organisations caritatives internationales qui parrainent des enfants. Peut-être que nous pourrions trouver quelqu'un pour parrainer Rachel.

— Au moins, quelqu'un me parrainerait, a-t-elle rétorqué.

Je me suis esclaffé, même si je savais qu'il n'y avait pas de quoi rire. Si ce ruisseau venait à s'assécher, où allions-nous pouvoir trouver de l'eau ? Que se passerait-il si cette situation devait perdurer encore quatre jours, voire quatre semaines ou quatre mois ? J'imagine que nous pourrions commencer à utiliser l'eau de la piscine. Elle était propre et chlorée. Nous pourrions même en boire, et c'est pourquoi nous ne devions pas la gaspiller dans les toilettes. Était-ce la raison pour laquelle Herb ne voulait pas que nous utilisions cette eau-là pour tirer la chasse ? Parce qu'il pensait que la crise actuelle était susceptible de se prolonger aussi longtemps ?

Puis j'ai songé à la ferme des parents de Lori. Ils avaient de l'eau, beaucoup d'eau potable, fraîche et propre. Je pourrais en rapporter quelques récipients, ce qui me servirait d'excuse pour y retourner.

Nous avons patiemment rempli les cinq premiers seaux, puis nous avons mis autant d'eau que nous avons pu dans le sixième. Ce serait suffisant pour l'instant. Nous avons péniblement remonté la pente et suivi le chemin nous menant jusque chez nous. Le nombre de personnes qui descendaient vers le ruisseau ne cessait de croître. Était-ce pour cela que le cours d'eau était dans cet état ? Est-ce que tant de gens de ce quartier et des autres quartiers situés en amont avaient puisé de l'eau, seau après seau, du petit ruisseau qu'il était en train de se vider? La chose était-elle possible? Et sinon, quelle autre explication pouvait-il y avoir?

— Wow! regardez ça, s'est écrié Danny.

Je me suis retourné. À l'horizon, un épais nuage noir s'élevait dans le ciel.

— Ce doit être un énorme incendie, a dit Rachel.

— Est-ce qu'il vient juste de commencer ou est-ce que nous ne l'avions pas encore remarqué? a demandé mon frère.

— Je n'en suis pas sûr.

— Où penses-tu qu'il se trouve?

— Je ne pense pas qu'il soit près, ai-je répondu en secouant la tête. On dirait qu'il se trouve au nord d'Eglinton, mais il pourrait tout aussi bien être encore plus loin et plus important. On n'a aucun moyen de le savoir.

— Tu pourrais t'y rendre, a déclaré Danny. Tu pourrais nous y conduire.

— Il n'en est pas question. Rentrons à la maison.

— Maman va revenir ce soir, non? a fait Rachel.

— Effectivement. Et quand elle rentrera, elle en saura peut-être plus à propos de cet incendie.

— Qu'est-ce que tu portes là? a-t-elle alors lancé.

— De l'eau, ai-je répondu en soulevant un des seaux.

— Sous ta chemise, je veux dire.

— Rien. Allez, on y va.

Inséré dans son étui, le pistolet faisait une bosse sous mon blouson. J'ai rentré mon ventre de manière à ce que l'arme soit moins apparente. Je savais que j'aurais dû la laisser sous mon lit tant et aussi longtemps que j'étais dans le quartier, mais je me sentais plus à l'aise quand je l'avais avec moi, et ce en dépit du fait que je la trouvais encombrante. Herb était incontestablement en train de déteindre sur moi.

— On dirait effectivement que t'as quelque chose là, s'y est mis Danny.

— Vous devriez peut-être vous faire examiner les yeux une fois que le courant sera rétabli.

— Une fois que les choses seront revenues à la normale, j'ai d'autres priorités au sommet de ma liste, a assuré mon frère.

— Et quelles sont ces priorités au juste ? ai-je demandé, histoire de détourner leur attention.

J'ai ralenti légèrement afin de leur permettre de prendre un tout petit peu d'avance sur moi. Je ne voulais pas qu'ils aient une autre occasion d'examiner la protubérance qui se trouvait sous mon blouson.

— De la crème glacée, un Coca-Cola bien glacé, des jeux vidéo et de l'air climatisé, a énuméré Danny.

— C'est très bien. Il a fait chaud la nuit dernière, ce qui est assez exceptionnel pour la fin avril.

— Je suis bien content que ça ne soit pas arrivé durant l'été, a-t-il ajouté.

— Tu as raison, il ferait beaucoup plus chaud.

— Et nous n'aurions pas d'école.

— Mais tu n'as pas d'école en ce moment, lui ai-je fait remarquer.

— Peut-être, mais c'est encore mieux de *manquer* l'école.

— Ça me fait de la peine de le dire, mais j'avoue qu'il n'a pas tort, a convenu Rachel. Pourtant, j'aime l'école, enfin, au moins mes camarades d'école.

— Il te reste tes amis du quartier, ai-je rétorqué.

— Mais je veux être entourée de *tous* mes amis.

En dehors de Todd, je n'avais pas vraiment parlé à beaucoup de jeunes de mon âge, sauf à Lori, et j'étais bien décidé à la revoir. Il me fallait juste trouver le bon prétexte.

— Est-ce que tu aimerais retourner faire de l'équitation ? ai-je demandé à Rachel.

Question idiote. J'ai souri en voyant l'expression d'enthousiasme qui se lisait sur son visage et je lui ai promis de demander l'autorisation à maman dès que j'en aurais l'occasion.

* * *

Cette nuit-là, mon sommeil a été plutôt agité. Après avoir passé tout le reste de la journée en compagnie des jumeaux, essayant de les amuser avec des jeux de société interminables, j'ai éprouvé une certaine anxiété au fond de moi. J'ai allumé une bougie et j'ai lu un peu, mais, pendant tout ce temps-là j'angoissais à l'idée que je gaspillais la bougie à lire une histoire qui n'était pas très intéressante. Finalement, je suis resté étendu sur mon lit, dans l'obscurité, à écouter le silence inhabituel qui régnait, me demandant ce qui pouvait bien se passer dans le monde extérieur.

16

Peu après l'aube, j'ai entendu des motos et un kart se garer dans notre entrée de garage. Après avoir terminé leurs rondes, les policiers étaient de retour et ils se réunissaient de nouveau dans notre cuisine.

Je suis descendu et me suis assis tranquillement dans le salon, faisant semblant de lire un magazine. Quand ma mère, Herb et les quatre policiers ont commencé à bavarder, j'ai essayé de suivre la conversation, espérant découvrir ainsi ce qui s'était passé pendant la nuit. Mais ils se contentaient pour l'instant de parler de tout et de rien. Je me disais que je serais bientôt en mesure d'entrer d'un pas nonchalant et de m'asseoir avec eux ; j'espérais simplement que ma mère ne me chasserait pas. En attendant qu'ils passent aux choses sérieuses, toutefois, il était sans doute préférable que je reste ici, croisant les doigts pour qu'ils ne se rendent pas compte que je les entendais.

— Tu veux un café ? m'a demandé Herb en apparaissant dans l'embrasure de la porte.

Je l'ai regardé et j'ai haussé les épaules. Pour ce qui était de passer inaperçu, c'était raté.

— Allez, viens.

Je me suis levé et je l'ai suivi dans la cuisine.

Les quatre policiers et ma mère m'ont simplement salué d'un signe de tête, tandis que Herb me versait une tasse de café avant de m'inviter à m'asseoir à la table. J'allais le faire lorsque je me suis arrêté et que j'ai regardé par la fenêtre qui se trouvait derrière eux ; j'ai alors pu voir la fumée qui continuait de monter à l'horizon.

— Difficile de savoir à quelle distance ça se trouve, a déclaré Herb en désignant la fenêtre. J'imagine qu'aucune des patrouilles n'est allée dans cette direction ?

— Non, a répondu l'agent O'Malley. C'est carrément de l'autre côté de la rivière Credit, loin des zones où nous devons patrouiller.

— Mais ça ne veut pas dire que nous n'avons pas vu d'autres incendies, a indiqué Brett.

— Il y en a eu plusieurs ? a lancé ma mère.

— Deux pendant notre ronde, a-t-il dit. Trois si on inclut la voiture qui a été brûlée.

— Il y en a aussi eu un autre tout juste au sud de Burnham, a ajouté Howie. Un petit incendie de maison : des gens ont utilisé un barbecue sous le toit de leur véranda et le feu a pris. Heureusement, ils ont réussi à l'éteindre avec des extincteurs portatifs.

— Au moins, c'était un accident, a commenté ma mère.

— Si le temps continue à être aussi sec, les incendies vont poser problème. En particulier dans le cas des maisons en rangées situées dans le haut du quartier. Il n'y a pas moyen d'appeler le service d'incendie et, même si c'était possible, aucun camion n'est opérationnel et il n'y a pas d'eau courante. Un incendie peut très vite devenir hors de contrôle et se propager aux bâtiments voisins, a expliqué Herb. Est-ce que des pompiers habitent dans notre quartier ?

— Oui, au moins quelques-uns, a confirmé ma mère. Le père de ton ami Greg est pompier, non ? m'a-t-elle demandé.

— Il est même capitaine des pompiers, ai-je précisé. Ils habitent un peu plus loin, rue Wheelwright.

— C'est bon à savoir, a fait Herb. Il doit aussi savoir s'il y a d'autres pompiers qui vivent dans le coin. J'ai pensé qu'il pourrait être très utile que des pompiers fassent du porte-à-porte et renseignent les gens sur les dangers que représentent les bougies, les feux à l'intérieur des maisons et le gaz propane.

— Ce serait effectivement très utile, a admis ma mère. Je m'inquiète au sujet du camion-citerne qui se trouve dans la station-service, au sommet de la colline.

— Et si nous protégions ce camion-citerne? a proposé Herb.

— Je pense que le poste de contrôle situé près du centre commercial s'en occupe dans une certaine mesure, a répondu ma mère. Est-ce que vous suggérez de déplacer le poste de contrôle plus loin?.

— Je suggère au contraire de rapprocher le camion-citerne en l'amenant dans le quartier. En fait, pour être honnête, a ajouté Herb après une pause, c'est Adam qui a eu cette idée.

Ma mère m'a regardé.

— De cette façon, nous pourrions mieux le protéger, ai-je lancé.

— Est-ce que le camion est en état de rouler? a-t-elle demandé.

— Tout ce qu'il y a de plus mort, mais je pense pouvoir trouver le moyen de le déplacer – avec votre permission, bien sûr, a déclaré Herb. J'ai fait la connaissance du propriétaire de la station et je sais qu'il serait soulagé de le voir partir. Si nous pouvions le ramener dans le quartier, nous serions en mesure de le mettre en sécurité.

Brett a alors posé la question que tous avaient en tête: comment allions-nous pouvoir déplacer un dix-huit roues en panne?

Comme je connaissais la réponse de Herb, je la leur ai moi-même donnée :

— Il faudra du monde. Beaucoup de monde. Nous allons le tirer jusqu'ici.

— Non, sérieusement, le jeune, a rétorqué Brett.

— Il a raison, a dit Herb. Tout ce que nous avons à faire, c'est de l'amener jusqu'en haut de la route. Après, ça descend tout seul. Si suffisamment de gens s'attellent à un nombre suffisant de câbles, c'est faisable.

— Si vous pensez pouvoir y arriver, faites-le, vous avez ma bénédiction, a conclu ma mère.

Herb a hoché la tête, puis il est resté silencieux. J'ai présumé qu'il réfléchissait aux détails de l'opération pendant que les autres continuaient de bavarder. Maman a ensuite mis fin à la discussion en leur demandant de lui faire un rapport sur les événements de la nuit.

— Alors, comment se sont déroulées vos rondes en compagnie des civils ? a-t-elle demandé.

— Je pense que ça s'est assez bien passé, a répondu Howie.

— J'aime ça. J'aurais été inquiet de me retrouver là tout seul, a ajouté Brett.

— C'est quoi, ton problème, le jeune, t'as peur du noir ? a plaisanté l'agent O'Malley, tandis que Howie et le sergent Evans se mettaient à rigoler.

— Je pense qu'il fait simplement preuve de sagesse, a fait remarquer ma mère. Vous devez comprendre que votre arme et votre véhicule ne vous servent pas seulement à faire appliquer la loi. Ils font aussi de vous une cible pour tous ceux qui voudraient s'en emparer.

Il y a eu un long silence.

— Je sais que je ne voudrais pas être tout seul là-bas, a déclaré Herb. Je me disais aussi qu'il serait peut-être prudent de demander aux civils de garder le silence sur ce dont ils sont témoins.

— Bonne idée, a approuvé ma mère.

— C'est comme se retrouver dans une ville fantôme, mais dans laquelle il y aurait du monde, si je puis dire, a reconnu le sergent Evans.

— Oui, c'est tout à fait logique, a confirmé Herb. Il n'y a pas de lumières, pas de bruit, mais on sait qu'il y a des gens en train de nous épier derrière les fenêtres.

— Partout, les gens avaient les yeux rivés sur nous, a repris le sergent. Le bruit de nos véhicules les attire à l'extérieur ou les incite tout au moins à ouvrir les rideaux pour nous observer.

— Avez-vous noté la présence d'autres véhicules sur la route ? a lancé maman.

— J'ai obligé un vieux camion à benne à s'immobiliser, a dit Brett. Quand il s'est arrêté, j'ai constaté qu'il était rempli de gens à l'arrière. Son propriétaire leur demandait une petite fortune pour les ramener de la ville.

— Il est bon de savoir que la libre entreprise se porte toujours aussi bien, a commenté ma mère. Avez-vous croisé d'autres véhicules à part ça ?

— Quelques motos anciennes.

— Et quelques voitures anciennes, a enchaîné l'agent O'Malley. Il y avait aussi beaucoup, beaucoup de vélos, évidemment.

— Comment ça se passe du côté des postes de contrôle ? a demandé Herb.

— Je pense qu'ils ont vraiment contribué à améliorer la sécurité et à garder la situation sous contrôle, a répondu Howie.

— C'est une bonne nouvelle, a fait observer ma mère. Y a-t-il des actes de vandalisme ou des cas d'agression à signaler ?

— Nous ne nous sommes pas vraiment arrêtés pour rédiger des procès-verbaux, a indiqué Brett, mais trois magasins du petit centre commercial situé à l'angle sud-est de College Way et de Maple ont eu leurs vitrines brisées il y a deux nuits. J'ai parlé à d'autres propriétaires qui m'ont dit qu'ils dormaient dans leurs magasins pour les protéger.

— Il faut s'y attendre, a déclaré Herb. Comme les réserves d'eau et de nourriture vont en diminuant, il y aura de plus en plus d'actes de pillage dans les jours qui viennent.

— Bon sang ! s'est exclamé Brett. Je déteste entendre parler de ce que l'avenir nous réserve.

— Malheureusement, nous devons être conscients de cette éventualité, a rétorqué ma mère, même s'il vaut mieux que la population en général ignore ce qui se passe. Certaines informations ne doivent pas être ébruitées.

— Est-ce qu'on nous cache quelque chose ? s'est inquiété le sergent Evans.

— Ouais, capitaine, sommes-nous au courant de tout ce qui arrive ? a surenchéri Howie.

— J'en sais autant que vous, a répliqué ma mère. Je me base uniquement sur des suppositions, et non sur des faits.

— Elle a raison, est intervenu Herb. Nous devons nous préparer pour le pire et prier pour le mieux.

— Bon. Je cède maintenant la parole à Herb pendant un moment. J'ai l'impression qu'il a d'autres idées sur la manière dont nous devrions nous préparer.

Après cinq jours de désordre, maman semblait plus que jamais ouverte aux recommandations de Herb.

Ce dernier a changé de position sur sa chaise.

— Eh bien, je m'interrogeais au sujet de certains trucs, mais uniquement avec votre permission, bien sûr.

— Allez-y, Herb, a-t-elle dit. Nous discutons entre nous pour le moment.

Herb a tout d'abord suggéré de mettre en place d'autres postes de contrôle afin d'améliorer la sécurité du quartier.

— Il en faut combien ? a fait Brett.

— Trois.

Herb s'est levé et s'est dirigé vers la carte qui était toujours fixée au placard de la cuisine.

— Ici, dans le champ situé derrière l'école, ici, là où la voie piétonne croise la promenade Erin Mills, et le troisième plus loin, dans le champ où se trouvent les pylônes électriques, là où le ruisseau passe sous l'autoroute 403.

— Je me doutais bien que vous aviez beaucoup réfléchi à cette question, a lancé ma mère en souriant.

— En effet, a répondu Herb. Ce qui m'amène à ma deuxième suggestion. L'idéal serait que ces postes de contrôle civils soient occupés par des personnes ayant acquis une certaine expérience soit dans l'armée, soit dans les services d'urgence.

— Ce serait en effet l'idéal, a admis ma mère.

— Mais le problème, c'est que, de la même façon que nous ne savions pas qu'il y avait un chef des pompiers dans le quartier, nous ignorons qui entre dans ces diverses catégories de personnes. Il faudrait découvrir qui est médecin et qui est infirmière, par exemple. Qu'est-ce qui arrive si quelqu'un tombe malade ou est blessé ? Si on doit se mettre à en chercher à ce moment-là, on risque de perdre des vies.

— Je connais un médecin qui habite Talbot Court, a déclaré le sergent Evans.

— Et ma voisine travaille comme infirmière en salle d'accouchement, a ajouté Howie.

— Ce sont exactement les gens que nous devons repérer, a repris Herb. Mais il nous faut aussi savoir ce que font tous les autres qui habitent dans le quartier. Nous ne pouvons pas nous permettre d'ignorer quelles sont les ressources à notre disposition.

— Est-ce que vous suggérez de procéder à un recensement au niveau du quartier ? a demandé ma mère.

— Oui. Il y a quatre cents maisons dans ce petit quadrilatère. Nous devons savoir qui sont tous ceux qui y habitent et quelles sont leurs compétences.

— Ça prendra beaucoup de temps et beaucoup de personnel.

— Nous avons les gens et le temps nécessaires. Il vaut mieux leur confier une tâche à accomplir que de leur laisser le sentiment qu'ils sont impuissants.

— Ma femme pourrait nous aider, a indiqué l'agent O'Malley. Elle est comptable. C'est probablement la personne la mieux organisée que je connaisse.

— Elle doit être bien organisée pour que tu te tiennes tranquille, a plaisanté Howie.

— Tu l'as dit. Si elle pouvait compter sur une dizaine de personnes, elle y arriverait rapidement.

— Je suis sûr qu'elle y arriverait, a poursuivi Herb. Surtout si nous demandons aux gens de se présenter à un endroit précis. Si nous faisons passer le mot ce matin, nous pourrons procéder dès cet après-midi au recensement proprement dit. Pour les inciter à venir s'inscrire, il n'y a qu'à leur dire qu'ils peuvent apporter des seaux et qu'ils recevront de l'eau potable en échange, a-t-il suggéré en terminant.

— Et où allons-nous prendre cette eau ? a fait ma mère.

— Si je puis me permettre, vous l'avez devant vous, a répondu Herb en désignant notre piscine à travers la fenêtre. Elle est propre et elle contient encore assez de chlore pour être potable. Accepteriez-vous de vous départir d'une partie de votre eau, capitaine ?

— Je pense que c'est le moins que je puisse faire.

— Si les gens voient qu'il se passe quelque chose, ça va les tranquilliser. Parfois, un peu d'action est synonyme de progrès. Les gens seront rassurés de constater que nous faisons quelque chose pour eux.

— Dans ce cas, c'est d'accord, a conclu ma mère. Répartissons-nous les tâches à accomplir. Mais je pense que ceux qui en ont besoin devraient aller dormir un peu avant de se remettre au boulot.

17

Rachel et Danny avaient été envoyés au lit de bonne heure. Nous avions passé la journée ensemble, à jouer d'abord à des jeux de société, puis au frisbee ; finalement, j'avais même organisé une partie de baseball sur le terrain qui se trouvait derrière l'école. Nous nous étions amusés en compagnie de plusieurs de nos amis et, pendant tout ce temps, j'avais presque réussi à oublier à quel point la situation était grave. Ça m'avait fait du bien de penser à autre chose. Peut-être nous serait-il possible d'en faire autant le lendemain.

Le repas du soir avait ressemblé aux précédents : j'avais sorti des boulettes de viande à moitié décongelées de notre congélateur et je les avais fait cuire sur le barbecue. Danny avait eu l'air de s'en plaindre, mais il avait eu l'intelligence de ne pas le faire à voix haute. Je n'avais pu m'empêcher de me demander quand nous avions rempli la bonbonne de propane pour la dernière fois, combien de gaz il nous restait et ce qui allait se passer par la suite.

À présent, ma mère et moi étions assis autour de la table et prenions une tasse de thé, uniquement éclairés par la lune et quelques bougies. Nous avions encore le câble électrique de Herb, mais, celui-ci ayant éteint sa génératrice pour la nuit, nous n'avions pas d'autre source de lumière pour nous éclairer. N'eût été le fait que nous étions assis dans le noir et qu'aucun bruit de fond ne provenait de la télé ou de la radio, on aurait dit que tout était normal. Maman buvait dans la tasse sur laquelle était écrit LA MEILLEURE MAMAN DU MONDE et que j'avais fabriquée pour elle dans le cadre d'un cours d'activités manuelles lorsque j'avais sept ou huit ans. Elle disait tout le temps que c'était sa tasse préférée. Elle avait mis ses vêtements habituels. Il était presque difficile de croire que tant d'événements étaient survenus et continuaient de se produire. Ou, plus précisément, que tant d'événements avaient *cessé* de se produire. Dans la zone située à l'extérieur de nos murs, tout s'était arrêté. Non, c'était faux. Il n'y avait pas que dans la zone située à l'extérieur de nos murs que tout s'était arrêté : c'était ainsi dans tout le pays, peut-être même dans le monde entier.

— Comment vont ton frère et ta sœur, d'après toi ? m'a demandé ma mère en me regardant avec attention.

— Très bien, j'imagine. J'ai fait en sorte qu'ils passent une bonne journée aujourd'hui. Ils sont juste inquiets au sujet de papa.

— Je sais qu'il va très bien, a-t-elle affirmé.

— Comment peux-tu le savoir ?

— Je connais bien ton père. Il est tellement impatient qu'il a probablement déjà quitté Chicago et qu'il cherche un moyen de rentrer à la maison au lieu d'attendre que la situation se rétablisse.

Il aurait été capable de marcher pour rentrer, mais je préférais l'imaginer à bord d'un vieux Cessna. J'ai haussé les épaules et maman m'a pris la main.

— Toi et moi n'avons pas le droit de penser que les choses se passent mal pour lui. Nous nous devons de rassurer Danny et Rachel le plus possible.

— Ils ont peur, mais ils ne comprennent pas à quel point la situation est grave, lui ai-je répondu avec un bref sourire.

— Personne ne le sait vraiment, a-t-elle répliqué.

— Herb en a une très bonne idée, lui ai-je dit en regardant ma montre. Il devrait être ici bientôt, ai-je ajouté, car je lui avais demandé de venir.

— Est-ce que tu sais de quoi il veut nous parler ?

— C'est moi qui ai eu l'idée de l'inviter. Je lui ai demandé de nous expliquer ce qui se passe. De *tout* nous expliquer.

— Ce serait bien de savoir tout ce qu'il sait. Depuis le début, il a une légère longueur d'avance sur les événements, comme s'il savait ce qui allait se passer.

— Il m'a dit que c'est comme une partie d'échecs.

— Contre qui a-t-il le sentiment de jouer aux échecs ?

— Contre tout le monde probablement, nous y compris.

Il n'a pas fallu attendre longtemps avant qu'on frappe à la porte coulissante. C'était Herb, et ma mère lui a fait signe d'entrer.

— Comment allez-vous, tous les deux, par cette belle soirée ? a-t-il demandé. J'ai apporté un carton de boîtes de conserve qui pourrait vous être utile.

Il était tout sourire. Il portait des vêtements soignés, avait les cheveux propres et avait l'air frais et dispos. Seul le renflement sous son blouson, où, je le savais, était dissimulé son pistolet, indiquait que la situation était loin d'être radieuse.

— Merci pour votre contribution à notre garde-manger. Nous commençons à manquer de certaines denrées. Voulez-vous du thé ? a proposé ma mère.

— Bonne idée.

Herb s'est assis et ma mère a posé une tasse devant lui.

— J'ai eu la chance de jeter un coup d'œil aux résultats de notre première journée d'enquête, a-t-il déclaré en souriant, après s'être raclé la gorge.

— Et alors ?

— Il y a quatre cent vingt ménages et seize cent trente-sept personnes dans le quartier, a-t-il poursuivi après avoir sorti des feuilles du carton de boîtes de conserve et les avoir déposées sur la table.

— J'aurais cru qu'il y en aurait beaucoup plus que ça, a commenté ma mère.

— Normalement, oui, mais certaines personnes sont parties en voyage d'affaires ou en vacances ou, pour une raison ou une autre, n'ont pas été en mesure de rentrer chez elles. Pour certains, même trente kilomètres est une distance impossible à franchir.

Mon père, lui, se trouvait à presque mille kilomètres d'ici.

— Il est indispensable que les personnes affectées aux postes de contrôle vérifient avec plus de rigueur l'identité de tous ceux qui prétendent habiter dans le quartier. Nous devons en restreindre l'accès aux seules personnes qui vivent ici.

— Je sais que l'afflux de personnes provenant de l'extérieur de nos murs est de plus en plus massif, a reconnu ma mère.

— Tout ça vient du fait que les gens quittent les grands centres pour se réfugier dans les plus petites agglomérations. Personne ne peut vivre très longtemps dans un appartement situé en pleine ville, parce qu'il est impossible d'y cultiver de la nourriture ou de s'y procurer de l'eau. Les gens fuient vers des endroits où ils pensent pouvoir se réfugier et trouver ce dont ils ont besoin. Les villes de plusieurs millions d'habitants n'en auront bientôt plus que quelques centaines de milliers, avant de devenir pratiquement désertes.

— Et plusieurs de ces réfugiés passent juste devant notre quartier.

— Il faut les obliger à poursuivre leur chemin. Nous ne pouvons pas les accueillir. À mesure que la situation va se détériorer partout ailleurs, on va nous percevoir non seulement comme une destination, mais aussi comme une cible de choix.

— Qu'en est-il des patrouilles et des postes de contrôle ce soir ? a demandé à ma mère.

— Grâce à l'enquête, nous avons pu recruter quatre pompiers, deux anciens militaires et trois policiers à la retraite, des gens du quartier dont j'ignorais les activités. Nous avons aussi quelques médecins prêts à intervenir en cas de besoin. Nos postes de contrôle ont été renforcés.

— La question est de savoir s'ils ont été suffisamment renforcés.

— Il faut l'espérer. La nuit dernière, j'ai pu capter un message diffusé sur ondes courtes par un opérateur de la région de Los Angeles. D'après son rapport, il y a eu une augmentation importante de la violence, y compris de meurtres, d'incendies criminels et d'actes de violence perpétrés par des groupes ou des bandes de rue.

— Mais ça se passe dans les grandes villes, pas ici, non ? ai-je lancé.

— Il s'agit d'une vague qui s'étend à partir des villes. Tout ce qui se passe là-bas va finir par se produire ici aussi avec le temps. Le fait de savoir comment les choses évoluent va nous permettre de demeurer en avant de la vague.

— Quelles sont les prochaines mesures à prendre, d'après vous ? a dit ma mère.

— Vous allez devoir autoriser un nombre accru de personnes à assurer notre sécurité.

— Je ne dispose pas de suffisamment de ressources humaines qualifiées et en qui je peux avoir confiance pour remplir cette tâche.

— Il sera de plus en plus nécessaire de faire appel à des gens de confiance, a déclaré Herb. Avez-vous réfléchi à la possibilité d'armer les civils ?

— Jusqu'à présent, nous avons agi de manière efficace même si seuls les policiers ont des armes.

— Les choses vont évoluer rapidement et, le jour où un incident va se produire, il y aura des morts.

— Je déteste penser qu'un jour viendra où nous serons obligés de tuer des gens.

— Il n'y aura pas des morts uniquement dans l'autre camp. Il y en aura aussi dans notre propre camp. Vous pouvez en être certaine. Il nous faut élaborer un plan qui fera en sorte qu'il y ait beaucoup plus de morts dans l'autre camp.

— On dirait que vous parlez d'une guerre.

Ma mère semblait quelque peu estomaquée et moi aussi. Jusqu'à quel point, aux yeux de Herb, les choses allaient-elles empirer ?

— C'est exactement de ça qu'il s'agit, a-t-il répondu doucement. Plus précisément, ce sont des centaines et des centaines de petites guerres civiles qui vont éclater... expression pour le moins contradictoire, car aucune guerre n'est civile. En fait, une guerre civile est d'autant plus atroce qu'elle implique non pas des soldats et des étrangers, mais des civils et des voisins.

— Je ne crois pas qu'on en arrivera là, a soutenu ma mère en se passant les mains dans les cheveux.

— Je crains que si.

— Comment pouvez-vous en être aussi sûr ? ai-je demandé.

— Je ne suis sûr de rien. Si j'avais vu venir tout ce qui s'est déjà produit, je m'y serais beaucoup mieux préparé.

— Vous êtes la personne la mieux organisée de tout le quartier, ai-je lancé.

— Pas autant que j'aurais aimé l'être. Je n'ai jamais imaginé de scénario aussi dramatique. La situation pourrait être bien pire que tout ce que j'ai déjà vu.

— Qu'est-ce que vous avez vu au juste?

Il n'a pas répondu à ma question.

— Je sais que vous avez travaillé dans le domaine des affaires étrangères, est intervenue ma mère, mais quelles étaient exactement vos fonctions?

— J'ai occupé différents postes et j'ai exécuté un certain nombre de tâches dans divers pays.

J'avais déjà vu Herb se livrer à ce petit jeu à plusieurs reprises: il réagissait soit en posant une question, soit en donnant une réponse qui ne voulait rien dire. Je n'allais pas le laisser s'en tirer à si bon compte cette fois.

— Faisiez-vous partie de la CIA?

— Qu'est-ce qui te fait dire ça? a-t-il riposté en pouffant de rire.

Encore une fois, il répondait par une question.

— Qu'importe pourquoi je le pense. La question est : avez-vous travaillé comme espion pour le compte du gouvernement?

— Le terme utilisé dans les services des affaires étrangères est «agent de renseignement».

— Alors, étiez-vous un agent de renseignement?

— Est-ce que j'ai une tête à...?

— Allez-vous répondre, oui ou non? ai-je insisté. Écoutez, vous voulez que nous soyons honnêtes avec vous, alors il serait temps que vous soyez honnête avec nous, vous ne trouvez pas?

— Je ne t'ai jamais rien dit qui n'était pas vrai, a-t-il rétorqué.

Herb a semblé quelque peu offusqué, mais je me demandais si ce n'était pas une manœuvre destinée à m'empêcher de pousser l'interrogatoire plus loin.

— Je ne prétends pas que vous nous avez dit des choses qui sont fausses. Mais je pense que vous ne nous avez dévoilé qu'une partie de la vérité. Vous nous amenez dans une direction sans nous dire ce qui nous attend plus loin sur le chemin.

— Tu es un jeune homme très intelligent. Malheureusement, a-t-il poursuivi après avoir pris une grande inspiration, je suis tenu de par la loi de ne rien révéler sur mes précédentes missions.

— De quelle loi parlez-vous ?

— Ce sont des informations secrètes, a dit ma mère. C'est bien ça, n'est-ce pas ?

Herb a eu l'élégance de paraître un peu mal à l'aise.

— Je ne peux même pas confirmer ou nier vos dires. Malheureusement, en ce moment...

— Pouvez-vous au moins nous dire si vous avez déjà vu les choses se détériorer comme c'est le cas ici ? ai-je demandé.

Herb a respiré profondément avant de répondre :

— J'ai vu des choses encore pires qu'ici. Du moins pires qu'elles le sont aujourd'hui, a-t-il ajouté après avoir marqué un temps d'arrêt.

— Mais ce n'est pas aujourd'hui qui vous inquiète, c'est ce qui va se passer demain, est intervenue ma mère.

— Ce n'est pas tellement demain qui pose problème, mais plutôt ce qui va se passer d'ici trois semaines. Le mince vernis de civilisation à laquelle nous nous accrochons encore ne va plus résister très longtemps, et la réalité qui risque alors d'apparaître ne sera pas belle à voir.

— Vous semblez tellement sûr de ce que vous avancez, tellement *pessimiste*, a commenté ma mère.

— Si je me fie à ce que j'ai vu, je pense que je suis réaliste, a objecté Herb. En fait, ce que je crois maintenant frise presque l'optimisme. Je pense que nous pouvons faire quelque chose en dépit des difficultés. Des choses terribles s'en viennent, mais nous pouvons les neutraliser.

— Comment ? a dit ma mère.

— Nous devons nous organiser de mieux en mieux à mesure que le monde extérieur va se *dés*organiser de plus en plus. La situation va dégénérer rapidement. Par conséquent, nous devons nous améliorer plus rapidement et continuer de nous améliorer. Il ne s'agit pas seulement de réagir aux événements, mais de les anticiper à temps.

— Comme vous dites en parlant des échecs, il faut prévoir quelques coups d'avance, ai-je déclaré.

— Exactement.

— Et vous pensez que la prochaine étape consiste à affecter davantage de gens armés aux postes de contrôle, a fait ma mère. Et quelle est l'étape suivante ?

— C'est difficile à dire.

— Difficile à dire ou vous ne voulez pas le dire ? ai-je lancé.

— Tout le monde a ses secrets, a-t-il répondu.

Il m'a regardé droit dans les yeux tout en effleurant doucement d'une main la protubérance formée par son pistolet. Est-ce qu'il me menaçait ou... J'ai soudain compris son message. Il m'avait remis une arme et je l'avais acceptée, mais ma mère l'ignorait. C'était notre secret commun, mais je n'allais pas pour autant m'empêcher de l'interroger davantage.

— Rien ne vous empêche de nous dire ce qui, selon vous, va se passer ensuite, ai-je poursuivi. Quel est le prochain coup de cette partie d'échecs ?

— Ce que tu ne comprends pas, c'est qu'aux échecs il faut être capable non seulement de penser au prochain coup, mais aussi de voir six ou sept coups à l'avance. Les bases qui vont nous permettre de décider des prochaines étapes se trouvent ici, a-t-il affirmé en tapotant les feuilles qu'il avait posées sur la table. La ressource la plus précieuse dont nous disposons, ce sont les gens auprès de qui nous avons mené cette enquête et les compétences qu'ils possèdent.

— Même si vous refusez de nous dire quelles sont vos compétences à vous ? ai-je demandé. Peut-être que vos compétences, ajoutées à ce que vous avez vu, constituent la clé dont nous avons besoin pour sortir de cette crise. Vous devez nous le dire, dites-le à ma mère.

Il a esquissé un sourire.

— Peut-être qu'il serait temps pour moi de...

Le bruit caractéristique d'un coup de feu l'a interrompu.

Ma mère s'est redressée sur sa chaise.

— D'où pensez-vous que ça venait ?

— Difficile de le dire avec certitude, il n'y a eu qu'un seul coup de feu. Ça pourrait provenir du centre commercial ou...

Des tirs nourris ont alors éclaté. Les coups de feu étaient si nombreux que j'aurais été bien incapable de dire à quel moment l'un s'arrêtait et le suivant commençait !

* * *

Puis le silence est revenu. Il était clair qu'un véritable échange de tirs venait de se produire, et ce ici même, dans notre quartier.

Maman a bondi sur ses pieds.

— Je vous accompagne, a déclaré Herb.

— Moi aussi !

— Adam, tu dois rester ici avec les enfants, a rétorqué ma mère en me jetant un regard inquiet.

— Mais vous avez besoin de moi pour vous emmener. Personne ne peut conduire mon tas de ferraille mieux que moi. Il se pourrait même que vous ne puissiez pas le faire démarrer.

— D'accord, a admis maman. Du moment que la porte est fermée à clé, Danny et Rachel sont en sécurité.

Herb a acquiescé d'un signe de tête.

Je suis monté à l'étage en courant, à la fois pour récupérer mes chaussures et pour vérifier si Danny et Rachel allaient bien. Heureusement, tous les deux dormaient en dépit de toute cette agitation. Je leur ai laissé à chacun une note explicative, au cas où ils se réveilleraient, puis j'ai rejoint Herb et ma mère au moment où ils se dirigeaient vers la porte.

Herb tenait une grosse lampe torche d'agent de police. Chacun était armé de son revolver, rangé dans son étui, et ma mère avait aussi notre fusil de chasse à la main. Je me suis réjoui de cette décision. Au moment de mettre mes chaussures, j'avais décidé de laisser mon pistolet dans sa cachette, car je ne voulais pas courir le risque que maman le découvre de façon inopportune.

Elle a fermé la porte à clé derrière nous et nous étions en train de courir dans l'entrée de garage lorsqu'une nouvelle rafale a retenti au beau milieu de la nuit. Peu importait ce qui se passait, c'était loin d'être terminé.

— C'est par là ! a lancé Herb en indiquant le sud, là où se trouvait l'école primaire.

J'ai été surpris de constater que le bruit ne provenait pas de l'autre direction, c'est-à-dire de l'endroit où était situé le mini-centre commercial.

Nous avons sauté dans la voiture et, encore une fois, le vilebrequin du moteur s'est mis à tourner et le moteur a démarré lentement avant de reprendre vie. Je suis sorti de l'entrée en faisant crisser les pneus et en accrochant la bordure du trottoir au passage.

— Du calme, a suggéré ma mère. Évitons d'écraser quelqu'un en chemin.

J'ai remonté la rue et pris le virage tout en faisant attention à ne pas aller trop vite. Les rues et les trottoirs étaient déserts. J'avais pensé que la fusillade aurait attiré des tas de gens hors de chez eux, mais elle avait apparemment eu l'effet contraire. J'ai attaqué une longue courbe, mes phares me montrant la route à suivre, mais, en réalité, je savais déjà par cœur où se trouvait chacune des voitures immobilisées au milieu de la chaussée, de sorte que j'aurais presque pu rouler les yeux fermés. Nous arrivions à une intersection lorsque nous avons aperçu les phares d'un autre véhicule qui venait de l'école en fonçant sur nous à toute vitesse.

— Range-toi sur le côté, a crié maman.

J'ai freiné si brutalement que la voiture s'est mise à déraper.

— Éteins le moteur et les phares ! a ordonné Herb.

Mon cœur battait la chamade et je me suis mis à suer à grosses gouttes. L'autre voiture a rugi avant de s'arrêter brusquement juste à côté de nous. C'était monsieur Langston au volant de sa Camaro. Il s'est penché par la fenêtre.

— C'est Mike Smith ! a-t-il hurlé. On lui a tiré dessus !

Herb a allumé sa lampe torche et en a dirigé le faisceau vers l'intérieur de la voiture. Monsieur Smith était assis sur le siège du passager ; sa main serrait son bras, du sang coulait entre ses doigts, et son visage était d'une pâleur étrange. Il regardait droit devant lui, comme s'il n'avait pas remarqué notre présence ou la lumière braquée sur lui.

— Est-ce que le poste de contrôle a tenu le coup ? a crié Herb.

— Il y avait des coups de feu partout, c'était vraiment l'enfer et...

— Est-ce que le poste de contrôle a tenu le coup, oui ou non ? a insisté Herb.

— Les patrouilles sont revenues à temps pour chasser les intrus.

— Excellent, a approuvé maman. Et maintenant, filez directement chez le docteur Morgan !

Monsieur Langston a démarré en faisant crisser ses pneus.

— O.K., Adam, conduis-nous au poste de contrôle, a ordonné maman.

J'ai redémarré la voiture, mais j'aurais préféré rouler dans l'autre direction. Je n'avais encore jamais vu quelqu'un qui venait de recevoir une balle. Cette image me hantait.

— Continue de rouler, mais n'allume pas tes phares. Si tu entends d'autres coups de feu, range-toi sur le côté et arrête-toi, m'a lancé Herb.

Devant nous, une multitude de faisceaux de lampes de poche décrivaient des arabesques là où, selon moi, devait se trouver le poste de contrôle.

— Ça doit être nos hommes, a dit ma mère.

— Espérons-le.

— Qui est responsable ici ce soir ? a-t-elle demandé à Herb.

— John Wilson. C'est un policier à la retraite.

— Parfait.

— Nous allons bien voir jusqu'à quel point ça l'est, a répondu Herb.

Ma mère m'a ordonné d'arrêter la voiture. À peine nous étions-nous immobilisés qu'elle et Herb sont sortis.

— Wilson ? a appelé ma mère.

Les faisceaux des lampes torches se sont redéployés dans notre direction et se sont mis à notre recherche.

— C'est moi, votre capitaine, et Herb et mon fils sont avec moi ! a-t-elle crié.

Un des hommes nous a fait signe de venir.

Herb et ma mère sont remontés dans la voiture et nous avons roulé droit devant nous. Une douzaine d'hommes se tenaient debout devant l'école primaire. Alors que nous nous rapprochions, j'ai reconnu la plupart d'entre eux, y compris Howie et le sergent Evans. Ils entouraient un... ou plutôt deux hommes étendus sur le sol et, dans la lumière blafarde, j'ai pu distinguer que la chaussée était maculée du sang provenant de la flaque qui s'était répandue sous leurs corps.

J'ai arrêté le moteur, et Herb et ma mère ont bondi hors du véhicule. J'ai hésité, puis je suis sorti lentement à mon tour, me tenant tout près de la voiture tandis que ma mère et Herb se précipitaient vers le groupe d'hommes. J'avais peur de les suivre, mais j'avais encore plus peur de rester seul. J'ai donc couru derrière eux.

Tous les hommes se sont mis à parler en même temps jusqu'à ce que Herb et ma mère les obligent à se calmer et demandent à Wilson de leur faire un rapport.

— Ils se sont approchés de nous par-derrière et...

— Est-ce qu'ils sont partis ? l'a interrogé Herb.

— Partis ? a fait Wilson, comme s'il ignorait la signification de ce mot.

— Est-ce qu'ils ont quitté les lieux, les avez-vous chassés ?

— Oui, oui... sauf que...

L'ancien policier a fait un geste en direction des deux hommes qui gisaient sur le sol.

Herb s'est penché et a posé le bout de ses doigts sur le côté du cou d'un des deux hommes, puis de l'autre.

— Ils sont morts tous les deux.

— Par chance, ma patrouille était tout près d'ici lorsque la fusillade a commencé, a déclaré le sergent Evans. Ils nous ont tiré dessus et nous n'avons pas eu le choix.

— Bien sûr, vous n'aviez pas le choix, a reconnu ma mère.

J'ai fixé du regard les deux hommes étendus par terre. Le premier avait le visage tourné vers le sol tandis que le second était couché sur le dos, ses yeux grands ouverts réfléchissant la lumière. J'ai détourné les yeux.

— Vous avez dit qu'ils se sont approchés de vous par-derrière ? a lancé Herb.

— Ils ont surgi derrière nous et quand nous avons essayé de les arrêter, ils ont ouvert le feu sur nous ! a raconté Howie.

— Ils étaient cinq ou six, a précisé monsieur Gomez.

— Peut-être plus, a ajouté quelqu'un d'autre.

— C'est à ce moment-là que Mike a été touché ! a poursuivi monsieur Gomez. Il était debout juste derrière moi quand il...

— Nous sommes arrivés à ce moment-là, l'a interrompu le sergent Evans. Nous avons échangé des tirs, puis ils se sont enfuis en direction de l'école. Nous les avons pourchassés, deux ont été touchés – ces deux-là – et les autres ont réussi à se sauver. Certains d'entre eux ont laissé tomber ce qu'ils avaient volé.

Howie a montré du doigt des sacs de toile gisant sur le sol, sur le côté.

— Nous les avons vérifiés. Ils contiennent un peu de nourriture, mais aussi des bijoux et quelques appareils électroniques. Ils ont dû cambrioler quelques maisons. Ils sont morts pour pratiquement rien, a commenté Howie.

— Je suis membre des forces policières depuis quinze ans, a déclaré le sergent Evans. Jamais je n'ai eu à sortir mon revolver de service de son étui... et maintenant... regardez ce que j'ai fait, a-t-il lâché, la voix brisée par l'émotion.

— Vous n'aviez pas le choix, a assuré ma mère. Ils ont mis la vie de tout le monde en danger. Vous avez fait ce qu'il fallait. Écoutez, je veux que vous alliez chez le médecin pour voir comment se porte Mike Smith, puis je veux que vous rentriez chez vous, que vous preniez un bon café, que vous vous reposiez et que vous essayiez de dormir. Nous reparlerons de tout ça demain.

— Merci, capitaine, a répondu le sergent en hochant la tête. Est-ce que ça irait si je rentrais simplement chez moi ?

— D'accord, allez-y. Allez retrouver votre femme et vos enfants.

— Et sachez que, grâce à vous tous, ils sont en sécurité, a ajouté Herb.

Il a pris la main du sergent Evans et l'a serrée.

— Je sais que vous ne vouliez pas faire ça, mon ami, personne ici n'en a envie, mais vous avez fait ce qu'il convenait de faire. Demain, quand il fera jour, vous allez vous en rendre compte toi aussi.

— Merci... merci beaucoup.

Le sergent Evans s'est éloigné, nous laissant avec les autres. Nous sommes restés là jusqu'à ce que nous ne puissions plus entendre le bruit de ses pas.

— Je sais que ç'a été difficile pour tout le monde, a alors dit ma mère. Il me faut quelques personnes pour monter la garde ici, mais s'il y en a parmi vous qui sentent le besoin de partir, allez-y et nous allons vous remplacer.

— Ça va de mon côté, a répondu un homme. Je vais rester.

— Si vous n'y voyez pas d'inconvénient, je pense que je vais y aller, a fait monsieur Gomez. Je crois que j'ai envie de vomir.

— Pas de problème, a répondu ma mère. Est-ce que quelqu'un d'autre veut partir ?

Deux autres hommes ont levé la main. Ils avaient l'air penaud, mal à l'aise. J'ignore si j'aurais eu le courage de lever la main.

— Allez manger quelque chose. Nous allons nous occuper du reste, les a rassurés ma mère avant de se tourner vers moi. Reconduis-les chez eux, puis rentre à la maison, toi aussi.

— Mais...

— Tu dois rentrer. Si ton frère et ta sœur se réveillent, il faut que quelqu'un soit là pour les aider, sans compter que, moi aussi, j'ai besoin que tu sois là.

Il n'était pas nécessaire qu'elle en dise davantage, car j'avais compris. Si des individus avaient réussi à pénétrer dans des maisons en dépit des gardes, des sentinelles et des postes de contrôle, qu'est-ce qui pouvait les empêcher de s'introduire par effraction dans la nôtre ?

— Je ne reviendrai pas à la maison avant un bon moment, a-t-elle ajouté. Nous avons des choses à faire ici.

— Notamment enlever les corps, a précisé Herb. Leur vue ne peut que causer des problèmes, traumatiser certaines personnes et même créer un sentiment de panique chez d'autres.

Je savais à quel point leur vue me traumatisait, moi. Je m'efforçais de détourner les yeux, de ne pas les regarder, mais c'était difficile. Aussi difficile que lorsqu'on passe à côté de voitures impliquées dans un accident de la route.

— Allez, faut y aller maintenant, a conclu ma mère. Couche-toi sans m'attendre.

18

Je savais que j'aurais dû dormir, mais je n'y parvenais pas. Après avoir vérifié si les jumeaux allaient bien, j'avais pris la décision de me coucher sur le canapé plutôt que dans mon lit, de manière à rester au rez-de-chaussée et à me trouver ainsi entre eux et quiconque essaierait de pénétrer dans la maison. D'habitude, j'appréciais le confort du canapé et j'aimais m'endormir en regardant la télévision. Peut-être étais-je incapable de trouver le sommeil parce qu'il n'y avait pas de télé. Mais c'était plus probablement dû au fait que je gardais un œil et les deux oreilles ouverts et que j'avais un pistolet caché sous mon oreiller. Et même lorsque je fermais les yeux, je n'arrivais pas à chasser de mon esprit les images que j'avais vues. Comment était-ce possible? Comment la situation avait-elle pu se dégrader si vite? J'avais peine à croire que, le mercredi précédent, j'étais encore à l'école en train de taper la dissertation de Todd dans le laboratoire d'informatique!

Je me suis levé. Je sentais le besoin d'aller vérifier les portes encore une fois. J'ai donc fait le tour de la maison, passant devant la porte d'entrée, la porte du garage, la porte latérale, puis les deux séries de portes coulissantes. Cette maison offrait beaucoup trop de possibilités d'entrer, et ce sans même compter la grande fenêtre de la façade ou les trois fenêtres de la cuisine. Si quelqu'un voulait vraiment pénétrer chez nous, il n'y avait pratiquement aucun moyen de l'en empêcher.

Tout était calme et sombre à l'intérieur de la maison. J'aurais pu allumer quelques bougies ou une lampe de poche, mais il valait mieux se fondre dans le décor des autres maisons plongées dans l'obscurité que d'être un phare lumineux susceptible d'attirer les gens là où il y avait quelque chose de précieux à dérober. N'empêche, j'aurais bien pris une tasse de thé, sauf que la génératrice était éteinte et qu'il n'y avait pas d'électricité. C'était aussi bien ainsi, à la réflexion. Nous avions encore pas mal de thé, mais nous étions à court de lait et, pire encore, nous manquions de sucre. Du thé noir, c'est une chose, mais moi j'avais besoin de sucre dans mon thé.

Puis j'ai remarqué que les feuilles que Herb avait apportées étaient restées sur la table. Il y avait là la liste de tous les habitants du quartier – la clé des étapes à venir !

Je les ai prises et je suis retourné au salon. J'ai fermé la porte, je me suis assis et j'ai allumé ma lampe de poche. J'ai jeté un coup d'œil à la première page.

Les noms de tous ceux qui habitaient dans notre quartier y étaient soigneusement écrits à la main, rue par rue. Toutes les rues avaient été classées par ordre alphabétique, puis les noms des gens avaient été inscrits sur la liste suivant leur adresse postale. J'ai feuilleté les pages jusqu'à ce que j'arrive à notre rue, Powderhorn Crescent. J'ai commencé à parcourir cette liste. Je ne connaissais que quelques-uns de nos voisins par leur nom et j'ignorais pour ainsi dire tout de leur occupation. On trouvait parmi eux des enseignants, quelques informaticiens, deux ingénieurs, un dentiste, un vétérinaire, quatre infirmières, un ambulancier et de nombreux retraités dont l'ancien métier avait été noté. Des personnes dotées de compétences différentes. Était-ce ce que Herb avait voulu dire lorsqu'il avait affirmé que ces gens constituaient notre ressource la plus précieuse ?

J'ai fait glisser mon doigt jusqu'à notre adresse. Ma mère, moi-même, Rachel et Danny figurions sur la liste, mais pas mon père. J'en ai eu l'estomac retourné. Il n'était pas sur la liste pour la bonne raison qu'il était absent. Il était à l'extérieur du pays. J'aurais souhaité qu'il soit ici pour nous aider, pour s'occuper de nous. J'aurais souhaité qu'il soit présent, tout simplement. J'avais entendu suffisamment de choses pour savoir que la situation était dangereuse, que des événements terribles se produisaient et que lui se trouvait au loin, sans nous, sans personne. Je ne savais même pas s'il était blessé ou… Je me suis interrompu. Je n'avais pas le droit de penser une chose pareille. Je n'avais pas le droit de me laisser aller à penser une chose pareille.

Puis j'ai remarqué qu'il y avait une légère marque dans la marge à côté de notre nom. Une lettre – un « F » – avait été écrite avec un crayon à mine. J'ai fait glisser mon doigt jusqu'au bas de la page et j'y ai trouvé un second « F », puis un troisième. Cette lettre désignait-elle une famille ? Nous formions certes une famille, mais… il y avait aussi un « F » à côté d'une adresse où un seul nom avait été inscrit. C'était un ingénieur sans famille. Plus loin, à côté du nom de Todd et de ses parents, il n'y avait pas de « F » ; or, ils étaient une famille.

J'ai regardé de plus près, page après page, quelles personnes avaient un « F » écrit distinctement, malgré la pâleur du trait, à côté de leurs noms. Il s'agissait principalement de familles, du fait que presque tout le monde dans le quartier formait une famille, mais ce n'était pas le cas de tous : notre quartier comptait aussi des célibataires et des personnes âgées. Il semblait qu'un « F » ait été placé à côté d'environ dix pour cent des foyers ou, plus précisément, des personnes.

J'ai fouillé dans la liste et je me suis creusé les méninges afin d'essayer de savoir si toutes ces personnes avaient quelque chose en commun. Peut-être cela avait-il à voir avec leur métier.

J'ai parcouru toutes les pages de nouveau. Tous les agents de police du quartier avaient une marque à côté de leurs noms. Ce devait être ça. Puis j'ai remarqué que deux des médecins avaient eu droit à une marque, mais deux autres non. Sur les six infirmières, seulement trois avaient reçu un « F ». C'était également le cas de deux ambulanciers, du juge, de deux avocats, de certains des ingénieurs, de seulement quelques enseignants, de deux travailleurs sociaux, de deux pharmaciens et du vétérinaire. Tous ceux qui avaient été inscrits en tant que mécaniciens, entrepreneurs ou constructeurs en tout genre avaient aussi un « F » à côté de leurs noms.

Était-ce la clé de l'énigme ? Est-ce que ce « F » avait un lien avec des compétences particulières susceptibles d'être utiles ? Peut-être Herb aurait-il dû alors mettre un signe plus, une étoile ou autre chose à côté de tous ces noms. Ce « F » donnait l'impression qu'ils étaient fautifs quelque part ; pourtant, il ne s'agissait de toute évidence pas d'une bande de ratés. Ces gens-là étaient au contraire ceux dont nous aurions le plus besoin si nous devions nous passer encore longtemps de technologie.

J'ai regardé de plus près la marque qui se trouvait à côté des noms de ma famille. Il s'agissait indéniablement de la lettre « F », mais on aurait dit que d'autres lettres l'avaient accompagnée et que le reste du mot avait été effacé. Il en avait été de même pour toutes les autres marques : seule une lettre était encore visible, les suivantes étant manquantes. Si je parvenais à lire ce qui avait été écrit, peut-être arriverais-je à résoudre le mystère, mais cela m'était impossible avec cette faible lumière.

J'ai donc allumé une bougie, puis une deuxième et une troisième. J'ai été surpris par leur clarté et il a fallu quelques secondes pour que ma vue s'y habitue. J'ai rapproché une des feuilles de mes yeux. Il était évident que quelque chose avait été effacé, mais je n'arrivais toujours pas à voir ce que c'était. J'ai feuilleté les pages dans l'espoir d'en trouver une qui n'avait peut-être pas été effacée aussi complètement que les autres. Page après page, j'ai examiné chaque «F». Cette lettre se trouvait au début d'un mot court, formé de pas plus de quatre ou cinq lettres, dont la deuxième était certainement un «e». C'était comme si sa gomme s'était usée à mesure que Herb avait révisé la liste.

Je suis retourné à la dernière page, j'ai dirigé mon regard vers le bas, j'ai repéré la dernière marque et je l'ai examinée à la lumière des bougies. En inclinant la feuille, j'ai distingué cinq lettres, les quatre dernières étant toujours visibles bien qu'ayant été en bonne partie gommées. On pouvait lire le mot «Ferme».

— Ferme... Pourquoi aurait-il écrit «Ferme»? ai-je murmuré.

Puis j'ai compris pourquoi Herb s'était montré si intéressé par la ferme des Peterson, pourquoi il s'était rendu là-bas et avait posé tant de questions, pourquoi il s'était montré si curieux. Une des étapes qu'il avait envisagées consistait à protéger les gens de notre quartier, mais une autre étape venait ensuite. Et elle concernait la ferme. Mais je n'étais pas certain de savoir en quoi.

Si j'avais eu de la difficulté à trouver le sommeil jusque-là, la chose était devenue totalement impossible à présent. J'avais fait le compte : cent cinquante-huit personnes avaient reçu une marque. Ce qui voulait dire que plus de mille quatre cents n'en avaient pas. Herb avait-il planifié de nous inciter à abandonner le quartier pour aller à la ferme ? Mais qu'arriverait-il aux autres ? Sans la présence de ma mère et de ses collègues, sans la présence de Herb lui-même, notre quartier serait bientôt semblable à tous les autres endroits situés à l'extérieur. Les personnes qui resteraient ici seraient en danger. Mais pas seulement. Si Herb disait vrai, elles seraient nombreuses à mourir. Qu'arriverait-il à Todd et à sa famille ? aux petites filles et à leur mère qui vivaient dans notre rue ? aux Kramer qui étaient à la retraite et qui étaient assez âgés ?

Non, je devais me tromper. Il était impossible que Herb ait songé sérieusement à nous faire partir en les abandonnant. Il nous en aurait fait part, à ma mère et à moi, si tel avait été son plan. Peut-être était-il sur le point de nous le révéler quand la fusillade avait éclaté. Il avait commencé à nous dévoiler certaines choses. Je ne pouvais pas continuer ainsi à me faire des idées. Il fallait que je lui demande carrément ce qu'il en était. Lorsqu'il rentrerait avec ma mère, je l'interrogerais et je le forcerais à me dire la vérité. Je ne me contenterais pas de simples questions de sa part alors que je voulais des réponses claires et nettes.

19

Je me suis réveillé en sursaut. Quelqu'un venait de franchir la porte d'entrée. J'en ai eu des frissons dans le dos. J'ai basculé sur le côté et suis tombé à genoux sur le sol. J'ai étiré la main afin de sortir mon pistolet de son étui, sous l'oreiller. C'était probablement ma mère qui rentrait à la maison, mais je ne pouvais présumer de rien.

Je me suis levé, me suis dirigé silencieusement vers la porte de la cuisine et l'ai ouverte lentement.

Elle a grincé légèrement, mais elle laissait passer de la lumière. J'ai jeté un regard furtif à l'intérieur. Ma mère et Herb étaient tranquillement assis à la table, devant une tasse de café. Je suis retourné discrètement jusqu'au canapé afin de dissimuler mon arme, puis je suis allé les rejoindre dans la cuisine.

— Bonjour ! a lancé ma mère d'un ton qui se voulait enjoué.

J'avais vécu suffisamment longtemps dans son entourage pour savoir qu'elle cherchait ainsi à dissimuler quelque chose.

— As-tu bien dormi ?

— Probablement mieux que vous deux.

— Et les enfants ? a-t-elle lancé.

— Encore endormis, je suppose.

— Le sommeil de l'innocence, a déclaré Herb.

Il y avait quelque chose d'inquiétant dans ce commentaire. Loin d'être irréaliste, il ne présageait rien de bon.

— Comment se porte monsieur Smith ? ai-je demandé.

— Le médecin n'a pas pu le sauver, a annoncé Herb d'un air sombre avant de prendre une gorgée de café.

— Il est mort ?

— Nous revenons de chez lui. J'ai annoncé la nouvelle à sa femme, a répondu ma mère d'une voix tremblotante.

— Vous vous en êtes bien tirée, lui a assuré Herb. Nous devrions envoyer un travailleur social leur parler. Je vais voir qui est le mieux qualifié pour leur offrir un soutien psychologique. As-tu les feuilles du sondage ? a-t-il fait en me regardant.

— Je vais aller les chercher.

Peut-être pensait-il que je n'aurais pas dû les prendre et craignait-il que je les aie regardées, mais je m'en fichais. Je les ai rapportées et les ai remises à Herb, qui les a roulées pour les mettre dans sa poche.

— J'ai appris que les conseillers psychologiques jouent un rôle non négligeable dans les situations traumatisantes. La mort affecte beaucoup plus de gens que simplement la personne qui meurt, a expliqué Herb.

— En temps normal, nous avons une équipe qui s'occupe des victimes. Je pense aussi que nous devrions envoyer quelqu'un parler au sergent Evans, a suggéré ma mère. Le pauvre. Il est difficile d'enlever la vie à quelqu'un, même quand c'est justifié.

— C'était le cas. Je sais que c'est très difficile, a commenté Herb.

Ma mère et moi l'avons tous les deux regardé. Je crois que nous n'étions pas les seuls à être surpris par sa déclaration.

— Oui, je me suis déjà trouvé en pareille situation, a-t-il admis. Le plus difficile, c'est la première fois, mais ce n'est jamais facile.

— Combien de fois avez-vous...? ai-je entrepris de lui demander, hésitant à continuer. J'imagine que ce n'est pas le genre de choses dont vous voulez parler. Excusez-moi.

— Tu n'as pas à t'excuser. J'étais sérieux lorsque j'ai dit au sergent Evans qu'il avait fait ce qu'il fallait faire. Je le pense. Je le *crois*. J'ai *besoin* de le croire. Alors, as-tu examiné attentivement les résultats du sondage ?

— Oui, je l'ai fait.

— Et qu'est-ce que tu en penses ?

Il a eu l'air de me scruter, d'essayer de deviner ce que j'avais appris. Je ne voulais laisser planer aucun doute à ce sujet.

— J'aimerais en savoir plus long sur la ferme, ai-je affirmé.

— J'ignorais que la ferme figurait là-dessus, a déclaré ma mère.

— Ce n'est pas ce qu'Adam a voulu dire, pas vrai ? a lancé Herb.

J'ai secoué la tête et j'ai demandé :

— À quel moment aviez-vous l'intention de nous le dire ?

— J'avais commencé à vous parler de certains éléments de mon plan hier soir, avant que nous soyons interrompus par les coups de feu. J'avais pensé qu'il valait mieux mettre ça de côté pour l'instant, mais peut-être que les événements de la nuit dernière vont vous permettre de mieux comprendre ce que je redoute.

— Allez-vous finir par me dire de quoi vous parlez, tous les deux ? est intervenue ma mère.

— D'accord. Adam, est-ce que tu veux bien mettre ta maman au courant ?

— C'est votre plan, c'est à vous de le faire. D'ailleurs, il se peut que je n'y aie rien compris.

— Adam, j'ai dans l'idée que tu as très bien compris de quoi il retourne, mais, puisque tu le désires, je vais décrire brièvement mon plan. Mais qu'est-ce que tu dirais de me donner d'abord du café ?

Je me suis levé rapidement et j'ai rempli sa tasse et celle de maman.

— Merci. Permettez-moi tout d'abord une petite entrée en matière. Ce qui s'est passé la nuit dernière est regrettable, mais c'était totalement et absolument inévitable, a soutenu Herb. Ce ne sont pas les postes de contrôle ou les consignes de sécurité qui sont à blâmer, mais uniquement la nature même de la tâche à accomplir. Il n'y a tout simplement pas assez de personnes ou d'armes pour surveiller efficacement ce secteur et maintenir en place un périmètre de sécurité.

— Nous ne nous sommes pas trop mal défendus jusqu'ici et nous allons continuer de nous améliorer un peu plus tous les jours, a objecté ma mère.

— Malheureusement, il ne suffit pas de s'améliorer un peu plus lorsque les choses empirent de manière exponentielle. Les gens qui vont vouloir exploiter, envahir ou violer ce petit coin de terre deviendront de plus en plus organisés et de plus en plus désespérés. La nuit dernière, nous n'avons aperçu que la pointe de l'iceberg. Nous ne sommes pas en mesure de stopper une attaque menée par des gens déterminés.

— Nous les avons bien arrêtés cette nuit.

— Cette nuit, nous n'avons rien vu en comparaison avec ce qui s'en vient. Nous ne pouvons pas défendre ce territoire dans son intégralité, ni même ce quartier, a déclaré Herb.

Il est resté silencieux quelques secondes, puis il a ajouté :

— Il pourrait donc être nécessaire pour nous de quitter ce quartier.

— Que voulez-vous dire par là ? a demandé ma mère en le fixant du regard.

— À un moment donné, nous pourrions être obligés d'abandonner ce quartier et d'aller nous installer dans un endroit où nous aurions de meilleures chances de trouver de l'eau, de la nourriture et du bétail, et même de nous défendre.

— Comme la ferme des Peterson, ai-je dit en me tournant vers Herb. C'est bien ça ?

— C'est exact. Leur ferme dispose d'eau et de terres en quantité suffisante pour produire de la nourriture, mais il serait également possible de la sécuriser plus facilement et plus complètement que notre quartier en raison de son isolement relatif. Nous pourrions défendre cette position et les gens qui y vivraient.

— Mais il ne serait pas possible d'y loger tous les habitants du quartier.

— Il n'est pas question de loger tout le monde, ai-je précisé. Herb parle seulement de *quelques* personnes.

Ma mère s'est tournée vers Herb. Elle semblait bouleversée.

— Est-ce que c'est exact ?

— J'ai examiné les données du recensement du quartier et j'ai trouvé des gens qui ont les compétences, les capacités ou les aptitudes dont nous aurons besoin si nous voulons survivre.

— De combien de personnes parlez-vous ? a lancé ma mère.

— D'environ cent cinquante personnes, a répondu Herb.

— Mais il y a plus de seize cents personnes qui vivent ici en ce moment ! s'est-elle écriée.

— Une partie du problème se trouve là. Non seulement le territoire à défendre est trop grand, mais il y a trop de bouches à nourrir et pas assez de nourriture pour tout le monde, sans compter qu'il y a trop de gens qui n'ont pas les compétences ou la santé nécessaires pour contribuer au bien commun.

— Vous ne pensez pas sérieusement que nous devrions ou que nous pourrions simplement plier bagage et partir comme ça, n'est-ce pas ? a demandé ma mère.

— Sûrement pas à ce stade-ci. Je m'efforce simplement d'être un bon joueur d'échecs et de déterminer quels pourraient être les prochains coups à jouer.

— Ce n'est pas une partie d'échecs, ai-je riposté. Vous ne pouvez pas sacrifier des vies humaines comme s'il s'agissait de pions. Qu'est-ce qui arriverait aux gens qui n'iraient pas s'installer à la ferme ?

— Ils seraient évidemment libres de continuer à vivre ici, ou ailleurs s'ils le désirent.

— La question n'est pas de savoir *où* ces gens-là vont vivre, mais de savoir *s'*ils vont vivre, ai-je objecté. Si la situation dégénère au point de nous obliger à partir, alors beaucoup d'entre eux vont mourir sans notre aide.

— Si les choses tournent mal, alors, même avec notre aide, bon nombre d'entre eux vont mourir. Mon intention n'est pas de tuer des gens, mais de faire en sorte que certains puissent vivre.

— Vous avez dit « si » les choses tournent mal. Ce n'est donc pas certain ?

— Je ne suis sûr de rien, a-t-il répliqué en secouant la tête. Les choses pourraient aller dans tellement de directions différentes que je me dois d'envisager toutes les éventualités.

— Peut-être devrions-nous y aller une étape à la fois, a dit ma mère.

— Quand on s'efforce de planifier à l'avance, il est important de procéder par étape. Dans l'immédiat, c'est-à-dire aujourd'hui, il serait impossible de mettre en place un tel plan d'évacuation.

— Je me réjouis de vous l'entendre dire. Mon devoir est de protéger les gens.

— Seulement, Herb, vous pensez qu'il ne sera plus possible, à un moment donné, de les protéger, ai-je ajouté.

— Nous n'avons pas le pouvoir de changer le cours des événements extérieurs, a répondu Herb avec un hochement de tête. Nous pourrions être amenés à prendre des décisions qui risquent de rendre la tâche plus difficile à certaines personnes.

— À des gens comme les Stevenson qui habitent plus loin, ou comme Sally Briggs et sa petite fille... Et qu'en est-il de Todd et de sa famille ? me suis-je enquis.

— Je sais que c'est difficile pour toi de seulement songer à abandonner certaines personnes, a déclaré Herb.

— Ce n'est pas juste.

— J'ai cessé de croire à ce mot-là il y a longtemps. Ça n'a rien à voir avec la justice. C'est avant tout une question de survie.

— Et si nous construisions une barrière suffisamment solide autour de notre quartier et si nous affections plus de personnes aux postes de contrôle ? ai-je demandé.

— Une barrière permettrait d'empêcher les intrus d'entrer, mais comment ferions-nous pour nourrir les gens qui sont à l'intérieur ? Combien de temps crois-tu qu'il va s'écouler avant que le supermarché ait épuisé toutes ses provisions ? Sais-tu combien de nourriture il faut pour alimenter seize cents personnes ?

— Je n'en ai aucune idée, mais certainement beaucoup.

— Je sais *exactement* combien. J'ai fait les calculs. Et quand il n'y aura plus rien à manger, les gens qui se trouvent à l'intérieur vont cesser de collaborer entre eux et commencer à s'entretuer les uns les autres. Quand les choses en arrivent là, il ne reste plus aucun survivant. Nous pourrions être obligés de partir pour que certains d'entre nous puissent survivre. C'est un mal nécessaire.

— Mais c'est toujours mal, ai-je commenté.

— Un mal *nécessaire*. À situation extrême, mesures extrêmes. Le secret, c'est de partir lorsque c'est encore possible. Pour l'instant, nous pouvons encore nourrir et défendre le quartier. Mais si ça continue plus longtemps, ça deviendra impossible.

— Et vous pensez vraiment qu'on en arrivera là ? a fait ma mère.

— Je le pense, mais je n'en sais rien. S'il arrive un moment où nous ne pouvons pas soit nous défendre, soit nous nourrir, il pourrait être trop tard pour partir. La ferme pourrait avoir été envahie et détruite, les Peterson pourraient avoir fui ou même avoir été tués.

Cela m'a donné froid dans le dos.

— Je ne suis pas en train de dire que nous devrions partir immédiatement. Le moment n'est pas encore venu.

— Et peut-être qu'il ne viendra jamais, ai-je dit.

— Je l'espère.

— Mais vous n'y croyez pas. Vous pensez que plus de gens vont mourir.

— Je *sais* que plus de gens vont mourir. Nous n'avons aucune influence sur les événements. Tout ce que nous pouvons faire, c'est de garder certaines personnes en vie et de faire en sorte d'être parmi les survivants.

— Et vous pourriez vous en aller comme ça en laissant les autres crever ? ai-je demandé.

— Je l'ai déjà fait, a répondu Herb d'une voix si basse qu'elle n'était guère plus qu'un murmure. J'espérais sincèrement que je n'aurais jamais à revivre ça.

Il s'est levé lentement. Il m'a paru vieux tout à coup. Il a mis une main sur mon épaule en s'appuyant dessus légèrement.

— J'aurais préféré que cette discussion n'ait jamais eu lieu. Ce n'est qu'une des nombreuses directions dans lesquelles la situation pourrait évoluer. Je peux envisager diverses possibilités, mais pas prédire l'avenir. J'ose croire que nous souhaitons tous ne jamais devoir en arriver là, a-t-il conclu d'un ton calme mais empreint d'émotion. Je regrette de vous avoir troublés tous les deux avec les pensées délirantes d'un vieil homme.

— Ça va, a assuré ma mère. Nous avons tous subi énormément de pression.

— Je vous serais reconnaissant de ne parler de ce plan à personne. Ça ne ferait que bouleverser les gens... de la même façon que cela vous a bouleversés tous les deux.

— Ça va rester entre nous, a acquiescé ma mère.

— Merci. Je crois que j'ai besoin d'aller dormir un peu.

Herb s'est éloigné en claudiquant et a franchi le seuil de la porte, nous laissant seuls, ma mère et moi.

— Je sais qu'il s'efforce simplement de faire de son mieux, a déclaré ma mère. Nous avons tous été mis à rude épreuve.

C'était le cas. Mais cela ne signifiait pas qu'il avait tort pour autant. Il ne voulait pas que nous nous inquiétions davantage ou, pire encore, que nous parlions de cela à qui que ce soit.

J'avais besoin de me changer les idées.

— Je pense que je vais aller faire un tour.

— Bonne idée. J'aimerais bien t'accompagner, mais il faut aussi que je me repose un peu.

Elle s'est levée et m'a caressé la tête avant de quitter la cuisine. Je suis resté assis un moment.

Peut-être n'aurions-nous jamais besoin de mettre en œuvre les suggestions de Herb. Ou peut-être le faudrait-il. Il était âgé, mais pas idiot. Je ne pouvais m'empêcher de penser qu'il venait de bouger une pièce sous nos yeux, alors même que nous ignorions qu'il y avait une partie d'échecs en cours.

20

Il était encore tôt, mais le quartier n'était pas complètement calme pour autant. Je suis sorti et ai fermé la porte à clé derrière moi. Certains étaient déjà debout, à l'extérieur de chez eux; beaucoup transportaient des bidons et se dirigeaient vers le ruisseau. Je me rappelais à quel point le niveau de l'eau était bas lorsque je m'y étais rendu avec Rachel et Danny. Qu'arriverait-il s'il ne pleuvait pas pendant quelque temps ou si l'eau se transformait en neige une fois l'hiver venu? Aurions-nous encore de l'eau à ce moment-là? Je trouvais pour le moins inquiétant de penser aussi longtemps à l'avance – après tout, l'hiver ne serait là que dans sept mois!

Évidemment, les Peterson n'avaient pas à se tracasser à ce sujet. Leur puits contenait suffisamment d'eau pour approvisionner leur ferme dans son ensemble ainsi que tous ceux qui seraient appelés à y vivre, du moins si Herb allait de l'avant avec son idée. Cent cinquante personnes avaient besoin de beaucoup moins d'eau que seize cents. Avec un peu de chance, le puits suffirait à répondre à leurs besoins. Herb avait probablement songé à tout cela lorsqu'il s'était rendu sur place, prévoyant et planifiant les prochaines étapes pendant qu'il inspectait les lieux et en discutait avec monsieur Peterson.

J'avais l'impression qu'il complotait. J'ai senti la colère monter en moi. Herb était en train de tramer quelque chose en coulisse. Il était disposé à sacrifier toutes ces personnes pour assurer notre survie – et la sienne! Pourrait-il sacrifier ma famille aussi s'il le jugeait nécessaire? Cela ne faisait absolument aucun doute dans mon esprit. Mais il faut dire que je pourrais aussi le sacrifier, lui, s'il le fallait pour sauver ma mère, ma sœur ou mon frère, ou encore mon père. Et mon père dans tout ça? Si nous étions à la ferme des Peterson au moment de son retour, comment ferait-il pour nous retrouver? Il ne saurait pas où aller.

J'ai continué de marcher, faisant un signe de la tête ou de la main aux gens que je croisais, tout en m'efforçant de rester concentré sur moi-même. En dépit des circonstances, il y avait une certaine forme d'amabilité dans notre manière de nous comporter les uns envers les autres. J'avais de toute évidence appris à mieux connaître certains de mes voisins au cours des six derniers jours que durant les douze années précédentes. Cela rendait les choses d'autant plus difficiles que je commençais à connaître certains d'entre eux davantage en tant qu'êtres humains qu'en tant que simples visages aperçus à travers les vitres de leurs voitures. Si Herb avait raison, si nous devions les abandonner sur place, ils resteraient en plan, sans personne pour les guider ou pour les défendre et les protéger. La question n'était pas de savoir combien allaient mourir, mais plutôt combien parviendraient vraiment à survivre.

Cela m'a fait penser à Todd qui nous imaginait en train de jouer dans un film de zombies. J'étais entouré de morts-vivants parmi lesquels je déambulais. Si la situation devait empirer, si nous devions quitter le quartier, la plupart de ces personnes allaient mourir, mais elles ne le savaient pas encore. Je me suis efforcé de mettre un visage sur les noms inscrits sur la liste de Herb.

Arrivé au bout de ma rue, j'ai remonté Folkway Drive, laissant derrière moi maisons, rues et voitures abandonnées qu'on avait garées sur le côté après les avoir enlevées du milieu de la chaussée. Les pelouses étaient encore vertes et faisaient l'objet d'un entretien constant. Les tondeuses équipées d'un moteur à essence fonctionnaient toujours, et les gens continuaient de tondre leur gazon comme si de rien n'était. Il s'agissait là d'un rituel pour le moins étrange, d'une tentative de mener une vie normale dans un monde qui n'avait plus rien de normal. En raison du temps chaud que nous avions connu en avril, les fleurs commençaient à s'ouvrir. De nombreux jardins avaient été aménagés avant que ne surviennent tous ces événements, et les fleurs ignoraient que quelque chose n'allait pas. Elles avaient de la terre et du soleil, et les précipitations étaient suffisantes pour leur permettre de poursuivre leur croissance. Ça me faisait tout drôle de savoir que la vie des personnes qui les avaient plantées était en danger, alors que les plantes, elles, allaient continuer de s'épanouir. Si seulement ces gens avaient su ce qui allait arriver, ils auraient pu planter des légumes à la place des fleurs.

Je suis arrivé au mini-centre commercial. Les magasins étaient tous fermés. S'il n'y avait pas eu les vitrines placardées du supermarché, tout aurait semblé parfaitement normal. Pendant que je longeais les commerces et que je regardais par les fenêtres, diverses pensées me traversaient l'esprit.

Il y avait tout d'abord le Baskin-Robbins, où j'avais l'habitude de manger de la crème glacée avec mes amis ou, quand nous étions petits, avec nos parents après un match de football. Les gens faisaient la queue jusqu'à l'extérieur. En attendant d'être servis, les parents et les enfants avec leurs uniformes et leurs souliers à crampons bavardaient entre eux. Pour la plupart d'entre nous, le résultat du match importait peu, du moment qu'un cornet nous attendait une fois la partie terminée.

Puis il y avait le cabinet de mon dentiste, suivi par le centre de consultation sans rendez-vous et la pharmacie, ainsi que par la clinique vétérinaire qui venait d'ouvrir ses portes. Ces quatre endroits suffisaient à couvrir tous les besoins médicaux des hommes et des animaux.

Venaient ensuite le magasin populaire, la boulangerie, la pizzeria, le nettoyeur et, enfin, le supermarché. J'ai collé mon visage contre une des vitrines encore intactes. Le magasin étant plongé dans l'obscurité, il était difficile de voir très loin à l'intérieur, mais les étagères semblaient toujours passablement garnies. Il y avait là beaucoup de nourriture, mais en quelle quantité ? Il y en avait apparemment assez pour tous nous alimenter pendant quelques mois, mais en aurions-nous assez pour six mois ou un an ? J'étais persuadé que Herb avait effectué ses calculs correctement.

Je me demandais si un des éléments de son plan consistait à emporter la nourriture qui restait sur les étagères au moment de partir. L'opération se déroulerait-elle au beau milieu de la nuit ? Le reste de la population allait-il s'en rendre compte et tenter de nous stopper ? Nous faudrait-il alors retourner nos armes contre nos voisins ? Et si c'était le cas, serait-il préférable pour eux de mourir rapidement par balle ou lentement de faim ou de maladie, voire en étant victimes d'attaques de la part de bandes venues d'ailleurs ? J'ai détourné les yeux. Je refusais de penser à ce qui pourrait arriver. Herb n'était pas le seul à avoir souhaité que je n'aie jamais compris ce qui était en jeu.

Je me suis dirigé vers le poste de contrôle. J'ai reconnu quelques-uns des hommes qui s'y trouvaient et nous nous sommes salués d'un signe de la main. Après avoir contourné le poste, je me suis promené le long du trottoir de la promenade Erin Mills. Exception faite des voitures abandonnées, rien n'avait changé à cet endroit. Pas plus la chaussée que le terre-plein central qui séparait les voies allant vers le nord de celle allant vers le sud et où se dressaient des poteaux de feux de circulation hors service.

Lorsque j'étais enfant, cet endroit marquait la limite ouest de mon univers. Cette artère était trop importante, trop passagère et trop dangereuse pour qu'il me vienne alors à l'esprit de la traverser. En fait, à cette époque, il ne m'arrivait presque jamais de quitter notre quartier. C'est là que se trouvaient les magasins du mini-centre commercial, mon école, le terrain de football et celui de basket, le champ où s'élevaient les grands pylônes électriques et où les gens laissaient courir leurs chiens, ainsi que mes amis, le terrain de jeu et les gens qui vivaient ici. Malgré sa taille réduite, ce monde avait été le mien jusqu'à présent : il était délimité par l'autoroute au nord, par la promenade Erin Mills à l'ouest, par Burnham Road au sud et par Mullet Creek et Mississauga Road à l'est. Cela m'a fait un drôle d'effet de penser qu'il s'agissait des limites que nous devions protéger. Et voilà que Herb nous conseillait d'abandonner ce territoire pour créer un monde nouveau afin d'assurer notre survie.

J'étais sur le point de m'aventurer sur la chaussée lorsque je me suis arrêté. Même s'il n'y avait pas de circulation, le danger était omniprésent. Là-bas, au-delà de cette frontière que nous avions délimitée, je courais le risque d'être blessé. J'ai soudain regretté de ne pas avoir emporté mon pistolet. J'avais plutôt l'habitude de prendre mon téléphone portable, mon portefeuille et mes clés. Mais ceux-ci ne m'étaient plus d'aucune utilité : dorénavant, j'avais besoin d'une arme à feu.

Les paroles de Herb me trottaient dans la tête : « Il faudra prendre des décisions difficiles. » « On ne peut pas sauver tous les habitants de l'univers. » « À situation extrême, mesures extrêmes. » Je savais que nous ne pouvions pas sauver tous les habitants de l'univers, mais peut-être pouvions-nous déjà sauver les gens qui peuplaient *mon* univers. C'est alors qu'une idée m'est venue à l'esprit.

Je me suis mis à courir, me faisant aller les jambes presque aussi vite que les méninges. Comme le chemin allait en descendant, la force de gravitation m'aidait. Il était rassurant de savoir que le vent tournait enfin en ma faveur. Je suis passé à côté de quelques personnes, mais je courais trop vite pour m'arrêter et j'étais trop absorbé pour leur parler. Il fallait que je retourne chez moi aussitôt que possible afin de faire part de mes pensées à Herb et à maman.

J'ai ralenti en arrivant devant la maison de Herb, puis je me suis immobilisé. J'avais besoin de reprendre mon souffle et de retrouver mes esprits. Il était important pour moi de lui expliquer mon idée aussi calmement que possible. Pas de sentiments, pas d'émotions, simplement une idée. J'ai frappé à sa porte ; pas de réponse. J'ai frappé de nouveau et Herb est venu m'ouvrir en se frottant les yeux. J'avais oublié qu'il essayait de se reposer un peu. Il m'a fait signe d'entrer. Le vestibule était garni de peintures qu'il avait reçues ou achetées à l'époque où il travaillait un peu partout dans le monde. Mon père disait toujours en plaisantant qu'on avait une galerie multiculturelle dans notre quartier.

— Il faut qu'on se parle, ai-je dit.

— D'accord, entre.

— Non, je veux que ma maman soit présente elle aussi. Pouvez-vous revenir chez nous... s'il vous plaît ?

— C'est bon. J'arrive.

— Merci.

Une fois chez moi, j'ai entendu la voix de Danny provenant de la cuisine. Lui et Rachel étaient assis à la table en train de manger des céréales sèches pendant que ma mère fouillait dans les placards. De toute évidence, elle n'était pas allée se coucher. Je tenais à ce que ma mère participe à la conversation, mais sûrement pas les jumeaux.

— Hé, pourriez-vous aller prendre votre petit-déjeuner à l'étage ? Je dois parler à maman.

— Bien le bonjour à toi aussi, a fait Rachel.

— C'est ça, bonjour. Et maintenant, filez. J'ai besoin de maman, et Herb s'en vient.

— Et qui t'a élu roi ? a demandé Danny.

— Personne.

De même, Herb n'avait pas été élu roi par le peuple pour prendre des décisions à sa place.

— S'il vous plaît, les amis, c'est important.

— Était-ce si difficile d'être poli ? m'a lancé Danny en se levant et en attrapant son bol de céréales. Je vais aller manger devant la... Zut ! y a pas de télé !

— Est-ce que c'est au sujet de papa ? s'est inquiétée Rachel.

Danny s'est approché d'elle. Tous deux m'ont regardé d'un air anxieux et maman s'est retournée pour me dévisager, elle aussi.

— Non, ça n'a rien à voir avec lui. J'ai simplement besoin d'être seul avec Herb et maman.

— Pourquoi n'avons-nous pas le droit d'écouter ce que vous avez à dire ? m'a interrogé Rachel.

— C'est important et ça ne vous regarde pas vraiment.

— Si c'est important, ça nous regarde aussi, a rétorqué Danny.

Rachel semblait être au bord des larmes. Je me sentais mal à l'aise d'être ainsi responsable – ou plutôt l'élément déclencheur – de cette nouvelle crise.

— Rachel, tu n'as rien à craindre, a dit ma mère en posant une main sur sa tête.

— S'il te plaît, ne me raconte pas de mensonges, a répliqué ma sœur. Je sais que nous avons de bonnes raisons de nous inquiéter.

— Nous ne sommes pas idiots, a déclaré Danny. Nous savons très bien que ça va mal.

— Nous voulons simplement savoir jusqu'à quel point ça va mal et jusqu'où ça va encore empirer, a ajouté Rachel.

Ma mère a pris une profonde inspiration. Elle tentait de gagner du temps afin d'essayer de répondre à une question à laquelle il n'y avait pas vraiment de réponse.

— Écoutez, personne ne sait trop ce qui se passe en ce moment, ai-je répondu en pensant qu'il valait peut-être mieux que ce soit moi qui dise cette demi-vérité. Mais je suis sûr que maman vous dira tout une fois que les choses se seront un peu arrangées. D'accord ?

Tous deux ont acquiescé. En dépit du fait qu'ils avaient manifesté le désir de connaître la vérité, j'avais l'impression que tout ce qu'ils réclamaient, au fond, c'était un pieux mensonge destiné à les rassurer. Ils allaient être servis.

— Écoutez, tant que Super-Maman est avec nous, il ne peut rien nous arriver.

J'ai souri – d'un sourire forcé – et tous deux m'ont souri en retour. Je ne savais pas trop si leurs sourires étaient plus authentiques que le mien ou s'ils acceptaient simplement notre entente tacite en vertu de laquelle je les rassurais parce qu'eux-mêmes voulaient être rassurés. Mais cela n'avait franchement aucune importance. À peine s'étaient-ils levés et avaient-ils quitté la pièce que déjà ils se disputaient au sujet de l'eau qu'ils allaient devoir rapporter à la maison.

On a frappé à la fenêtre et, avant que nous ayons pu répondre, Herb est entré par la porte coulissante restée ouverte. Il nous a salués d'un signe de tête.

Curieusement, il n'avait pas l'air aussi vieux et fragile qu'il avait semblé l'être une heure auparavant. Était-ce parce qu'il avait eu le temps de somnoler un peu ou parce qu'il nous avait fait son numéro de petit vieux dans le seul but de nous inciter à éprouver de la sympathie pour lui ? Je l'ignorais, mais j'étais persuadé qu'il était parfaitement capable de jouer la comédie. J'avais vu comment il s'y prenait avec les gens et je l'avais suffisamment observé pour savoir qu'il possédait un réel talent d'acteur.

C'était maintenant à mon tour d'entrer en scène, mais je n'étais pas certain des paroles que je devais prononcer dans le cadre de mon interprétation. Je me suis assis, essayant de trouver le meilleur moyen d'exprimer ma pensée. Je n'étais pas sûr de connaître tout mon texte par cœur, mais je savais au moins par où commencer.

— Je suis d'accord avec ce que Herb nous a dit, ai-je affirmé en guise d'introduction. Je sais qu'il a raison.

Herb a hoché la tête. J'ai cru déceler une légère réaction, un mouvement de détente, sur son visage jusque-là impassible.

— La nourriture qui se trouve dans le supermarché et chez les gens ne va pas suffire pour tenir jusqu'à la fin, sauf si tout ça se termine très bientôt – ce qui m'étonnerait. De même, ai-je poursuivi après avoir marqué une pause, je sais aussi qu'on ne peut pas sauver tous les habitants de l'univers.

— Je suis content de voir que tu as compris ça, a commenté Herb.

— J'ai compris ça, mais je ne suis pas d'accord avec ce que vous dites concernant ce qu'il faut faire et la manière de procéder.

— Si tu es d'accord avec les prémisses de mon raisonnement, tu dois aussi être d'accord avec mes conclusions, a-t-il objecté.

— Non, je ne le suis pas, ai-je affirmé avec force. Ce n'est pas parce que la situation est désespérée et que certains individus sont sans pitié que nous devons être sans pitié à notre tour. Rien ne nous oblige à laisser en plan tous les habitants du quartier.

J'ai rassemblé mes forces dans l'attente de sa réponse.

— Adam, j'apprécie ton opinion et tes idées. Si tu as un meilleur plan à suggérer, je suis tout disposé à l'entendre.

— Il s'agit moins d'un plan que d'une ébauche de plan.

— Nous devons explorer toutes les options. Dis-nous ce que tu as en tête et peut-être que tous ensemble nous parviendrons à combler les vides. Nous t'écoutons, a affirmé Herb.

Je m'attendais à ce qu'il argumente, à ce qu'il me dise que j'avais tort, que je n'étais qu'un gamin stupide, mais sûrement pas à cela.

Il ne me restait donc plus qu'à parler.

— Je ne pense pas que nous devrions aller à la ferme. Nous pouvons rester ici.

— Questions de sécurité mises à part, d'où proviendrait la nourriture nécessaire pour alimenter tout le monde ? a demandé Herb.

— Il y avait une ferme ici autrefois, avant que toutes les maisons soient construites. Par conséquent, le sol doit être d'excellente qualité.

— Ce sol est maintenant recouvert d'asphalte et de maisons.

— Mais il reste le terrain de football, les cours d'école, le champ qui se trouve au pied des pylônes électriques, le terrain de jeu et les parcs, sans compter les cours et les jardins situés à l'avant et à l'arrière des différentes propriétés. Notre quartier renferme des hectares de terres cultivables, probablement autant que la ferme des Peterson.

— Sauf que la plupart de ces terres sont divisées en petites parcelles entourées de clôtures.

— Mais il est possible de modifier tout ça. On pourrait enlever les clôtures et utiliser les matériaux récupérés pour établir un périmètre de sécurité tout autour du quartier. Pourquoi ne pourrions-nous pas faire pousser des fruits et des légumes sur toutes ces terres comme dans une ferme ?

— La ferme des Peterson dispose d'un tracteur et d'outils agricoles qui les aident à cultiver leurs champs, a rétorqué Herb.

— Mais rien de tout ça ne va durer. Vous avez dit vous-même que les Peterson risquent d'être forcés de partir, peut-être même d'être tués, et que leur ferme risque d'être pillée. Que diriez-vous si nous leur demandions de s'installer ici avec tout leur équipement et de nous aider à transformer tous ces terrains en terres agricoles et les habitants du quartier en agriculteurs ?

— Même si nous arrivions à produire assez de nourriture pour tout le monde, ça ne veut pas dire que nous serions en mesure de défendre le fruit de nos récoltes. Il ne suffit pas de mettre en place un périmètre de sécurité, il faudrait aussi former suffisamment de gens qui soient capables de protéger cette barrière.

— Nous avons assez de gens et nous avons le personnel qualifié pour former assez de gens, ai-je ajouté avant de me tourner vers ma mère. Tu pourrais les former, non ?

— Je pourrais les former, mais je ne pourrais pas nécessairement tous les équiper. Nous avons un nombre limité d'armes à notre disposition.

— Le nombre d'armes à feu est peut-être limité, mais il existe d'autres types d'armes : des arcs et des flèches ou des bâtons de golf et de baseball, par exemple.

— Je ne pense pas que ce serait très efficace, a répliqué ma mère.

— J'ai eu l'occasion de voir ce qu'un groupe de personnes armées simplement de machettes et de gourdins arrivent à faire – pour le meilleur ou pour le pire, a expliqué Herb. Des armes d'appoint peuvent être très efficaces lorsqu'on leur adjoint du personnel qualifié équipé de fusils, de lunettes de vision nocturne, de gilets pare-balles et peut-être même d'explosifs.

— D'explosifs ? Où allons-nous pouvoir nous procurer des explosifs ? a demandé à ma mère.

— Il n'est pas nécessaire de chercher plus loin que sous l'évier, dans la salle de lavage ou dans les garages et les remises qui se trouvent dans les jardins de tout le quartier. Continue, m'a lancé Herb.

Encore une fois, ce n'était pas la réaction à laquelle je m'attendais. Non seulement il ne descendait pas mon idée en flammes, mais il semblait presque l'approuver.

— Je sais combien l'eau est essentielle à la réalisation d'un tel projet, ai-je poursuivi. Nous avons les deux ruisseaux qui...

— Ils ne constituent pas une source fiable ou suffisante pour fournir de l'eau à autant de gens et pour répondre aux besoins de l'agriculture...

— Ce n'est qu'un point de départ, l'ai-je interrompu. Si la ferme dispose d'un puits, qu'est-ce qui nous empêche de creuser nos propres puits ?

— Je n'avais pas pensé à ça, a répondu Herb en hochant la tête. Le niveau de la nappe phréatique est assez élevé ici. Elle se trouve près de la surface. Il ne serait probablement pas nécessaire de creuser trop profondément.

— On jurerait que vous pensez que c'est faisable, a commenté ma mère.

— Je crois que ce que suggère Adam est *possible*. Ce serait très difficile à réaliser, et peut-être même pas la bonne stratégie à adopter, mais ce n'est pas impossible. Nous avons des décisions difficiles à prendre.

— Non, ai-je rétorqué. Je ne pense pas que ce soit à nous de décider.

— Dans ce cas, qui doit décider ? a demandé Herb.

— Les personnes dont la vie est en jeu. Personne ne nous a élus roi ni l'un ni l'autre. Nous devons essayer d'expliquer aux gens ce qui se passe vraiment, leur dire la vérité et tenter de les convaincre qu'il faut faire ce qui est nécessaire.

— Ça suppose non seulement que nous savons ce que nous faisons, mais aussi qu'ils vont nous écouter, a conclu Herb.

— On ne va pas leur demander de nous écouter. Nous allons tous être à l'écoute les uns des autres. Ce sera comme à Athènes : les gens vont émettre leur avis en vue d'en arriver à une décision commune.

— Tu fais énormément confiance aux gens pour croire qu'ils vont non seulement comprendre, mais aussi prendre la bonne décision.

— Il faut mettre les gens à contribution. Ce n'est pas parce que la situation est désespérée qu'on ne doit pas procéder de façon démocratique.

— Tu es très jeune, a constaté Herb en souriant.

— Ça ne veut pas dire que je me trompe.

— Je ne dis pas que l'un implique l'autre. Le scepticisme vient avec l'âge. J'ai probablement été témoin de trop de choses qui m'ont fait perdre mon innocence ou mon optimisme. Je ne suis même pas sûr de croire encore à quoi que ce soit.

L'expression de son visage était passée de l'impassibilité qu'il affichait habituellement à la tristesse, à une tristesse non feinte.

— J'ai embrassé la profession que j'ai choisie parce que je croyais fermement à la liberté et à la démocratie. Sais-tu ce que Winston Churchill a affirmé à propos de la démocratie?

J'ai secoué la tête.

— Il a dit : « La démocratie est le pire système de gouvernement, à l'exception de tous les autres », a récité Herb. J'imagine que la question est de savoir si nous essayons seulement de préserver la vie, ou le mode de vie auquel nous prétendons croire?

— Pourquoi ne pourrions-nous pas faire les deux? ai-je demandé. Qu'avons-nous à perdre à essayer?

— Nous pourrions tout perdre. Lorsque les gens ont peur ou qu'ils sont inquiets ou angoissés, ils sont capables de n'importe quoi. La barbarie humaine ne connaît pas de limites. En essayant de sauver un plus grand nombre de gens, nous pourrions tous les mener à leur perte. As-tu envisagé cette éventualité?

J'ai fixé ma mère du regard. Elle m'a fait un signe discret de la tête.

— Je ne pense pas que nous ayons d'autre choix que d'essayer, a-t-elle affirmé. Par quoi allons-nous commencer?

— Nous allons débuter lentement et prudemment. Une fois que le génie est sorti de la bouteille, il n'y a pas moyen de l'y remettre. Nous devons commencer par mettre les bonnes personnes dans le coup.

— C'est-à-dire? a demandé ma mère.

— Il faut d'abord parler aux Peterson, afin de voir s'ils seraient prêts à déménager ici avec tout leur équipement. Sans leur consentement, nous n'avons aucune chance de mettre ce plan d'action en œuvre.

— Je pourrais vous accompagner, ai-je proposé.

— Il ne me serait jamais venu à l'esprit d'y aller sans toi.

— Et qu'est-ce qui va arriver ensuite ? a fait ma mère.

— Rien pour l'instant, a répondu Herb. Nous devons attendre le bon moment pour agir. Il y a encore beaucoup trop d'étapes à franchir avant que nous songions à aborder cette question avec qui que ce soit d'autre. Nous devons créer le moins de remous possible. Nous ne pouvons pas nous permettre de semer la panique. En attendant, il faut faire comme les canards.

— Faire comme les canards ? ai-je lancé.

— Il faut demeurer calme en apparence tout en ramant comme des fous sans que personne s'en aperçoive.

21

Il avait fallu deux jours pour mettre les détails au point, mais Herb et moi étions maintenant prêts à aller à la ferme des Peterson afin de discuter avec eux. J'avais parlé à Todd de notre projet de rendre visite à Lori et à sa famille et il avait insisté pour nous accompagner. Au fond, j'étais ravi qu'il vienne avec nous. La présence de mon ami me permettrait presque de croire que la situation était normale. C'était évidemment loin d'être le cas. Chaque matin, les hommes qui effectuaient les patrouilles signalaient que les choses allaient de plus en plus mal à l'extérieur des limites de notre quartier. Je savais qu'avant longtemps tous ces problèmes allaient nous submerger à notre tour.

La veille, à la suggestion de Herb et avec l'approbation de ma mère, Howie et Brett étaient allés passer la nuit à la ferme. Il y avait donc deux policiers de moins pour patrouiller dans le quartier alors que les choses empiraient de soir en soir, mais nous n'avions pas le choix. Si la ferme était prise par les pillards, le plan de Herb et le mien tombaient à l'eau.

Nous roulions sur la promenade Erin Mills. Au volant de l'Omega, je zigzaguais entre les voitures abandonnées sur la route.

— À mon avis, il faudra songer tôt ou tard à moissonner ces voitures, a déclaré Herb.

— « Moissonner » ? a demandé Todd.

— Leurs réservoirs contiennent de l'essence, et leurs pneus peuvent servir à faire de la chaleur. Il faudra bientôt mettre sur pied une équipe chargée de récupérer les ressources qui se trouvent ici.

— Je pourrais vous aider, a proposé Todd.

— J'aurais souhaité qu'il y ait moins de monde dans le quartier, a déclaré Herb.

— Mais est-ce qu'il n'est pas préférable qu'il y ait plus de gens ? ai-je lancé. Plus de gens pour assurer notre défense et participer aux travaux, vous comprenez ?

— Plus le nombre de personnes est élevé, plus les problèmes de communication, de coordination et de collaboration deviennent difficiles à gérer, a expliqué Herb.

— Vous parlez d'organiser les choses, de passer à l'action ? a dit Todd.

— Et de faire en sorte que les gens s'entendent entre eux. Les grands ensembles contribuent à créer une dynamique qui peut être problématique, voire dangereuse. Les gens commencent à se disputer entre eux à propos de ce qu'il faudrait faire, de la manière de procéder et de qui devrait effectuer le travail. Le nombre optimal est de moins de deux cents personnes, or nous sommes huit fois plus...

— Il y a de la circulation droit devant, l'ai-je interrompu en pointant le doigt vers le pare-brise.

On pouvait entendre le grondement d'un camion se dirigeant vers nous.

— Range-toi sur le côté, a ordonné Herb.

J'ai obtempéré. Herb a chargé le fusil de chasse qui était posé sur ses genoux. J'ai sorti mon pistolet et l'ai mis sur mes cuisses.

— Je pense toujours que je devrais avoir une arme à feu, a déclaré Todd.

— Et t'es toujours le seul à le penser, ai-je rétorqué.

Le camion a ralenti lui aussi et s'est dirigé vers l'autre côté de la route, franchissant la bordure du trottoir afin de rouler partiellement sur celui-ci. Il était évident que son conducteur désirait mettre autant de distance que possible entre lui et nous.

C'était un vieux camion de marchandises – encore plus ancien que ma voiture – dont le moteur rugissait et le pot d'échappement crachait une épaisse fumée. Trois hommes étaient assis dans l'habitacle et j'ai pu distinguer deux autres têtes qui dépassaient des panneaux de bois se trouvant à l'arrière. Ils nous ont observés aussi attentivement et avec autant de méfiance que, nous, nous les avons examinés.

J'ai poussé un soupir de soulagement lorsqu'ils ont poursuivi leur route.

— Allons-y, m'a enjoint Herb.

J'ai démarré et j'ai accéléré tout en les regardant s'éloigner dans mon rétroviseur jusqu'à disparaître complètement.

— Pensez-vous qu'ils étaient armés? ai-je demandé à Herb.

— Ils ne seraient pas ici si ce n'était pas le cas. Tu dois t'attendre à ce que tous ceux que nous rencontrons soient armés et constituent une menace potentielle.

— J'ai remarqué qu'il y a beaucoup plus de vieux véhicules sur la route ces derniers jours, a dit Todd.

— Je pense que les gens les prennent dans les cimetières d'autos et les remettent en circulation.

— Si on pouvait remettre suffisamment de vieilles bagnoles en état de marche, on pourrait recommencer à transporter... de la nourriture et des marchandises, par exemple, ai-je suggéré.

— On peut espérer que ce serait un petit pas vers la reprise des services de livraison de pizzas à domicile, a ajouté Todd.

Je n'ai pu m'empêcher de rire.

— Ce serait bien d'avoir de la pizza, a fait Herb. Mais ça voudrait aussi dire que plus de gens seraient en mesure de venir attaquer notre quartier.

Je n'avais pas pensé à ça. Il y avait tellement de choses auxquelles je n'avais pas pensé !

— J'ai entendu dire qu'une cinquantaine de personnes faisaient partie du groupe qui a attaqué le quartier quand monsieur Smith a été tué, a déclaré Todd.

— Ils étaient moins de cinquante, fiston, beaucoup moins, a répondu Herb. Arrête-toi ici, tu veux bien ? Est-ce que tu vois les voitures qui sont devant nous ?

— Je vois beaucoup de voitures abandonnées.

Certaines avaient été renversées sur le côté.

— Il ne s'agit pas simplement de voitures abandonnées. Elles ont été déplacées de manière à bloquer la route.

— Ça ressemble à un poste de contrôle.

— Ça ressemble effectivement à un poste de contrôle, a confirmé Herb.

Il nous a demandé de ne pas bouger et d'attendre son signal.

— Si je vous fais signe de décamper, a-t-il conclu, filez vite à la maison.

Avant que j'aie pu dire quoi que ce soit, Herb s'est précipité hors de la voiture et s'est mis à marcher en direction du barrage.

— Est-ce que je devrais y aller aussi ? a demandé Todd.

— À mon avis, c'est plus sûr si tu restes ici.

— Mais il pourrait avoir besoin de moi.

— Je voulais dire que c'est plus sûr pour *lui* si tu restes ici. Il a son fusil de chasse.

— Tu sais comment t'y prendre pour donner confiance à quelqu'un, toi.

Herb s'est avancé jusqu'à la ligne formée par les voitures abandonnées. Devant lui, son fusil ouvrait la marche ; il le balançait légèrement d'un côté à l'autre tout en marchant.

— Vois-tu quelqu'un ? a fait Todd.

— Rien.

Herb a disparu derrière la première voiture et j'ai retenu mon souffle. Qu'étions-nous censés faire s'il ne reparaissait pas ? Devrions-nous partir ou devrais-je aller le...

C'est à ce moment qu'il est revenu dans mon champ de vision et m'a fait signe d'avancer. Il y avait un passage entre les voitures et je m'y suis faufilé. Herb m'a fait signe de m'arrêter, puis il est monté. Je me suis éloigné rapidement.

— Je présume que ce poste de contrôle sert uniquement la nuit, a expliqué Herb.

— Qui l'a installé là ? a lancé Todd.

— Probablement des gens du coin qui font tout simplement comme nous pour assurer leur protection.

— Mais il y a toujours des gens à tous nos postes de contrôle. Jour et nuit.

Herb a présumé que les gens qui avaient déplacé les voitures n'étaient pas assez nombreux ou n'avaient pas assez d'armes pour surveiller le poste de contrôle vingt-quatre heures sur vingt-quatre. Je m'en fichais. J'étais ravi de l'avoir dépassé.

Nous sommes arrivés rapidement à l'autoroute, qui était située à la lisière séparant nos banlieues et le début de la campagne. Le grand air m'a fait du bien ; j'avais l'impression de respirer de nouveau. Et si nous déménagions ici ? Est-ce que les champs et la distance nous procureraient un peu plus de protection, comme Herb l'affirmait ? Peut-être serait-il préférable d'agir comme il l'avait suggéré, après tout.

* * *

Au bout de quelques kilomètres, nous avons atteint l'entrée de la ferme. J'ai ralenti, tourné dans l'allée et freiné brusquement. Il y avait un homme étendu sur le ventre en travers du chemin.

— Baissez-vous ! nous a crié Herb.

Il a ouvert la portière, a sauté par terre en se courbant et s'est élancé vers le petit bois situé sur le côté de l'allée.

Après une minute ou deux, il a appelé Todd.

Ce dernier est sorti à son tour et a couru le rejoindre.

— Adam, couvre-nous, m'a ordonné Herb après un moment.

Avant même que j'aie pu songer à dire quoi que ce soit, Herb s'est levé, son fusil de chasse devant lui. Todd a entrepris de le suivre en se déplaçant au ras du sol, les gravillons crissant sous ses pieds. Se mouvoir silencieusement n'avait jamais été un de ses points forts. J'ai pointé le canon de mon arme à travers la vitre baissée. Qu'étais-je censé viser au juste ?

Herb s'est dirigé vers l'homme couché la face contre terre dans la poussière, pointant tantôt son fusil sur le corps immobile, le déployant tantôt en éventail en direction des buissons situés des deux côtés.

— Voyons un peu de quoi il a l'air, a-t-il lancé à Todd en dirigeant de nouveau son arme vers le corps.

Sans hésiter, Todd a saisi l'homme par les épaules et l'a retourné sur le dos.

La moitié de son visage avait disparu ! Celui-ci était couvert de sang et défiguré, et une tache de couleur sombre couvrait le sol. De toute évidence, l'homme était mort.

— À présent, il faut le rouler dans le fossé afin de dégager la route, a dit Herb.

J'ai vu que Todd a eu une légère réaction de panique, mais cela ne l'a pas empêché d'agir. Il a tourné et retourné le cadavre à plusieurs reprises jusqu'à ce qu'il tombe dans le fossé en faisant un bruit sourd.

Herb a félicité Todd avant de lui intimer l'ordre de retourner à la voiture.

Todd a couru et a sauté dans l'auto ; je pouvais lire la peur dans ses yeux. Herb m'a fait signe de rouler et j'ai avancé lentement le long de l'allée, tandis que lui me précédait. Son fusil était de nouveau prêt à faire feu. Il le tenait à la hauteur de la poitrine, le balançant de droite à gauche tout en marchant.

— Il y en a un autre ! a murmuré Todd.

Un deuxième corps gisait dans le fossé longeant la route. Il avait une plaie béante sur le côté et je pouvais voir les mouches qui bourdonnaient tout autour. J'ai été pris d'un haut-le-cœur.

Était-ce là le genre de blessure que provoque un coup de fusil ?

Devant nous, un vieux camion à plateau dont le plancher était en bois se trouvait en travers du chemin, obstruant le passage. Les deux portières de l'habitacle étaient ouvertes et le panneau arrière du camion était abaissé. Un troisième corps gisait sur le sol, du côté de la porte du passager.

— Un fusil, là ! a hurlé Todd.

Herb a mis un genou par terre. J'ai cherché à découvrir où il se dissimulait, puis j'ai aperçu un canon qui dépassait au-dessus du capot du camion.

Le canon a disparu et Howie a fait un pas en avant ; il était en possession de l'arme en question. Herb s'est approché de lui et Howie l'a serré dans ses bras. J'ai avancé la voiture le plus possible, puis Todd et moi sommes descendus et les avons rejoints.

— Ils étaient des dizaines ! s'est écrié Howie. Ils ont com-mencé à nous tirer dessus et nous n'avons pas eu d'autre choix que de riposter. Ils se sont enfuis en abandonnant le camion.

— Est-ce que tout le monde va bien ? ai-je demandé d'un ton angoissé.

— Oui, oui, nous sommes tous sains et saufs.

— Où sont les autres en ce moment ?

— Les Peterson sont chez eux et Brett couvre l'arrière de la maison, histoire de s'assurer que le feu ne se rallume pas.

— Le feu ? a fait Herb.

— Ils ont mis le feu au hangar qui est derrière la grange dans le but de faire diversion. L'incendie s'est propagé à la grange, mais nous avons eu de la chance, nous avons réussi à l'éteindre. C'est incroyable, tout ce que la recrue a fait.

— Il a eu des problèmes ? a présumé Herb.

— Non, a répondu Howie en secouant la tête. Il a *réglé* les problèmes. Il a pris les choses en main. Je ne sais pas si nous serions encore vivants s'il n'avait pas été là.

— On ne sait jamais comment les gens vont réagir tant qu'ils ne se retrouvent pas dans le feu de l'action, a commenté Herb. J'ai déjà vu des gens que je croyais être des meneurs se dégonfler.

— J'ai fait du mieux que j'ai pu, a déclaré Howie. Mais j'avais vraiment peur. J'étais presque paralysé au début.

— Il faudrait être idiot pour ne pas avoir peur, a lancé Herb. Savez-vous de quoi les gens ont le plus peur en pareille circonstance ? Ce n'est pas de se faire tuer, mais d'avoir à tuer quelqu'un.

— Je ne pense pas avoir abattu quelqu'un.

— Mais nous avons vu au moins trois cadavres, ai-je affirmé, regrettant aussitôt d'avoir prononcé ces paroles.

— C'est Brett. Je pense qu'il les a tous abattus.

— Je vais lui parler et m'assurer qu'il va bien, a dit Herb.

— Vous n'aurez pas à attendre longtemps, a répliqué Howie. Le voilà.

Brett arrivait de la ferme, un fusil ouvert sur le bras. Il nous a fait un petit signe et s'est approché de nous avec un grand sourire.

— Howie m'a dit que tu t'es très bien débrouillé la nuit dernière, l'a félicité Herb en lui serrant la main.

— J'ai simplement fait mon travail.

— Ce n'est jamais facile d'enlever la vie à quelqu'un.

— Mieux vaut enlever la vie à quelqu'un que de laisser quelqu'un vous enlever la vie.

— Quoi qu'il en soit, merci, a répondu Herb. À présent, j'ai besoin que tu ailles surveiller l'entrée.

Brett l'a salué et s'est dirigé vers le camion.

— Il a l'air de bien aller, ai-je commenté.

— Les gens réagissent de différentes manières à un événement traumatisant.

Nous avons pénétré dans la maison et les Peterson se sont précipités vers nous. Lori, qui était au bord des larmes, m'a entouré de ses bras et tout le monde s'est mis à parler en même temps.

— S'il vous plaît ! nous a interrompus Herb. Que diriez-vous si on s'assoyait pour discuter calmement ?

Il s'est assis à la table tandis que les Peterson prenaient place en face de lui. Howie s'est également assis. Je me suis placé légèrement à l'écart, essayant de me faire discret, de m'effacer. Herb m'a regardé, a tiré la chaise encore libre qui était à côté de lui et m'a fait signe de me joindre à eux, ce que j'ai fait.

— Dites-moi simplement ce qui s'est passé, a déclaré Herb.

— Ils étaient toute une troupe, toute une bande, a raconté monsieur Peterson. Je ne sais même pas combien ils étaient. Tout était tranquille jusque-là.

— J'étais simplement sortie avec ma mère pour apporter du café à tout le monde quand nous avons entendu le bruit d'un moteur, a précisé Lori.

— Le camion qui est là, a indiqué Herb.

— Ils nous sont tombés dessus en trombe, a enchaîné Howie. Certains sont même sortis des broussailles. C'était une attaque coordonnée. Ils sont arrivés rapidement, avec beaucoup d'armes, y compris des fusils.

— Ils ont aussitôt commencé à tirer, a repris madame Peterson. Les balles sifflaient dans tous les sens. Ma fille était au beau milieu de tout ça.

— J'ai entendu une balle siffler au-dessus de ma tête, a confirmé Lori.

— C'est un miracle qu'elle n'ait pas été tuée, a commenté monsieur Peterson.

— C'est un miracle que *personne* parmi nous n'ait été tué, a rectifié Howie. Heureusement que Brett était là.

— Je pense qu'il nous a sauvé la vie, a fait madame Peterson.

— Je *sais* qu'il nous a sauvé la vie, a affirmé Howie.

Monsieur Peterson a acquiescé, puis a ajouté :

— J'ai peur pour ce soir. C'est pourquoi il faut que vous emmeniez ma femme et ma fille quand vous allez rentrer tout à l'heure.

— Nous emmener ? a rétorqué madame Peterson. Et toi ?

— Je dois rester pour protéger la maison, a-t-il répondu avant de se tourner vers Herb. Est-ce que je pourrais avoir quelques hommes en plus pour m'aider à défendre la ferme ? Je pourrais leur offrir le gîte et le couvert.

— Nous ne pouvons pas mettre d'autres hommes à votre disposition, a dit Herb. Nous avons besoin d'eux pour assurer la sécurité de notre quartier.

— Ouais, je comprends, a déclaré Stan. J'aurais préféré qu'ils soient ici pour protéger ma famille. Mais elles peuvent partir avec vous, non ?

Madame Peterson s'est mise à protester, de même que Lori, mais monsieur Peterson leur a enjoint de se taire.

— Elles sont les bienvenues chez moi, a proposé Herb. Je vous donne ma parole que je vais veiller personnellement à leur sécurité et à leur bien-être.

— Il n'est pas question que je parte sans toi, a insisté Lori.

— Vous allez faire ce qu'on vous dit et, nous, nous allons faire ce que nous pouvons ici pour défendre la maison.

— Que diriez-vous de quitter la ferme et de venir avec votre famille ? a demandé Herb.

— Je ne peux pas faire ça, a répliqué monsieur Peterson. Qu'est-ce qui arriverait à mes animaux ?

— Nous souhaiterions que vous les ameniez tous et que vous emmeniez aussi votre tracteur, votre équipement, votre fil barbelé, vos semences et tout ce qui pourrait être utile.

— Vous ne comprenez pas. Mon père et mon grand-père sont nés dans cette maison. Je ne peux pas l'abandonner comme ça. Savez-vous ce qui se passerait si je n'étais pas là pour la défendre ?

— Elle serait envahie et pillée.

— Exactement !

— C'est pourtant ce qui va se produire en fin de compte, même si vous restez ici pour essayer de la défendre, a soutenu Herb.

— Nous l'avons défendue hier soir et nous pouvons le faire encore, a rétorqué monsieur Peterson.

— Peut-être ce soir ou la nuit d'après, mais pas pour très longtemps, a assuré Herb. Vous devez partir.

— Vous n'êtes pas autorisé à m'ordonner de quitter ma propriété ! s'est écrié monsieur Peterson en se levant d'un bond.

— Vous avez raison, a convenu Herb. Je ne cherche pas à vous obliger à partir. Je vous offre simplement l'occasion de nous accompagner, vous et votre famille, là où vous serez en sécurité.

— J'ai l'intention de rester ici. Donnez-moi juste quelques hommes de plus et nous pourrons nous défendre, j'en suis sûr.

— Je vous ai déjà dit qu'il n'est pas possible de mettre plus d'hommes à votre disposition.

Herb a fait une pause, et je sentais qu'il n'avait pas encore terminé.

— En fait, a-t-il poursuivi, je ne peux même pas permettre à ceux qui sont ici de rester.

— Vous allez les ramener ? a haleté monsieur Peterson.

— S'ils restent ici, ils vont mourir eux aussi. Je ne peux pas leur demander de sacrifier leur vie. Nous avons besoin d'eux pour défendre les gens du quartier, y compris votre famille bientôt. Vous devez venir avec nous.

— C'est ma maison, ma place est ici.

— Votre *place* est avec votre *famille*. Non seulement c'est trop dangereux pour votre famille de rester ici, mais c'est aussi trop dangereux pour tout le monde. Vous devez tous venir avec nous quand nous allons partir.

Le visage de monsieur Peterson était devenu blême. Il a pivoté sur lui-même et s'est mis à marcher lentement dans la pièce jusqu'au moment où il s'est immobilisé face à la fenêtre de devant. J'ai regardé au loin ce qu'il était en train de contempler. Devant nous, il y avait la ferme, un des côtés de la grange, le poulailler, un petit étang ainsi que les champs qui s'étendaient dans le lointain. Nous étions tous assis là à l'observer en silence. Finalement, il s'est retourné vers nous.

— Ma femme et ma fille vont partir avec vous. Vous pouvez prendre les animaux, tous les animaux, et sentez-vous libres d'emporter tout l'équipement dont vous pensez avoir besoin, mais moi je reste.

— Vous ne resterez pas longtemps, a déclaré Herb.

— Est-ce que vous me menacez de m'obliger à partir ?

— Non. Vous ne resterez pas *en vie* pendant longtemps. Les événements se produisent plus vite que je le pensais, la situation se détériore très rapidement. D'ici quelques jours, votre ferme sera envahie. Vous ne la sauverez pas en restant ici. Vous ne feriez que sacrifier votre vie.

— Mon père, mon grand-père et mon arrière-grand-père se sont battus pour ce coin de terre. Saviez-vous qu'ils sont tous enterrés sur cette propriété, là-bas, et qu'un jour je serai enterré ici moi aussi ?

— Ce jour-là va venir beaucoup plus tôt que vous le pensez, a dit Herb.

J'ai pu constater que tous les membres de la famille Peterson ont eu un mouvement de recul en entendant cette remarque. Madame Peterson a passé son bras autour de Lori, qui a de nouveau eu l'air d'être sur le point de pleurer.

— Mais je vais vous faire une promesse, Stan, a ajouté Herb. Je vais revenir et, si je réussis à retrouver votre corps, je vais l'enterrer sur la terre familiale.

Il s'est levé et s'est approché de l'agriculteur.

— Je respecte votre décision, sincèrement, a-t-il poursuivi. Sauf que votre départ d'ici n'est que temporaire. Ça va passer et, quand tout sera fini, vous reviendrez.

— Revenir vers quoi ?

— Vous reviendrez sur vos terres. Et vous ferez ce que vos ancêtres ont toujours fait : vous allez reconstruire et continuer à vivre.

— Je ne sais pas, a avoué Stan. Je ne sais pas.

— Monsieur Peterson, si vous permettez, est-ce que je peux ajouter quelque chose ? ai-je demandé.

— Vas-y, a-t-il répondu.

— Ce que Herb vous demande, ce n'est pas d'abandonner votre ferme, mais de sauver la vie de tous les habitants de notre quartier. Il y a des centaines de vie en jeu. Ce n'est pas seulement une question de sécurité ; il faut aussi pouvoir nourrir toutes ces bouches. Et la seule façon d'y arriver, c'est de transformer chaque jardin, chaque parc et chaque terrain de jeu en potager ou en pâturage.

— Penses-tu vraiment que vous pourrez transformer des jardins et des cours en terres agricoles capables de produire suffisamment de nourriture pour tout ce monde-là ? m'a lancé monsieur Peterson.

— Nous n'avons pas le choix. Nous devons essayer. Et nous avons besoin de quelqu'un qui puisse nous aider à le faire.

— Ce n'est pas seulement ta femme et ta fille qui ont besoin de toi, papa, a constaté Lori. Des tas de gens ont aussi besoin de toi.

Monsieur Peterson n'a pas répondu tout de suite. J'espérais que cela voulait dire qu'il était en train de réfléchir.

— Tu ne me laisses vraiment pas beaucoup de choix, pas vrai, mon garçon ?

— Je suis désolé, ai-je répondu en haussant les épaules.

— Tu n'as pas à être désolé, a-t-il objecté avant de se tourner vers Herb. Combien de jours avons-nous avant de devoir partir ?

— Ce n'est pas une question de jours mais d'heures.

— Mais c'est impossible !

— Et pourtant il le faut. Nous devons rentrer avant la nuit.

— Alors, je pense que nous ferions mieux de nous activer, a dit madame Peterson en se levant brusquement.

— Vous faites le bon choix, a conclu Herb en tendant à monsieur Peterson une main que ce dernier a saisie.

22

J'ai regardé ma montre avec impatience. Il était presque cinq heures de l'après-midi. Il nous restait trois heures avant le coucher du soleil, mais, au rythme péniblement lent auquel nous allions, il nous faudrait beaucoup de temps pour parcourir les onze kilomètres nous séparant de notre but. Il nous fallait pourtant arriver avant la nuit, non seulement pour notre sécurité, mais également pour la sécurité de tout le quartier. Herb m'avait envoyé – en compagnie de Brett armé de son fusil – demander à ma mère la permission de mettre son plan à exécution. Elle avait accepté et dépêché dix personnes supplémentaires et deux véhicules à la ferme pour nous aider. D'ici à notre retour, le système de défense mis en place dans notre quartier serait soumis à une tension telle qu'il risquait d'atteindre le point de rupture. Ma mère avait dû priver d'autres zones de patrouilles et de policiers pour protéger notre quartier.

Je longeais l'allée de la ferme, examinant au passage les divers véhicules qui formaient notre petit convoi, notre petit cortège. En tête se trouvait la Chevrolet Chevy 1957 rouge vif du juge Roberts, conduite par le juge lui-même. Elle avait pris part à de nombreux défilés locaux, notamment à ceux du père Noël et à d'autres manifestations qui s'étaient tenues dans les petites villes des environs. Elle était chargée de conserves maison, de racines comestibles et d'ustensiles de cuisine. Herb devait s'asseoir sur le siège du passager et elle allait être flanquée de deux motos conduites par des agents armés.

Venait ensuite le tracteur, conduit par madame Peterson et auquel étaient accrochés trois chariots agricoles disposés de manière à constituer un petit train. Chaque chariot débordait de semences, d'outils, de clôtures et d'animaux, à savoir des poulets dans des cages et huit vaches qui occupaient tout un chariot à elles seules. Les y faire monter n'avait pas été un mince exploit, quelques-unes ne voulant pas grimper sur la rampe de chargement et se retrouver confinées dans cet enclos mobile. Le sergent Evans et l'agent O'Malley, équipés de fusils, avaient déjà pris place dans les deux chariots de devant.

Derrière se trouvait un charrette tirée par trois chevaux que monsieur Peterson devait conduire et qui était chargée de matériel agricole, dont une génératrice et d'autres équipements électriques et techniques.

Ma voiture était la suivante dans la file d'attente. Mon coffre et la banquette arrière avaient été remplis avec des articles provenant de la maison des Peterson : des vêtements, des tableaux et quelques souvenirs qui avaient une grande valeur à leurs yeux. Todd et Lori étaient mes passagers.

Il y avait encore une auto derrière la mienne : la Camaro de monsieur Langston, qui était lui-même au volant. Enfin venait le camion à plateau abandonné, où on avait chargé le matériel agricole restant et où étaient montés d'autres hommes armés, qui étaient plus nombreux que partout ailleurs dans le convoi. Herb avait insisté sur le fait que ce point devait être le mieux protégé parce qu'il était le plus susceptible d'être attaqué. Il avait ajouté que nous devions être comme un scorpion dont l'aiguillon situé au bout de la queue devait contenir beaucoup de venin. Howie et Brett étaient tous deux dans ce dernier camion.

Herb a aboyé des ordres, des instructions et des directives de dernière minute. Personne ne songeait à contester ses décisions. Je présume que les gens commençaient à s'habituer au fait non seulement qu'il était en charge des opérations, mais qu'il avait raison. À mesure que la situation devenait de plus en plus dangereuse et risquée, il était rassurant de savoir que quelqu'un était capable de prendre des initiatives.

Herb souhaitait se mettre en route, je le sentais, mais il se montrait néanmoins patient à l'endroit des Peterson, qui s'affairaient à des détails de dernière minute avant de quitter leur maison. Comment me serais-je senti si j'avais dû dire adieu à mon lieu de résidence?

Tous les trois se tenaient sur le seuil de leur maison. Ils laissaient derrière eux la plupart de leurs biens. Beaucoup d'autres choses avaient été dissimulées dans la grange. La cave à légumes avait été remplie d'objets, puis la trappe et la zone située tout autour avaient été recouvertes de quinze centimètres de terre, dans l'espoir qu'aucun envahisseur ne parviendrait à la découvrir.

Je voyais bien que Herb était vraiment impatient de partir; cependant, il s'efforçait de laisser aux Peterson autant de temps que possible.

— Vous avez fait cela auparavant, n'est-ce pas? lui ai-je demandé.

— Fait quoi?

— Organisé un convoi.

Il a levé deux doigts.

— À deux reprises, j'ai dû envoyer les membres de l'ambassade avec leurs employés de soutien et leurs familles dans un autre pays.

— Pour quelle raison?

— Pour fuir la guerre, des troubles civils. Ce n'était pas très différent de ce qui se passe ici en ce moment. L'insécurité est apparue à la suite de l'effondrement du gouvernement, avec comme conséquence l'interruption des services de base.

J'ai levé les yeux et vu que les Peterson se dirigeaient vers nous. Madame Peterson et Lori pleuraient toutes les deux. Monsieur Peterson, lui, semblait faire des efforts pour refouler ses larmes.

— Puis-je avoir l'attention de tout le monde, s'il vous plaît ! s'est écrié Herb.

Les hommes qui se trouvaient dans les charrettes à foin se sont déplacés vers les côtés pour être plus près de nous, et tous les autres se sont approchés de manière à former un cercle autour de nous.

— Je veux que vous sachiez à quel point je suis content que vous soyez ici avec nous, a commencé Herb. Je suis convaincu que cette opération sera un *succès*.

Il est resté silencieux pendant que les gens souriaient en secouant la tête, puis il a repris :

— Mais je sais que nous allons attirer beaucoup l'attention, ce qui pourrait aussi nous attirer des ennuis. Nous possédons beaucoup de biens dont les gens ont besoin ou envie, et il se peut qu'ils décident d'essayer de s'en emparer. Cependant, nous n'allons pas les laisser faire. Nous ne serons pas les premiers à avoir recours à la force, mais nous allons répondre à la force par une force encore plus grande si nécessaire. Nous allons vaincre toute action agressive par une réaction encore plus agressive. Mais le plus important à savoir, c'est que nous allons faire face *ensemble* aux difficultés qui sont susceptibles de se présenter. Au début, au milieu et à la fin de cette expédition, nous allons former une seule unité. Nous devons agir tous ensemble.

Il y a de nouveau eu des hochements de tête et des murmures d'acquiescement. Cela m'a rappelé les discours d'encouragement que les entraîneurs adressent à leurs joueurs avant un match. Combien de fois avais-je eu droit, en tant que joueur, à ce genre de discours avant un match important ? Toutes ces métaphores que les entraîneurs utilisaient – «vaincre ou mourir», «question de vie ou de mort», «c'est la guerre», «pas de quartier», etc. – prenaient maintenant tout leur sens. Du moins en théorie. Car peut-être tout ceci ne serait-il rien de plus qu'une lente promenade nous permettant de passer de la campagne à notre quartier. C'était du moins ce que j'espérais.

— Les gens qui se trouvent à l'arrière, assurez-vous de ne pas vous laisser distancer. Nous devons rester groupés. Rappelez-vous les signaux, a recommandé Herb en pointant le doigt vers moi.

Je m'en souvenais. Un coup de klaxon voulait dire «ralentir». Deux coups signifiaient «danger éventuel». En cas de son prolongé, tout le convoi devait s'arrêter ; nous devions alors nous mettre à l'abri et attendre les instructions.

— À présent, allons-y et restons sur nos gardes, a lancé Herb.

Aussitôt, tout le monde s'est activé. J'ai ouvert ma portière pour laisser entrer Lori. Todd est monté à sa suite. Il m'a fait un sourire forcé. Il était assez intelligent pour avoir peur, mais aussi assez courageux pour ne pas le montrer.

Tous les moteurs se sont mis à rugir autour de moi pendant que je m'installais au volant. J'ai tourné la clé de contact et mon moteur a toussoté, puis il s'est arrêté. J'ai appuyé sur l'accélérateur à plusieurs reprises dans l'espoir qu'un peu d'essence arrive au carburateur, mais je craignais de noyer le moteur à force de trop insister. J'ai essayé de nouveau, mais il ne voulait toujours pas se mettre en marche. Qu'arriverait-il si ma pire crainte se réalisait et qu'il s'obstinait à refuser de démarrer. Me faudrait-il abandonner ma voiture sur place ou... ?

C'est à ce moment-là qu'il a poussé un rugissement et a enfin démarré. J'ai soupiré de soulagement. La charrette placée devant moi a commencé à avancer et je l'ai suivie lentement, non sans que ma voiture soit prise de légers soubresauts le long de l'allée.

— Je suis navré, ai-je déclaré à Lori.

— Moi aussi, a-t-elle répondu en s'efforçant de retenir ses larmes.

Je ne savais pas quoi dire. Il valait probablement mieux ne rien dire. Nous nous sommes engagés sur la route.

— J'aurais aimé avoir un éléphant avec nous, a affirmé Todd.

— Un éléphant? ai-je demandé.

— Ou deux. Dans tous les défilés, il y a obligatoirement un éléphant. Ou peut-être une petite voiture dans laquelle des clowns prennent place.

— J'ai déjà un clown dans ma voiture, ai-je rétorqué.

— Adam... Lori est ici... Ce n'est pas gentil de parler d'elle comme ça!

En dépit de tout, nous avons éclaté de rire tous les trois. Todd, le meilleur clown qui soit, avait su ajouter une petite note humoristique à cette situation difficile. Nous en avions tous bien besoin.

— Je voudrais te remercier, m'a dit Lori.

— Pour quelle raison?

— C'est grâce à toi si mon père nous accompagne. Il ne voulait pas venir, mais tu l'as convaincu.

— C'est Herb qui a fait le plus gros du boulot.

— Non, mon père nous a dit que c'était toi.

— Je suis sûr qu'il serait venu de toute façon.

— Tu ne pourrais pas la fermer et dire simplement : « Ça me fait plaisir » ? est intervenu Todd.

— Je suis sûr que si je me taisais, je ne pourrais plus rien dire.

— Merci aussi pour ton accueil, a ajouté Lori en se mettant à rire. Je suis tellement contente que tu sois là.

— Je peux sortir et marcher si vous voulez être seuls, a suggéré Todd.

Au moins, son intervention m'avait permis de retrouver le fil de mes pensées.

— Personne ne te demande de sortir et de marcher, encore que... tu pourrais grimper dans un des chariots avec le reste du bétail, lui ai-je proposé.

— Je le saurai la prochaine fois. Personne ne pourra dire que j'ai été un obstacle à l'amour.

Soudain, tout le monde s'est tu. Il était difficile d'imaginer que quoi que ce soit aurait pu rendre ce voyage plus inconfortable, mais nous y étions arrivés.

— Tout ça est tellement difficile à croire, a laissé tomber Lori, brisant enfin le silence.

— Je dirais plutôt que c'est impossible, a fait Todd.

— Le pire, ç'a été la nuit dernière, a-t-elle poursuivi.

— Ç'a dû être terrible. J'aurais aimé être là pour vous aider.

— Je suis tellement contente que Brett *ait été* là, a-t-elle répondu. Comme dans un film, il est arrivé en courant. Tout en tirant d'une main avec son arme, il m'a cueillie au passage avec l'autre main et m'a emportée pour me mettre en sécurité.

Génial, tout simplement génial.

— Tout le monde devrait s'estimer heureux qu'il soit là aujourd'hui, je présume.

— Je suis contente que nous partions pour un endroit plus sûr. Pensez-vous que je vais avoir une maison où revenir quand tout ça sera fini? a lancé Lori après être de nouveau restée silencieuse pendant un certain temps.

— Je l'ignore, mais au moins, toi, tu seras entourée de toute ta famille. J'aimerais tellement que mon père soit là!

— Je suis vraiment désolée, j'avais complètement oublié ton père.

— Je ne voulais pas te mettre mal à l'aise. Mon père va bien, j'en suis sûr. Je suis certain qu'il va rentrer à la maison.

Nous sommes passés par-dessus l'autoroute. À présent, cette ligne de démarcation semblait constituer quelque chose de plus inquiétant qu'une simple frontière entre la campagne et la banlieue. Cet endroit était devenu moins sûr. Mais, à bien y penser, avec tous les hommes et toute la puissance de feu dont nous disposions, qui aurait osé s'attaquer sérieusement à nous? Pourtant, avant la nuit précédente, aurais-je jamais pu imaginer qu'un plein camion d'hommes armés tenterait d'envahir la ferme des Peterson?

— Les choses ne se passent pas tout à fait comme je l'avais imaginé, a déclaré Lori.

— Et qu'est-ce que tu avais imaginé?

— Que toi et moi nous irions en balade quelque part ensemble.

— Et moi je n'aurais jamais imaginé que je serais votre chaperon à l'occasion de votre premier rendez-vous, a commenté Todd.

— Pour commencer, Todd, tais-toi, Ensuite, c'est loin d'être un rendez-vous, ai-je répliqué.

— Mais as-tu déjà pensé à sortir avec moi? a demandé Lori.

— J'y ai pensé une ou deux fois, ai-je admis. Une fois ou deux fois par jour pendant deux ans.

— Seulement une ou deux fois ? m'a lancé Todd. OK, OK, je sais : « La ferme, Todd. »

— Alors, pourquoi est-ce que tu n'as jamais fait plus que d'y penser ? a insisté Lori.

— Il m'a toujours semblé que tu sortais avec quelqu'un d'autre.

— T'es-tu déjà demandé comment Chad s'y prenait ? a fait Todd.

Je l'ai regardé d'un sale œil.

— D'accord, je me la ferme pour de bon, cette fois, a-t-il ajouté. Promis.

— Si je suis sortie avec d'autres, c'est parce qu'ils m'ont demandé de sortir avec eux. Étais-je censée attendre que tu trouves le courage d'en faire autant ?

— Non, mais c'est que...

J'ai freiné brusquement, car la charrette qui se trouvait devant moi s'était arrêtée.

— Qu'est-ce qui se passe ? a dit Lori. Quel est le problème ?

— Probablement rien.

Mais il y avait peut-être quelque chose.

J'ai mis le frein à main. Dans mon rétroviseur, j'ai vu quelqu'un descendre de l'arrière du camion. C'était Brett, fusil de chasse à la main, qui se dirigeait vers l'avant. Arrivé au niveau de la fenêtre ouverte de ma voiture, il a hésité un court instant.

— Je vais voir ce qui se passe, a-t-il affirmé.

Il jouait les super-héros pendant que je restais assis là à attendre, à me cacher dans ma voiture, pour ainsi dire.

— Mets-toi à ma place et prends le volant, ai-je ordonné à Lori. Je vais aller aux nouvelles, moi aussi.

Je suis descendu et me suis précipité derrière Brett, que j'ai rattrapé au moment où il rejoignait Herb, lequel se tenait devant la première voiture. Howie est arrivé par-derrière. Devant nous se trouvait le barrage où j'étais passé à trois reprises plus tôt dans la journée. Cette fois, il était occupé. Je pouvais apercevoir quelques têtes derrière les voitures et j'ai même cru distinguer des canons de fusils. Soudain, je me suis senti vulnérable. Peut-être aurait-il mieux valu que je reste dans la voiture.

— Il n'y avait personne avant, même quand nous sommes revenus à la ferme avec les hommes supplémentaires, ai-je fait remarquer.

— Ils n'ont pas l'air très nombreux, a déclaré Brett.

— J'ignore combien ils *sont*, a répliqué Herb, je sais seulement combien j'en vois.

— Écoutez, nous avons certainement plus de puissance de feu. Nous pouvons les attaquer, a soutenu Brett.

— Pas sans faire de victimes, a prévenu Herb. Je vais essayer de négocier et de trouver un moyen de passer.

— Est-ce qu'il ne serait pas mieux de passer ailleurs ? Ce chemin-là est libre, a dit Howie en pointant le doigt vers une route transversale.

— Nous ne savons pas ce qu'il y a là-bas, à part le fait que la route est moins large et que les habitations sont plus rapprochées les unes des autres, a répondu Herb. Il peut s'agir d'un piège dans lequel ce barrage voudrait nous faire tomber. Du reste, nous n'avons pas beaucoup de temps devant nous. Nous devons être rentrés avant la nuit. Je vais leur parler.

— Vous ne devriez pas y aller seul, a insisté Howie.

— Je ne serai pas seul. Adam va m'accompagner.

— Vous voulez emmener le gamin à ma place ou à la place de Howie ? a demandé Brett.

Je ne pouvais m'empêcher d'être d'accord avec lui : pourquoi moi ?

— Le fait de dépêcher une délégation composée d'un vieil homme et d'un enfant aide à désamorcer les tensions. C'est notre meilleure option. Si un problème survient, faites demi-tour avec ce petit cirque ambulant et courez vite vous mettre à l'abri.

— Et vous deux ?

— Ne vous occupez pas de nous. Si les choses tournent mal, vous ne pourrez rien pour nous. Howie, je veux que vous restiez ici, mais, avant, faites savoir aux autres ce que nous allons faire. Brett, tu vas aller sécuriser l'arrière du convoi.

— Je n'ai pas l'intention de fuir le danger, a riposté Brett.

— Je ne te parle pas de fuir. Si ce barrage a été installé dans le but de nous stopper, nous pourrions être attaqués par-derrière. Si c'est le cas, je compte sur toi pour t'en occuper. Compris ?

— Compris.

Une fois seul avec moi, Herb m'a prié de retourner sur mes pas et de laisser mon pistolet dans la voiture. Lorsque j'ai protesté en disant que le moment semblait particulièrement mal choisi pour se départir d'une arme, il m'a promis que nous allions nous en sortir en parlementant.

— La pire chose à faire serait de les affoler, a-t-il expliqué.

J'ai couru le long de la file de véhicules et j'ai sorti mon pistolet en arrivant à ma voiture.

— Tiens, prends ça, ai-je lancé à Lori en le lui remettant avant d'aller retrouver Herb.

— Allons-y, a-t-il dit.

Il a mis les mains en l'air et s'est mis en marche ; j'en ai fait autant.

Nous marchions lentement. Alors que nous approchions du poste de contrôle, j'ai commencé à compter. Il était gardé par six hommes, dont au moins trois avaient des fusils.

— Tu vas simplement écouter et hocher la tête, a précisé Herb. Tu dois te montrer d'accord avec tout ce que je vais dire.

— Je n'avais pas l'intention de commencer à me disputer avec qui que ce soit.

— Moi non plus, mais si des problèmes surgissent, si jamais il y a une fusillade, couche-toi par terre.

Il s'est arrêté et j'en ai fait autant.

— Nous n'avons pas d'armes ! a crié Herb. Est-ce qu'on peut venir discuter ?

— Enlevez vos vestons et vos chemises ! a vociféré un homme à son tour.

Cela m'a étonné. Herb a enlevé son blouson et l'a laissé tomber sur la chaussée, puis il a commencé à déboutonner sa chemise. J'ai fait passer la mienne par-dessus ma tête. Debout à mes côtés, Herb avait l'air vieux, presque fragile, et, moi-même, je me sentais faible et vulnérable. Pourquoi Herb m'avait-il emmené avec lui ? Pourquoi avais-je accepté de l'accompagner ?

— Très bien, vous pouvez venir ! a crié un homme.

Nous avons levé les mains en l'air de nouveau. Je pouvais sentir la sueur couler le long de mon dos. Nous nous sommes arrêtés devant la première voiture. Deux hommes se sont approchés, leurs fusils pointés directement sur nous.

— Est-ce que nous pourrions baisser les bras à présent ? a demandé Herb.

— On vous dira quand vous pourrez le faire, a aboyé l'un d'eux.

Il s'efforçait de paraître confiant, mais je me rendais bien compte qu'il avait peur. Herb avait raison.

— D'accord, pas de problème. J'ai l'habitude de suivre les ordres, sinon je ne serais pas ici, a répondu Herb. En passant, je m'appelle Herb. Et voici Adam.

Les deux inconnus se sont fait un signe de tête.

— D'accord, Herb et Adam, entrez là-dedans, a ordonné le type au ton hargneux.

Herb a obéi et j'ai trébuché en le suivant, tandis qu'on nous escortait derrière la barricade. J'avais l'impression d'avoir les pieds lestés de béton et la bouche sèche à cause de la peur. J'étais terrifié.

Il y avait cinq autres hommes debout derrière les voitures. Seuls les deux premiers avaient de vrais fusils. Un troisième type à l'apparence jeune tenait dans ses mains ce qui ressemblait à une carabine à plombs. Les quatre autres étaient tous armés de bâtons ou de couteaux. Deux d'entre eux montaient la garde et surveillaient notre caravane tandis que les autres nous observaient.

— Nous avons un message à vous transmettre, a déclaré Herb.

— On vous écoute.

— Nous sommes prêts à vous payer un droit de passage pour que vous nous laissiez continuer notre route.

— Qu'est-ce que vous nous offrez ?

— Nous avons huit vaches. Nous sommes prêts à vous en laisser une, a proposé Herb. Ça vous permettrait de nourrir pas mal de gens.

— Huit vaches nous permettraient de nous nourrir huit fois plus longtemps, a dit le compagnon du type hargneux.

— Personne ne va vous donner huit vaches, a répliqué Herb. Mais vous savez quoi ? Nous avons l'intention de passer par ici souvent au cours des prochaines semaines. Si on vous donne à chaque fois une vache, vous finiriez par avoir huit vaches sans que personne ait besoin de se tirer dessus. Qu'est-ce que vous en dites ?

— Je pense qu'il faut qu'on discute entre nous, a répondu celui qui nous interrogeait. Herb et Adam, vous ne bougez pas de là.

— Est-ce que nous pouvons baisser les bras et nous as-seoir ? a demandé Herb. S'il vous plaît ?

— Restez où vous êtes et...

— Laisse-les, l'a interrompu un type armé d'un couteau. Le vieux va probablement s'écrouler s'il ne s'assoit pas.

— Merci beaucoup, a fait Herb en baissant les bras et en s'effondrant sur un banc de pique-nique.

Je me suis assis sur le siège placé à côté de lui, puis j'ai bais-sé les bras à mon tour.

— Mais n'essayez pas de faire les malins ! a aboyé l'homme au couteau. On vous a à l'œil.

Ils se sont un peu éloignés et se sont rapprochés les uns des autres pour parler, tout en nous jetant un coup d'œil de temps en temps.

— Ça va ? m'a soufflé Herb.

— Ça pourrait aller mieux.

— Souviens-toi de ce que je t'ai dit : si jamais ça tourne mal, couche-toi par terre.

— Mais ça se présente plutôt bien, non ?

— Au contraire. Écoute.

J'ai tourné la tête pour essayer de comprendre ce que les hommes disaient, mais je ne pouvais saisir qu'un mot ou deux ici et là. J'ai haussé les épaules.

— Je n'arrive pas à distinguer leurs paroles, mais je n'aime pas le ton de leurs voix, a chuchoté Herb. Ils se disputent entre eux. Or, quand ce genre de chose se produit, c'est habituellement celui qui est le plus agressif qui l'emporte.

La discussion a pris fin et les hommes sont revenus vers nous. Du moins trois d'entre eux ont réapparu tandis que deux autres décampaient, y compris notre ami au couteau. Pourquoi fuyaient-ils ? Cela ne pouvait signifier qu'une chose : ils allaient chercher du renfort, ce qui ne présageait rien de bon.

— Levez-vous ! a ordonné leur porte-parole.

Je me suis mis debout immédiatement, mais Herb s'est levé lentement, en poussant un gémissement. Il a vacillé et je lui ai tendu la main pour le soutenir.

— Merci, a-t-il murmuré d'une voix faible, comme s'il était pris d'un malaise.

— Si vous voulez vivre, vous allez faire exactement ce qu'on vous dit.

— C'est d'accord, a répondu Herb. S'il vous plaît, ne nous faites pas de mal.

— On ne vous fera pas de mal si vous faites ce qu'on vous dit. Le jeune reste ici. Toi, tu vas aller faire signe à tes amis de passer par le chemin que nous allons leur indiquer.

— Et s'ils refusent ?

— Tu ferais mieux d'espérer qu'ils vont accepter. S'ils refusent, vous êtes morts tous les deux.

— Vous allez nous tuer ? a demandé Herb.

— Si nécessaire, a fait l'homme. Nous voulons toutes les vaches.

— Écoutez, ils ne vont certainement pas venir jusqu'ici pour vous donner ce que vous voulez. Ils ont des fusils et ils vont essayer de vous en empêcher, a expliqué Herb.

— Nous avons aussi des armes et la surprise joue en notre faveur, sans compter que vous êtes nos otages, ce qui nous donne un avantage sur vous.

— Ils vont résister. Des gens vont mourir, a ajouté Herb.

— Des gens vont mourir si nous n'avons pas assez de nourriture. Nous allons courir ce risque. Sors et fais-leur signe d'avancer.

— Je ne me sens pas bien, a dit Herb. Puis-je avoir un verre d'eau ou...

L'homme a poussé Herb.

— Grouille-toi ou tu vas te sentir encore plus mal !

— Je ne peux pas... mon cœur...

Herb a titubé et s'est plié en deux.

Je l'ai attrapé pour l'empêcher de tomber. Il fallait l'emmener chez le médecin, sinon...

Soudain, Herb s'est redressé et s'est retourné. Il tenait une arme dans la main ! Je n'avais aucune idée de l'endroit où il l'avait prise. Peut-être d'un étui à la cheville.

Le chef de la bande a commencé à redresser son fusil.

— Bouge encore d'un centimètre et t'es un homme mort ! a crié Herb.

L'homme est resté figé sur place. Ils ont tous arrêté de bouger.

— Lâchez vos armes, a ordonné Herb.

Personne n'a bronché. Notre ravisseur s'est éclairci la gorge avant de prendre la parole.

— Écoute, papy, nous sommes cinq et nous avons trois armes à feu. Tu ne peux pas espérer nous descendre tous avant qu'un de nous cinq t'abatte.

— C'est un pistolet automatique qui peut vider son chargeur en trois secondes. Les deux premiers coups sont pour toi, le troisième est pour l'homme à côté de toi qui tient la vingt-deux, ensuite je vais descendre le jeune homme qui a le fusil à plombs. Il aura peut-être le temps de m'atteindre avec un plomb ou deux avant, mais je peux vivre avec quelques trous dans la peau.

— Tu penses peut-être que tu nous fais peur ? a demandé l'homme au fusil de chasse.

— Si tu n'as pas peur, c'est que tu es stupide. En te tuant, je pourrais mettre fin à tes souffrances.

— Tu penses que tu serais capable de tuer quelqu'un ? a-t-il lancé.

Herb s'est mis à rire.

— Comment j'ai obtenu ces vaches, d'après toi ? On revient de dévaliser une ferme qui se trouve tout près d'ici, bande d'idiots. Ce sont *mes* vaches maintenant et le fait de tuer trois personnes de *plus* aujourd'hui ne va pas m'empêcher de dormir cette nuit. Tu veux me tester ? Allez, vas-y, lève ton fusil juste un peu et tu verras bien avec quelle rapidité tu vas mourir.

— Je dépose le mien, a annoncé l'autre tireur.

Il s'est penché et a posé son arme sur le sol. Le garçon au fusil à plombs en a fait autant.

— Il me reste juste une cible à présent, a déclaré Herb. Dépose le tien *maintenant* ou t'es un homme mort.

L'homme a grommelé, mais il a fini par obtempérer.

— Vous deux, déposez vos bâtons et venez ici aussi, a ordonné Herb.

Les deux hommes qui montaient la garde ont laissé tomber leurs armes et se sont approchés à contrecœur, en traînant les pieds.

— Et maintenant, reculez de quatre pas, lentement, en faisant en sorte que je puisse voir vos mains.

Ils ont obéi.

— À présent, enlevez *tous* vos vêtements.

— Quoi ?

— Enlevez tous vos vêtements, tout de suite.

— Il n'est pas question que j'ôte mon pantalon ! a réagi le chef de la bande sur un ton de défi.

— Tu préfères peut-être mourir ? l'a interrogé Herb. Je me fous que tu vives ou que tu meures, mais, toi, tu devrais t'en soucier.

— Je préfère mourir.

— Comme tu veux. Mais quand les balles commencent à siffler, on ne sait jamais qui d'autre pourrait être touché du même coup.

Herb s'est mis à faire tourner son pistolet de gauche à droite, pointant chaque homme tour à tour.

— Fais ce qu'il te dit ! a crié le plus jeune.

Ils ont tous commencé à se déshabiller rapidement. Bientôt, les cinq hommes se sont retrouvés nus comme des vers, tenus en échec qu'ils étaient par un vieil homme et un gamin qui, eux, ne portaient pas de chemise. La scène était pour le moins ridicule ; on se serait cru dans une partie de strip-poker qui aurait mal tourné.

— Et maintenant, vous allez pousser cette voiture pour que nos véhicules puissent passer.

Ils se sont précipités comme un seul homme sur l'une des voitures. L'un d'eux a sauté à l'intérieur, et les quatre autres l'ont poussée de manière à dégager un passage.

Herb m'a prié d'aller demander à la caravane d'avancer.

Je me suis échappé de la barricade et me suis retrouvé en zone libre, agitant les bras tout en courant.

— Venez, venez vite ! ai-je crié.

Au moment où la Chevy du juge Roberts s'est mise en branle, j'ai attrapé nos chemises et le blouson de Herb et je suis vite retourné au poste de contrôle. La voiture qui se trouvait au milieu avait été déplacée, laissant une brèche béante par laquelle nous allions pouvoir nous engouffrer.

— Et maintenant, déguerpissez ! a crié Herb à ses captifs nus.

— On peut y aller ? a demandé notre bourreau.

— Vous pouvez partir.

— Vous n'allez pas nous tirer dans le dos ?

— Si je devais vous tirer dessus, ce serait plus facile pour moi de le faire maintenant au lieu de tenter d'abattre cinq cibles mobiles. Partez avant que je change d'idée.

Ils ont tous hésité une fraction de seconde, puis ils ont détalé en se bousculant les uns les autres. Ils se sont enfuis à toute vitesse avant de disparaître derrière une clôture de leur quartier. Au même instant, la première voiture de notre convoi franchissait l'ouverture. Herb leur a fait signe d'avancer.

Je lui ai remis sa chemise et son blouson.

— Merci, a-t-il dit. À présent, prends ces fusils et monte dans ta voiture !

Lorsque mon Omega est arrivée avec Lori au volant, j'ai sauté du côté du passager et j'ai atterri sur le siège, les fusils sous mon bras. J'ai fermé la portière, qui a claqué en faisant un bruit sourd.

— Tu vas bien ? s'est écriée Lori.

— Oui, ça va.

— Qu'est-ce qui est arrivé à ta chemise ? a demandé Todd.

— Ils ont voulu nous attaquer, mais nous leur avons pris leurs armes.

J'ai soulevé les deux fusils comme s'il s'était agi de trophées.

— Ça ne m'explique toujours pas ce qui est arrivé à ta chemise, a dit Todd pendant que je remettais mon vêtement.

— Je suis tellement heureuse que tu sois sain et sauf, que nous soyons tous sains et saufs, a déclaré Lori. Veux-tu conduire ?

— Tu te débrouilles très bien. Je vais surveiller les environs, ai-je ajouté en prenant un des fusils posés sur le plancher.

Ce que je ne lui ai pas spécifié, c'est que mes mains tremblaient encore tellement que je ne pensais pas qu'il aurait été sage pour moi de conduire à ce moment-là. Je me contenterais par conséquent d'être un simple passager. Enfin, avec un fusil de chasse entre les mains, j'étais désormais plus qu'un simple passager. J'étais devenu le garde armé qui escorte la diligence comme à l'époque du Far West.

23

C'était une nouvelle expérience pour moi que de me faire réveiller par un coq, mais celui-ci était bel et bien là, dans le jardin de Herb, en compagnie des poulets, de huit vaches, de trois chevaux et de monsieur Peterson.

J'étais dans notre cuisine, contemplant par la fenêtre la petite ferme qui se trouvait tout juste à côté de chez nous. Je songeais à aller saluer mes nouveaux voisins et à voir comment se portaient les animaux. Je pourrais dire bonjour à Lori par la même occasion. Mais il était seulement six heures du matin : c'était encore trop tôt. Néanmoins, je savais quoi faire pour tuer le temps. La nuit précédente, j'avais encore rêvé que je volais. Peut-être serais-je en mesure de faire davantage que de simplement rêver : je pouvais travailler à faire de ce rêve une réalité.

Je suis sorti par l'avant de la maison. Déjà des gens se rendaient au ruisseau ou en revenaient avec des récipients d'eau. Nous avions eu de la pluie pendant quelques jours d'affilée, de sorte que le niveau de l'eau avait augmenté. Le tracteur de monsieur Peterson, la charrette, les chariots et le camion à plateau étaient tous garés dans la rue, en face de la maison de Herb. Les animaux à l'arrière et les moyens de transport à l'avant : voilà qui donnait l'impression d'une symétrie parfaite.

J'ai ouvert la porte du garage. Là, sur le chariot, se trouvait mon ULM, les ailes gisant par terre à côté du fuselage, le moteur fixé à ce dernier mais toujours sans vie. Si papa avait été là, les ailes auraient été posées et nous aurions déjà effectué notre premier vol. L'appareil était presque prêt. Si mon père avait été là, il aurait été prêt.

Nous avions passé tellement de temps à construire cet avion que je le connaissais comme le dos de ma main. Bien entendu, il ne s'agissait pas uniquement de ce petit appareil. J'avais appris beaucoup de choses au sujet de l'aviation. Non seulement des techniques de vol, mais aussi l'aspect scientifique de la navigation aérienne. Lorsqu'on ne comprend pas les principes de l'aéronautique, on a l'impression que voler relève de la magie. Je me suis souvent demandé ce que les gens ont dû ressentir, au début des années 1900, en apercevant les premières machines volantes dans le ciel. Ils n'ont pas dû en croire leurs yeux parce que ce qu'ils voyaient était tout simplement incroyable. Je me suis mis à rire en pensant au Cessna que nous avions vu dans le ciel, l'autre jour : j'aurais juré alors que mes yeux me jouaient un tour. Il était redevenu extraordinaire de voir un avion voler parce que c'était une chose exceptionnelle. Si j'avais été là-haut dans le ciel en ce moment, ç'aurait été *magique*.

Ce qui aurait été encore plus magique, c'est que mon père ait l'ULM en sa possession. Il était possible de traverser tout le continent à bord d'un tel appareil. Quelqu'un l'avait déjà fait. Certes, les ULM n'étaient pas des engins rapides, mais, en douze heures, ils pouvaient franchir huit cents ou mille kilomètres d'une seule traite. Mon père n'aurait eu besoin que de quelques jours pour rentrer à la maison. Ou, si j'allais le chercher, je pourrais le ramener en cinq ou six jours.

Évidemment, ce n'était pas possible. Où aurais-je pu me procurer de l'essence ? Où aurais-je pu me poser ? Serais-je en mesure de naviguer aussi loin ? Et même si je parvenais à destination, comment ferais-je pour retrouver mon père ? Tout cela n'était guère plus qu'un fantasme.

— Bonjour.

Je me suis retourné. Lori était là devant moi, toute souriante.

— Bonjour. Tu es bien matinale.

— Je suis une fille de la campagne.

Elle est entrée dans le garage.

— Est-ce qu'il peut voler ?

— Dès que j'aurai fixé les ailes et fait quelques petits ajustements, il sera prêt à décoller.

— Ces avions sont des monoplaces d'habitude, non ?

— Habituellement, oui. Nous avons construit celui-ci de façon à pouvoir voler ensemble, mon père et moi.

— Je suis certaine que ça viendra un jour.

— Je l'espère. Nous avons passé des centaines d'heures à le bricoler. Quand je suis ici, ai-je poursuivi après avoir marqué une pause, j'ai l'impression qu'il suffirait que je me retourne pour qu'il soit derrière moi, prêt à me tendre une clé.

— Je pourrais te tendre une clé, mais j'aurais besoin de savoir si votre ULM utilise les normes SAE ou le système métrique.

— Métrique, en fait. Tu m'impressionnes.

— Comme je l'ai mentionné, j'ai été élevée dans une ferme.

Elle m'a fait un sourire qui m'a donné l'impression de flotter dans les airs sans que j'aie besoin d'appareil.

— Puisque ton ULM possède un siège supplémentaire, je pourrais peut-être te tenir compagnie là-haut.

— Je ne suis pas sûr que nos deux mères apprécieraient.

— Il suffit peut-être de ne rien leur dire... Dis-moi, est-ce que tu racontes toujours tout à ta mère ? a lancé Lori en caressant le châssis de l'appareil. Mais tu vas tâcher de le terminer, pas vrai ?

— J'en ai l'intention, mais...

— Bonjour, les enfants.

Nous avons tous les deux pivoté sur nos talons. Brett était là, en uniforme. Il a fait un grand sourire niais. Lori lui a rendu son sourire. Je me suis demandé si elle lui avait fait un plus grand sourire qu'à moi.

— C'est un petit jouet intéressant, Adam, a-t-il commenté après être entré dans le garage.

— Ce n'est pas un jouet, ai-je répliqué.

Brett a posé une main sur l'appareil. J'ai dû résister à l'envie de l'essuyer immédiatement. Cela n'avait pas été le cas lorsque Lori l'avait touché.

— Je construisais des modèles réduits quand j'étais gamin, a-t-il dit. Sauf que mes avions avaient des ailes.

— Mais ils ne pouvaient pas voler. Celui-ci le peut.

— Il *peut* voler ou il *va* voler ? m'a-t-il demandé.

— Il va voler et c'est moi qui vais le piloter, ai-je répondu sèchement.

— Ne compte pas sur moi pour m'envoler à bord d'un engin qui ressemble plus à une tondeuse à gazon qu'à un avion.

— Tu sais peut-être te servir d'une tondeuse à gazon, Brett, ai-je rétorqué en riant, mais tu ne pourrais pas piloter un ULM. Sauf si tu sais piloter un avion.

— Ce n'est pas le cas.

Soudain, Brett a paru nerveux. Cela m'a donné une idée.

— Hé, je pourrais t'emmener avec moi. C'est un biplace.

Il a fait un petit pas en arrière, comme s'il avait eu peur que je l'agrippe et que je m'envole avec lui.

— Il n'en est pas question ! C'est *moi* qui vais monter dans ton ULM, a protesté Lori. Tu m'as promis que je pourrais voler avec toi.

— C'est sans doute préférable, a reconnu Brett. À mon avis, la seule façon dont cet engin pourra voler, c'est en tombant de son chariot. Cela dit, a-t-il ajouté en s'étirant et en baillant, j'ai patrouillé toute la nuit. J'ai besoin de dormir. Je vais aller m'écraser sur le divan de Herb pour ne pas me faire réveiller par les jumeaux.

J'étais heureux de le voir s'éloigner. J'étais maintenant plus déterminé que jamais à faire le nécessaire pour que mon ULM soit en état de voler.

— Tu veux toujours m'aider ? ai-je demandé à Lori.

— Tu parles !

— Parfait ! On va le faire rouler à l'extérieur. Je veux lui fixer les ailes et peut-être même mettre le moteur en marche.

En guise de réponse, Lori m'a décoché un autre de ces sourires dont elle avait le secret. Elle m'a aidé à descendre l'appareil du chariot et à le poser sur ses roues, puis nous l'avons fait rouler devant l'entrée du garage.

— Il avait l'air beaucoup plus grand à l'intérieur du garage, a déclaré Lori.

— Attends que les ailes soient fixées.

Je suis retourné dans le garage, où j'ai pris une des ailes. Elle n'était pas lourde, mais elle était longue et encombrante. Je l'ai transportée avec précaution et déposée sur le sol, perpendiculairement au fuselage de l'appareil, à l'endroit où elle devait être fixée.

Je suis retourné prendre la deuxième aile, tout en souhaitant que mon père soit là. Dans les premiers jours de la catastrophe, je n'avais presque pas arrêté de penser à lui, mais ces pensées s'étaient envolées au cours de la dernière semaine. Peut-être était-ce mieux ainsi. Je me sentais mal quand je songeais à sa situation et je me sentais coupable quand je n'y songeais pas. Il n'y avait pas moyen de gagner à ce jeu-là : c'était plutôt une question de savoir quelle était la meilleure façon de perdre.

Je suis sorti avec la deuxième aile, mais, au lieu de la poser par terre, je l'ai placée contre le fuselage de l'appareil.

— Pourrais-tu m'aider ? ai-je demandé.

Lori a pris l'aile entre ses mains, supportant le poids suffisamment pour que je puisse en bouger l'extrémité jusqu'à ce que les boulons qui dépassaient s'insèrent dans les trous correspondants situés dans le fuselage.

— Très bien ! Maintenant, si tu peux la tenir ici, je vais mettre les écrous en place.

Elle a acquiescé. J'ai enlevé mes mains avec précaution et Lori a posé l'aile sur son épaule. J'ai sorti de ma poche des écrous et des rondelles, de même qu'une clé, et j'ai rapidement entrepris de les serrer jusqu'à ce que l'aile soit fixée solidement.

— Tu peux la lâcher maintenant.

Elle a retiré ses mains et l'aile est restée en place.

— Il ne reste plus qu'à fixer l'autre.

Avec l'aide de Lori, j'ai pris l'autre aile et l'ai mise en place. Je l'ai fixée avec autant de facilité que la première. Avec ses deux ailes, l'ULM était à présent plus large que l'entrée du garage.

— Maintenant, il ressemble à un avion, a dit Lori.

— C'*est* un avion, je te jure.

J'ai pris place sur le siège du pilote. Le deuxième siège était inoccupé, mais je pouvais presque sentir la présence de mon père à côté de moi.

Presque instinctivement, j'ai appuyé par inadvertance sur la commande d'alimentation en carburant. Je ne risquais rien à essayer de démarrer le moteur, histoire de m'assurer qu'il fonctionnait encore. Et d'impressionner Lori par la même occasion.

— Maintenant, éloigne-toi le plus possible, lui ai-je recommandé.

Elle a reculé jusqu'à la pelouse.

J'ai appuyé sur le bouton du démarreur, et le moteur s'est mis à rugir. Les pales de l'hélice ont fendu l'air, engendrant une brise qui a projeté les cheveux de Lori vers l'arrière. J'ai augmenté le régime, et l'appareil a avancé par saccades le long de l'allée. J'ai aussitôt décéléré tout en serrant les freins.

Le cœur battant, j'ai regardé par-dessus mon épaule. Je m'attendais presque à voir ma mère ou Herb arriver en courant afin de savoir quelle était la cause de ce vacarme. Seule Lori restait plantée là à applaudir et à jubiler. J'ai décidé de lui offrir un petit spectacle.

J'ai desserré les freins et remis les gaz tout en appuyant sur la pédale du frein gauche. L'appareil a recommencé à avancer lentement et la roue avant a quitté l'entrée et s'est engagée dans la rue, bientôt suivie par la roue arrière gauche, puis la droite. J'ai appuyé davantage sur les freins, de manière à le faire pivoter jusqu'au milieu de la rue, que j'ai alors commencé à remonter.

J'ai regardé par-dessus mon épaule, m'attendant encore une fois à voir ma mère me courir après, mais elle continuait de briller par son absence. Le bruit avait toutefois incité d'autres personnes à sortir de chez elles. Certaines m'ont fait des signes et crié des paroles que le moteur situé derrière moi m'empêchait d'entendre. Parvenu à l'extrémité de la rue, j'ai appuyé à fond sur le frein gauche afin de faire demi-tour. La route, complètement dégagée, s'étendait en ligne droite devant moi. L'envergure de mes ailes était de seulement huit mètres et demi ; tant et aussi longtemps que je restais au milieu, j'avais largement assez de place pour rouler dans cette rue déserte. Ce bout de piste était certes beaucoup trop court pour permettre à un Cessna de décoller, mais il était nettement suffisant pour un ULM.

Il me tardait d'être dans les airs. Mes cours de pilotage me manquaient. Mon père me manquait. Il ne pouvait y avoir d'endroit plus près de cette réalité qu'ici, tandis que j'étais aux commandes de mon appareil.

Faux. Il existait un moyen pour moi de m'en rapprocher encore davantage.

J'ai levé les pieds des freins et mis les gaz à fond. Le moteur a rugi de plus belle tandis que l'hélice a propulsé l'ULM en avant. Celui-ci a pris promptement de la vitesse. J'ai essayé de me concentrer sur le pilotage de l'appareil, mais je ne pouvais m'empêcher de voir la réaction de ceux qui observaient la scène. Ils applaudissaient, levaient les bras en l'air, agitaient les mains.

J'ai poussé au maximum la manette des gaz, et l'appareil s'est mis à dévaler la piste à toute allure, approchant de la vitesse de décollage. J'avais l'impression que les roues rasaient tout juste le dessus de l'asphalte. J'ai aperçu Lori brièvement sur le côté et, à cet instant précis, j'ai tiré sur le manche à balai et je me suis envolé!

J'étais dans les airs, et la sensation était extraordinaire, mais cela s'est aussi révélé être une grave erreur. *Qu'étais-je en train de faire?* Il fallait que je me pose au sol, mais il n'y avait plus assez d'espace pour atterrir. Devant moi, la route se terminait en cul-de-sac et une maison se trouvait directement sur mon chemin. Il n'y avait qu'une chose à faire. J'ai tiré encore plus fort sur le manche tout en actionnant la manette des gaz, et l'appareil a commencé à grimper rapidement.

En quelques secondes, j'ai survolé la maison et je me suis retrouvé au-dessus d'un champ, puis de l'autoroute, alors que les pylônes électriques pointaient à l'horizon. Qu'ils soient sous tension ou non, les fils électriques représentent toujours un danger pour n'importe quel aéronef. J'ai poussé le manche vers la gauche, en appuyant sur le gouvernail gauche avec mon pied gauche, et le petit appareil a réagi instantanément – presque trop, d'ailleurs. J'ai donc diminué l'intensité de ces deux manœuvres.

En virant sur l'aile, j'ai pu distinguer nettement l'autoroute, qui s'étirait en décrivant une longue courbe et qui traversait notre quartier en serpentant avant de disparaître au loin.

Pour pouvoir atterrir, je devais revenir en arrière et m'approcher de notre rue face au vent. Il me fallait décrire un grand cercle autour de notre quartier. Au-dessous de moi se trouvait le poste de contrôle situé au niveau de la promenade Erin Mills et je volais suffisamment bas pour voir les hommes qui y montaient la garde. Ils ont agité les bras et je les ai salués à mon tour. Puis, après avoir stabilisé l'appareil, j'ai longé la lisière du quartier. Il y avait encore plus de gens en bas et tous semblaient s'être immobilisés pour m'observer.

Je savais que j'aurais dû décrire un petit cercle et atterrir, mais je n'en avais pas envie. Qui plus est, j'étais certain qu'une fois que ma mère aurait vent de mon escapade, je n'aurais pas l'autorisation de voler de nouveau de sitôt. Or, cette sensation était *tellement* incroyable ! J'ai décidé de rester dans les airs encore un peu. Ma mère ne serait pas plus en colère si je m'absentais deux fois plus longtemps. Mon père comprendrait, lui. S'il avait été là, il aurait déjà été en train de m'encourager.

J'ai tiré sur le manche pour prendre de la hauteur, tandis que je virais sur l'aile tout en actionnant la manette des gaz afin de maintenir ma vitesse durant la montée. J'avais besoin de prendre de l'altitude. Plus je monterais, plus je serais en sécurité. De la sorte, si jamais le moteur calait, j'aurais plus de temps devant moi pour trouver un endroit approprié pour atterrir. C'était là un message que mon père n'avait cessé de me répéter : un pilote doit toujours avoir un plan de rechange, il doit toujours savoir anticiper. Curieusement, cela me rappelait fortement les propos de Herb.

Le fait de prendre de la hauteur comportait également d'autres avantages. Cela me permettait non seulement d'avoir une meilleure perspective, mais aussi d'accroître l'espace et la distance me séparant des êtres et des choses demeurés au sol. Ici, personne ne pouvait m'atteindre. J'ai stabilisé l'appareil lorsque l'altimètre a indiqué près de cent mètres. Je me trouvais à une bonne hauteur, mais je pouvais monter encore si nécessaire.

J'arrivais à distinguer les maisons et les rues des autres lotissements se trouvant en dessous de moi. La route principale était envahie par des voitures abandonnées. Tout avait l'air passablement normal, à ce détail près qu'on ne décelait presque aucun mouvement. C'était comme contempler un tableau représentant une scène de la vie quotidienne au lieu de contempler la vie telle qu'elle est. À cette hauteur, tout était calme et paisible. La distance pouvait être trompeuse.

J'ai continué à explorer les environs, suivant en sens inverse l'itinéraire que nous avions emprunté la veille par la route pour amener les Peterson dans notre quartier. Plus avant se trouvait la barricade où nous avions eu tous ces ennuis. J'ai constaté que les voitures avaient été remises en place, bloquant de nouveau complètement la route, mais je ne voyais personne.

J'ai dépassé l'autoroute et laissé les maisons derrière moi, puis j'ai mis le cap sur les champs et les bois qui se trouvaient en contrebas et qui arrivaient jusqu'aux fermes. Les jeunes pousses recouvraient les champs, qui avaient été cultivés avant les événements actuels. Cette fausse impression de normalité était une fois de plus si forte qu'elle en était presque insoutenable. J'aurais voulu que cette illusion soit réelle. Là-haut, pendant un moment, elle l'était. Je voulais rester ici et voler jusqu'à ce que mon réservoir soit à sec et... *Au fait, mon réservoir! Quelle quantité de carburant me restait-il?*

Comme je n'avais pas eu l'intention de voler, je n'avais pas fait les vérifications nécessaires ; je n'avais même pas vérifié le niveau d'essence. Je savais que mon père avait été le dernier à en mettre dans le réservoir. Lui et moi avions travaillé à résoudre les problèmes de synchronisation du moteur. Combien de temps nous avait-il fallu pour y arriver et, ce qui était encore plus important, quelle quantité de carburant avait-il mis dans le réservoir ? En supposant qu'il l'ait rempli complètement, tout irait pour le mieux, mais je n'avais aucun moyen de le savoir. Il n'y avait pas de jauge et il était impossible d'accéder au réservoir pendant le vol. Comment avais-je pu être assez stupide pour oublier de vérifier ? J'aurais pu simplement aller faire un tour dans les airs avant de ramener l'appareil au sol, mais je ne l'avais pas fait. Au lieu de cela, j'avais prolongé indûment la durée du vol.

J'ai incliné fortement l'appareil sur la droite jusqu'à ce que les six voies de l'avenue Eglinton se trouvent au-dessous de moi. La route pouvait me servir à la fois de guide et de piste d'atterrissage d'urgence en cas de besoin, quoique, vu la disposition des voitures en panne, je doutais d'avoir suffisamment d'espace pour pouvoir atterrir sans en heurter une. Dans tous les cas, il était préférable d'entrer en collision avec une voiture en étant au sol que de s'écraser sur une maison du haut des airs.

Je me suis efforcé de passer mentalement en revue les différentes options qui s'offraient à moi. Altitude élevée était synonyme de sécurité accrue si je devais manquer de carburant, car mes chances de pouvoir me rendre en vol plané jusqu'à un tronçon de route dégagé seraient alors meilleures. Mais monter plus haut m'obligerait à dépenser plus de carburant, augmentant ainsi la probabilité que j'aie besoin de trouver un endroit sûr où faire un atterrissage forcé. J'étais néanmoins certain d'une chose : plus la vitesse est grande, plus la consommation est élevée. Plus je volais lentement, plus je pourrais me rendre loin. J'ai décéléré tout en piquant légèrement du nez : ceci compensait cela, de sorte que je n'ai pas perdu de vitesse en dépit du fait que moins de carburant alimentait le moteur. Il suffisait simplement que la vitesse de l'appareil demeure supérieure à la vitesse de décrochage.

J'avais à présent une vue détaillée du sol qui défilait en bas. Des deux côtés de la route, maisons et magasins alternaient le long du parcours. Pendant une fraction de seconde, j'ai pu apercevoir des fenêtres brisées ou des portes défoncées. J'ai également vu plusieurs bâtiments incendiés. Il était impossible que tous aient pris feu par accident.

Je pouvais aussi noter la présence d'un tas de gens qui se mettaient à regarder autour d'eux en m'entendant venir, fixant parfois le ciel avant de se retourner pour m'apercevoir. Je volais si bas que je pouvais distinguer leurs visages. Ils me regardaient d'un air tantôt intrigué, tantôt amusé, mais toujours un peu surpris. Dans un monde où presque aucun engin mécanique ne fonctionnait, j'étais à bord d'une machine volante ! C'était probablement le seul objet en train de survoler toute la ville du haut des airs. À présent, il fallait que je puisse *rester* dans les airs.

Mais, encore là, il ne servirait probablement à rien d'essayer. Il valait sans doute mieux que je me pose pendant que je le pouvais encore. Si je parvenais à trouver un bout de route assez long, je serais en mesure d'atterrir, de courir jusqu'à mon quartier et de revenir avec ma voiture et un peu d'essence supplémentaire. Il ne me resterait qu'à espérer que mon avion soit toujours là et en un seul morceau. À condition, bien sûr, que nous soyons tous deux en un seul morceau après avoir atterri. J'ai tendu l'oreille pour m'assurer que le moteur tournait toujours. Il semblait être encore suffisamment alimenté en carburant. J'ai décidé de poursuivre mon périple.

Je craignais certes de m'écraser au sol, mais j'étais presque aussi inquiet de la réaction de ma mère. J'espérais simplement qu'elle ignorait toujours que j'étais ici. Mais il était franchement ridicule d'entretenir pareil espoir. J'avais décollé de notre rue, devant des dizaines de nos voisins, et j'avais envoyé la main à une foule d'autres personnes comme si j'avais été la reine d'Angleterre. Si ma mère n'était pas déjà au courant de mon escapade, elle le serait bien assez tôt et il me fallait songer à ce que j'allais lui dire. Mais pas maintenant. Pour l'heure, j'avais besoin de toute ma concentration. Le moteur avait-il soudain commencé à avoir des ratés? Étais-je presque à court d'essence? J'ai penché la tête sur le côté et j'ai tendu l'oreille. Le bruit du moteur paraissait normal, ou est-ce que je me trompais? J'ai actionné légèrement la manette des gaz afin d'élever le régime du moteur. Il semblait bien fonctionner.

La promenade Erin Mills est apparue en bas; je l'ai survolée et j'ai commencé à décrire une courbe au-dessus de notre quartier et à me diriger vers ma rue. J'ai accéléré encore un peu afin de compenser la perte de vitesse subie durant le virage. Je ne pouvais pas courir le risque de voir le moteur caler. Il serait indéniablement stupide de ma part de m'écraser faute de carburant, mais il serait vraiment trop stupide que je m'écrase pour m'être approché trop lentement.

Je pouvais distinguer les maisons individuelles devant moi, dont les deux bordant de chaque côté l'entrée de la rue – de ma piste d'atterrissage.

Immédiatement au-dessous de moi se trouvaient les maisons du lotissement situé tout juste au nord de notre quartier. L'appareil volait tellement bas que j'aurais presque pu effleurer leurs cheminées en m'étirant le bras. Puis j'ai survolé l'autoroute. Je touchais presque au but. Ma rue se trouvait tout juste devant moi. Même si le moteur tombait en panne maintenant, j'aurais toujours assez d'élan pour pouvoir au moins atterrir en catastrophe dans le quartier.

J'ai modifié ma trajectoire afin de tenir compte d'un léger vent de travers, de manière à maintenir le nez de l'appareil exactement au centre des maisons qui me servaient de balises. Désormais, il me suffisait tout simplement d'injecter encore quelques gouttes de potion magique dans le carburateur. Que dis-je? Même les vapeurs d'essence allaient me permettre de rentrer chez moi à partir de maintenant.

J'ai survolé le poste de contrôle à si basse altitude que je pouvais reconnaître les hommes qui y montaient la garde et voir, à l'expression de leurs visages, qu'ils étaient abasourdis. J'ai décéléré encore un peu, tout en m'assurant d'avoir assez de vitesse pour empêcher le moteur de caler. Cinq mètres... trois mètres. J'ai stabilisé l'appareil légèrement afin de survoler l'intersection et de me retrouver directement dans ma rue. Je pouvais apercevoir ma maison devant moi, ainsi que Lori, ma mère et Herb debout sur la pelouse.

J'ai détourné volontairement le regard afin de me consacrer entièrement à ma tâche, concentrant toute mon attention sur la route qui venait à ma rencontre. J'étais à moins de trois mètres du sol... à moins de deux mètres. Soit je me posais immédiatement, soit je dépassais l'extrémité de la rue et j'atterrissais sur la pelouse d'un voisin. J'ai tiré le manche doucement vers moi afin de relever le nez de l'appareil; les roues ont touché le sol et ont rebondi quelque peu avant de se poser pour de bon. J'ai décéléré et appuyé sur les freins.

— Allez ! ralentis, ralentis, ai-je crié à l'appareil.

Celui-ci a semblé m'écouter, puisqu'il s'est immobilisé alors qu'il restait l'équivalent de cinq maisons comme piste supplémentaire.

— Merci, ai-je lancé au petit avion avant de regarder vers le ciel. Merci à toi aussi.

J'allais actionner le coupe-circuit afin d'éteindre le moteur, mais, avant même que j'aie pu le toucher, le moteur s'est mis à toussoter et à avoir des ratés, puis il s'est arrêté tout seul. Cela ne pouvait signifier qu'une chose : j'étais en panne d'essence. J'ai défait ma ceinture de sécurité et suis descendu alors que ma mère, Lori, Herb et un tas de voisins se précipitaient vers moi. Je ne savais pas exactement ce que j'allais leur raconter, mais il était hors de question que je parle du réservoir vide.

24

— Tu n'aurais pas dû faire ça ! a tonné ma mère. Et tu le sais très bien.

J'ai acquiescé. Il était inutile de discuter. Elle avait raison. J'étais debout à côté de l'appareil, baissant les yeux, essayant de ne rien dire qui soit susceptible de la mettre davantage en colère et de m'embarrasser encore plus devant tous les voisins qui étaient témoins de la scène. Au même instant, j'ai vu les jumeaux se ruer hors de la maison en poussant des cris d'excitation.

— Je suis tellement en colère et en même temps tellement soulagée que je ne sais pas si je dois te punir ou te prendre dans mes bras.

— Je ne voulais pas te faire peur. Je ne pensais pas que...

— Tu as raison, tu n'as tout simplement pas pensé à ce que tu faisais ! a-t-elle grogné. Imagine si tu t'étais écrasé !

— Mais je ne me suis pas écrasé. L'ULM a volé, exactement comme papa et moi l'avions prévu.

— Et qu'est-ce que tu crois que ton père dirait s'il était ici en ce moment ? a-t-elle demandé.

— Il m'engueulerait, puis il me féliciterait... et ensuite il voudrait voler avec moi. Lui, il avait confiance dans notre appareil et il avait confiance en ma capacité de le piloter.

— *Moi*, j'ai confiance, a lancé Danny en s'immisçant dans la conversation. Est-ce que tu peux m'emmener avec toi ?

— Non, moi ! s'est écriée Rachel. Tu sais que je suis ta préférée et que...

— Il ne va emmener ni l'un ni l'autre avec lui, est intervenue notre mère en lui coupant la parole.

Elle a poussé un grand soupir avant de déclarer :

— Ce n'est pas que je n'ai pas confiance en toi, jeune homme...

Ma mère a fait une pause et j'ai attendu la suite avec angoisse.

— En fait, a-t-elle repris, je n'arrive pas à croire ce que je vais te demander. J'ai besoin que tu m'emmènes quelque part.

— Qu'est-ce que tu dis ?

— J'ai besoin que tu m'emmènes quelque part avec ton ULM.

— Et il pourra m'emmener ensuite ? a demandé Danny.

Elle l'a fusillé du regard.

— Hmmm, peut-être pas, a-t-il dit.

— Où veux-tu aller ?

— À l'autre poste de police.

J'étais tellement surpris que je n'ai rien répondu.

— Peux-tu le faire ?

— Euh... je pourrais t'y conduire en trente minutes, mais je ne sais pas s'il y a un endroit où je pourrais me poser.

— Je ne te demande pas d'atterrir. Je veux simplement voir ce qui se passe là-bas.

— Certaines rumeurs courent, Adam, s'est interposé Herb.

— Que voulez-vous dire ? a demandé Lori.

— Allons en discuter dans un endroit un peu plus tranquille, a murmuré ma mère. Danny, Rachel, je vous demanderais de surveiller l'ULM.

Elle s'est éloignée et Herb, Lori et moi l'avons suivie, abandonnant mon ULM – et les jumeaux – sur place. Elle s'est arrêtée une fois que nous avons été assez loin de la foule rassemblée autour de l'appareil.

— Je ne devrais pas en parler tant que l'information n'a pas été confirmée, a-t-elle déclaré. Je ne voudrais pas répandre de fausses rumeurs.

— Nous sommes entre nous, a affirmé Herb. Personne ici ne va répandre quelque information que ce soit.

Ma mère n'a pas répondu tout de suite. Puis elle a soupiré.

— J'ai entendu dire qu'il n'est plus là.

— Il n'est plus là ? Comment un poste de police peut-il disparaître comme ça ? ai-je demandé.

— Il n'a pas vraiment disparu. Je me suis mal exprimée. Il n'est plus en service... il a été abandonné. Je dois découvrir si c'est vrai.

— Il est de votre devoir de vous renseigner, a reconnu Herb. Mais il vaudrait peut-être mieux que vous n'y alliez pas vous-même.

— Je ne peux pas envoyer Adam là-bas tout seul.

— Il ne sera pas tout seul. Je vais l'accompagner.

— Non, c'est ma responsabilité en tant que commandant.

— C'est la raison pour laquelle vous *ne devez pas* y aller. Vous devez demeurer à votre poste. Sans compter que vous êtes aussi mère de famille et que vos enfants ont besoin de vous, surtout quand leur père est absent.

— Adam a besoin de moi à ses côtés, lui aussi, a-t-elle soutenu.

— Vous ne pourriez pas l'aider là-haut. Laissez-moi y aller. Ayez confiance. En lui et en moi.

Elle a semblé être sur le point d'argumenter. Elle a plutôt choisi de hocher silencieusement la tête.

* * *

Trente minutes plus tard, Lori m'a regardé cocher un des points de ma liste de choses à vérifier avant le décollage : les boulons qui retiennent les roues en place étaient bien serrés. J'avais déjà vérifié les boulons de fixation des ailes et des supports du moteur, et j'avais bien sûr rempli le réservoir à ras bord avec un des bidons de vingt-sept litres en plastique qui étaient entreposés dans le garage. Personne n'avait remarqué que j'y avais versé toute cette quantité d'essence. À cause de la charge pondérale supplémentaire occasionnée par la présence de Herb à bord, il nous faudrait utiliser beaucoup plus de carburant. S'il m'avait accompagné lors de mon premier vol en solo, ce voyage en avion aurait marqué la fin de tous nos projets.

— Presque prêt ? a demandé Lori.

— J'ai tout vérifié : l'appareil est prêt pour un autre vol, ai-je répondu en exhibant la liste de contrôle.

— Alors, quand est-ce que je pourrai monter à bord ?

— Le deuxième vol de la journée est déjà complet.

— Je pense que notre premier rendez-vous n'aura jamais lieu, est-ce que je me trompe ? a-t-elle lancé.

— Serais-tu en train de me demander de sortir avec toi ?

— C'est probablement le seul moyen pour que ça arrive un jour. Quoique, techniquement parlant, il est plus juste de prétendre que je te demandais de *monter* plutôt que de *sortir* avec toi. Ce serait tellement super d'être là-haut !

— Et nous n'aurions pas Todd comme chaperon.

Herb a contourné le côté de sa maison, les jumeaux dans son sillage. Danny était toujours contrarié à l'idée de ne pas être celui qui partait avec moi. Herb, jumelles autour du cou, avait jeté un gros sac sur son épaule et portait un fusil à lunette en bandoulière dans le dos.

— Vous allez à la chasse ou vous prenez l'avion ? a fait Lori d'un ton inquiet.

— Il est toujours bon d'avoir des réserves au cas où il viendrait à l'idée de quelqu'un de nous tirer dessus. Es-tu prêt à décoller, capitaine ?

— Contrôle de sécurité terminé. Allons-y.

— Et je ferais mieux d'y aller aussi, a dit Lori. Les vaches ne vont pas se traire toutes seules.

— Je pourrais t'aider, a proposé Rachel.

— Et je pourrais vous regarder faire, a ajouté Danny.

— J'accepte vos deux offres, a répondu Lori avant de me serrer dans ses bras. Sois prudent là-haut.

Je suis resté sans voix, incapable de répondre quoi que ce soit. Elle a desserré son étreinte et s'est éloignée. J'étais heureux de voir que les jumeaux partaient avec elle. Je ne voulais pas qu'ils soient témoins de quoi que ce soit si les choses tournaient mal.

— C'est curieux, elle ne m'a pas demandé à *moi* d'être prudent, a commenté Herb.

— Je pense qu'elle se rend compte que vous avez la couenne trop dure pour être blessé.

— Si c'était le cas, je n'aurais pas besoin de ça, a-t-il rétorqué en tirant deux gilets pare-balles du sac qu'il trimbalait.

— Où avez-vous déniché ça ?

— C'est incroyable, tout ce qui est planqué dans ma cave. Tiens, enfile ça.

— Pensez-vous vraiment que c'est nécessaire ?

— Je ne prétends pas qu'il s'agit d'un accessoire de mode. Mets-le simplement.

Ça ne pouvait certainement pas faire de mal. Je l'ai enfilé et j'ai attaché les sangles.

Herb a passé le sien, puis nous avons pris place dans l'appareil. J'ai mis le contact, et le moteur a démarré. Pendant qu'il chauffait, j'ai mis mon casque et Herb en a fait autant. À l'intérieur se trouvaient des écouteurs destinés à couvrir le bruit du moteur pendant que nous parlions.

— Pouvez-vous m'entendre ? ai-je demandé une fois nos dispositifs de communication branchés aux prises de la console.

— Oui, ou devrais-je dire « Roger » ?

— Je pense que nous pouvons nous en passer. Attachez le harnais.

— Le harnais ?

Je me suis penché, j'ai pris les ceintures et je les ai bouclées.

— Voilà, maintenant vous ne pouvez pas tomber.

— J'apprécie. Est-ce que je t'ai dit que j'ai peur des hauteurs ? a demandé Herb.

— Non, ai-je répondu en riant. Est-ce que vous saviez que j'ai l'intention de voler plus haut que quelques mètres ?

— Oui, j'avais compris ça. Allons-y.

J'ai fermé mon harnais d'un coup sec, desserré les freins et alimenté le moteur en carburant. Celui-ci a rugi et l'ULM s'est mis à rouler doucement. Une foule s'est rassemblée tout autour de nous. Il y avait là des gens non seulement de notre rue, mais aussi des autres rues de notre quartier qui avaient entendu parler de notre projet. On leur a demandé de reculer, de rester bien en retrait par rapport à la route elle-même. Si une aile avait le malheur d'accrocher quelqu'un, il serait mort, et nous aussi probablement.

J'ai donné un petit coup d'accélérateur et nous avons pris de la vitesse tout en descendant la rue. Je savais que ma mère avait tenu à retourner au poste de police afin de ne pas être là pour voir ça. Elle était d'accord pour que je parte en reconnaissance, mais elle ne voulait pas assister à mon départ.

Nous avons continué de prendre de la vitesse, mais nous n'arrivions pas à quitter le sol. À cause du poids supplémentaire, il nous fallait obligatoirement rouler encore plus vite avant que les ailes puissent nous soulever de terre. Notre rue serait-elle assez longue?

J'ai accéléré encore. Ce n'était pas le moment de faire marche arrière. L'avion a brusquement décollé et j'ai tiré sur le manche tout en actionnant la manette des gaz. Nous avons commencé à monter, évitant sans difficulté les toits des maisons situées au bout de la rue.

J'ai viré sur la droite, en direction de la gare et de la ville qui se trouvait au-delà.

— Pas si raide, si ça ne te dérange pas, a déclaré Herb en m'agrippant le bras.

— Ce n'était pas très raide.

— Suffisamment pour moi.

— Je suis étonné que vous ayez peur des hauteurs.

— Les humains sont pleins de surprises et de contradictions. C'est ce qui nous rend intéressants, a répondu Herb.

— Vous n'étiez pas obligé de m'accompagner si vous ne vouliez pas.

— C'est important pour moi de venir avec toi. Grâce à mes contacts radio, je sais ce qui se passe à l'autre bout du pays, mais j'ignore ce qui se passe à trente kilomètres d'ici. Quel est ton rayon d'action ?

— Ça dépend du poids, de la vitesse et de l'altitude, mais il est théoriquement possible de parcourir jusqu'à mille kilomètres.

— C'est une bonne distance. Pourrais-tu voler plus bas, s'il te plaît ?

— C'est plus sûr de voler plus haut. Plus l'altitude est élevée, meilleures sont nos chances de trouver un endroit où atterrir en cas de besoin. Ça nous permet aussi de prendre de la distance par rapport aux personnes qui sont au sol.

— Sauf que ça ne nous met pas hors de portée d'une balle de fusil, a objecté Herb.

— Mais ça nous éloigne davantage de quiconque voudrait nous tirer dessus.

— L'altitude ne constitue pas un moyen de dissuasion efficace pour ceux qui possèdent une carabine de gros calibre. Quand on vole plus haut, on reste simplement plus longtemps dans leur ligne de mire. Il vaut mieux voler plus bas. Ainsi, le temps que quelqu'un nous aperçoive, on est déjà loin et hors de portée. C'est comme ça que les pilotes de chasse procédaient durant la Première Guerre mondiale.

— Et vous avez apporté le fusil pour pouvoir riposter si jamais on nous tire dessus ? ai-je demandé.

— Je pourrais si c'est nécessaire, mais, comme je l'ai toujours dit, il est préférable d'avoir une arme dont on n'a pas besoin que d'avoir besoin d'une arme qu'on n'a pas.

Nous sommes arrivés au niveau de la rivière, et la terre qui se trouvait en dessous de nous s'est creusée, cédant la place à un long ravin large et escarpé dont les deux flancs étaient bordés de verdure et de forêt. La rivière coulait tel un gros trait foncé en son milieu. J'en étais venu à apprécier l'eau. Le spectacle était magnifique. Je pouvais voir des gens en train de recueillir de l'eau tout le long de la rivière, des récipients colorés à la main. La plupart d'entre eux s'interrompaient pour nous regarder et nombreux étaient ceux qui nous montraient du doigt.

— Si nous habitions en bordure de cette rivière plutôt que du ruisseau, nous n'aurions pas à nous inquiéter au sujet de l'eau, a déclaré Herb.

— Ce n'est pas tellement loin. Nous pourrions venir prendre de l'eau ici si nécessaire, ai-je répondu.

J'ai effectué une remontée de manière à pouvoir éviter l'autre rive. L'autoroute qui s'étirait à perte de vue me servait de guide vers l'autre poste de police. La chaussée était encombrée de voitures, mais toutes étaient immobiles. Rien ne bougeait nulle part, d'ailleurs. Où étaient passés les gens ? J'ai viré légèrement sur la droite afin de survoler les lotissements situés au sud de l'autoroute. La plupart des maisons semblaient encore intactes, mais quelques-unes, ici et là, avaient été incendiées.

— Je comprends que les gens se livrent au pillage et s'emparent de certains biens dans le but de survivre, mais qu'ont-ils à gagner en mettant le feu quelque part ? ai-je lancé.

— Certains incendies sont accidentels. Quand il n'y a pas de pompiers en service, même un petit feu devient très vite incontrôlable et peut détruire une maison tout entière, et même une rangée de maisons.

— Mais la plupart de ces incendies ne sont pas dus à des accidents, quand même ?

— Probablement pas. Les incendies criminels ne rapportent rien aux gens. Mais ils leur permettent d'évacuer leur colère et leur frustration, tout en leur donnant un sentiment de puissance et de domination, a précisé Herb.

— J'imagine que c'est en grande partie ce qui se produit là-bas en ce moment.

— Encore plus qu'hier mais beaucoup moins que demain. Vois-tu ce que je vois ? m'a-t-il demandé en désignant un point en face de lui.

Je voyais énormément de choses, mais je n'étais pas certain de savoir à quoi il faisait référence.

— En bas à droite. Les rues qui permettent d'entrer dans ce lotissement et d'en sortir ont été bloquées, et j'ai même cru apercevoir des gardes à l'entrée de la rue qui y mène.

J'ai scruté le sol jusqu'à ce que mes yeux repèrent une clôture qui entourait le lotissement et qui aboutissait à une rue. Cette dernière était bloquée par des voitures qu'on avait retournées sur le côté, et des sentinelles, séparées par un faible écart, se tenaient entre les voitures. Même à cette hauteur et à cette distance, je pouvais apercevoir des fusils dans leurs mains.

— Fais le tour du périmètre, m'a ordonné Herb. Je veux voir ça de plus près.

J'ai effectué un virage tout en commençant à grimper, car je désirais prendre de l'altitude.

— J'imagine que beaucoup de gens ont fait comme nous dans d'autres quartiers et qu'ils se sont regroupés pour assurer leur défense et leur survie, a commenté Herb.

— C'est une bonne chose.

— Mais aussi une mauvaise chose. Pense aux types qui barraient la rue Burnham. Ils étaient loin d'être sympathiques.

— Mais vous avez su gérer la situation.

— Je n'aurais pas eu besoin de gérer quoi que ce soit si je ne m'étais pas trompé dès le départ. J'étais convaincu que nous pourrions passer en parlementant. J'ai mis nos vies en danger. Je te dois des excuses.

— Vous n'avez pas à vous excuser. Je n'arrivais pas à y croire, surtout quand vous avez sorti votre pistolet. Je ne savais même pas que vous aviez une arme. Vous m'aviez pourtant dit de ne pas emporter la mienne.

— C'est vrai. Je t'ai dit qu'il est sage d'avoir une arme en sa possession uniquement si on a l'intention de s'en servir. J'étais prêt à faire ce qu'il fallait.

Il s'est tu quelques secondes avant de poursuivre :

— Heureusement, ça n'a pas été nécessaire. Évidemment, si les choses s'étaient bien terminées, nous aurions pu conclure une sorte de partenariat avec les habitants de ce quartier... Mais peut-être que ce sera possible ici.

— Vous songez à un traité ?

— Plutôt à un accord commercial. Je crois que nous devrions essayer de rencontrer les habitants de ce quartier-ci.

— Voulez-vous que j'atterrisse ? l'ai-je interrogé.

— Non, c'est la dernière chose à laquelle je pense en ce moment.

C'était rassurant.

— Gardons simplement à l'esprit qu'ils sont là, à guère plus d'une vingtaine de kilomètres de notre quartier, a suggéré Herb. Est-ce que le poste de police est encore loin ?

— Nous sommes presque à mi-chemin. Si nous volions plus haut, je suis sûr que nous pourrions le voir d'ici.

Nous avons rencontré quelques turbulences et j'ai dû me concentrer sur le pilotage de l'appareil afin de le stabiliser. Herb est demeuré silencieux pendant une bonne partie du trajet.

— Tu sembles vraiment à l'aise dans les airs, a-t-il fini par déclarer. Tu es un bon pilote.

— Vous n'êtes pas un mauvais passager non plus. Vous n'avez pas l'air d'avoir peur.

— En réalité, je suis plutôt terrifié en ce moment. Mais j'ai appris qu'il est habituellement plus sage de ne pas montrer ce qu'on ressent.

— J'imagine que vous avez appris beaucoup de choses. Allez-vous nous dire un jour quel genre de travail vous accomplissiez au juste pour le gouvernement ?

— Je vous en ai déjà probablement trop dit.

— Todd est convaincu que vous avez effectué des opérations noires[4] ou ce genre de choses.

— Todd regarde beaucoup trop de films.

— Sans doute, mais ça ne répond pas à ma question. Avez-vous participé à ce genre d'opérations ?

— Des opérations noires ? Dans mon métier, il y avait très peu de choses qui étaient noires ou blanches. La plupart se situaient dans une zone grise où la notion de droit était plutôt nébuleuse. Mais peut-être qu'il vaudrait mieux reprendre cette conversation plus tard.

— Mais si nous en reparlons plus tard, allez-vous me dire la vérité ? ai-je demandé. Est-ce que vous parlerez vraiment ? Ou est-ce simplement une autre façon de ne pas répondre à ma question ?

— C'est ce que nous découvrirons peut-être... plus tard, s'est-il esclaffé. Est-ce que tu peux voir la fumée qui s'élève dans les airs devant nous ?

---

4. Opérations, généralement secrètes ou clandestines, menées par des forces armées spéciales pour le compte d'un gouvernement. (*N.D.T.*)

Je l'ai aperçue.

— On dirait que quelque chose brûle.

La fumée provenait du secteur où se trouvait le poste de police. J'ai suivi la ligne médiane de l'autoroute, en bas. Si j'avais conduit, j'aurais pris la prochaine sortie et me serais dirigé vers le nord. Du haut des airs, je n'avais pas besoin d'emprunter de bretelle de sortie. J'ai commencé à virer sur l'aile, décrivant une courbe à la fois pour réduire la distance à parcourir et pour avoir une meilleure vue.

— C'est un bâtiment. Il a été incendié et il continue de brûler, a dit Herb.

Je me suis tourné vers lui. Il scrutait le sol avec ses jumelles.

— C'est un bâtiment bas, sans étage, et je vois un parking avec beaucoup de voitures. La plupart ont été vandalisées ou incendiées. Il est situé à une intersection.

J'ai eu l'impression que mon cœur s'arrêtait de battre.

— De quel côté de l'intersection ?

— Angle sud-ouest.

— Les voitures en question, est-ce que ça pourrait être des voitures de police ?

— Je suis encore trop loin pour le dire.

J'ai poussé le manche vers l'avant. Je voulais descendre le plus vite possible. En approchant, j'ai reconnu le bâtiment : c'était bel et bien le poste de police ! Des volutes de fumée s'échappaient du toit, ou du moins de ce qu'il en restait. Les fenêtres semblaient avoir été noircies par la fumée ou avoir disparu complètement et, lorsque j'ai fait le tour de l'immeuble, nous avons constaté qu'il n'y avait plus rien là où aurait normalement dû se trouver l'entrée de l'immeuble.

— Je ne peux pas croire qu'il a été incendié, ai-je lancé.

— Il n'a pas été seulement incendié, a déclaré Herb. Les marques noires que tu vois le long de la façade ne proviennent pas d'un incendie. Ce sont des traces de brûlure provoquées par une explosion. Le poste n'a pas été seulement abandonné. Il a été vandalisé, attaqué.

— Mais qui a bien pu faire ça? Qui est *capable* de faire ça?

— Je n'en sais rien. Je sais simplement que nous devons rebrousser chemin pour le dire à ta mère, pour la prévenir.

— La prévenir?

— Ceux qui ont fait ça ici pourraient en faire autant au poste placé sous sa responsabilité. Fais le tour lentement de façon à ce que je puisse tout voir, puis rentrons chez nous.

J'ai incliné brusquement l'appareil du côté opposé et j'ai tiré sur le manche. Je comptais certes faire le tour du bâtiment, mais j'avais d'abord besoin de prendre de la hauteur afin de m'éloigner de cet endroit et de respirer l'air frais du ciel.

25

Ma mère a pénétré dans le gymnase de l'école primaire, vêtue de son uniforme. Herb l'avait convaincue qu'il était important qu'elle et les autres policiers aient le look de l'emploi. Le but était de faire une déclaration, avec la mise en scène qu'il fallait, et de convaincre les gens rassemblés sur place qu'elle avait le pouvoir de prendre une décision aussi importante pour la collectivité. L'événement avait failli ne pas avoir lieu. Il avait fallu une journée entière pour la convaincre, puis trois jours pour mettre le plan à exécution.

J'ai remarqué que tous les regards se sont tournés vers elle quand elle a remonté l'allée centrale. Toutes les chaises de l'école avaient été apportées dans le gymnase et elles étaient toutes occupées. Il y avait aussi des gens qui se tenaient debout à l'arrière et sur les côtés. Ma mère est venue nous rejoindre à l'avant de la salle, Herb et moi. Quelque neuf cents personnes s'étaient réunies là : tous les adolescents et tous les adultes qui ne devaient pas surveiller le quartier ou s'occuper des malades, des personnes âgées ou des enfants.

La salle était bruyante et les gens étaient trempés de sueur à cause de la chaleur que dégageaient tous ces corps si près les uns des autres. La climatisation aurait été la bienvenue, mais la chose était impossible. C'était déjà bien qu'il y ait de la lumière. À l'extérieur de la porte latérale se trouvait une génératrice dont le bourdonnement était couvert par le bruit de la foule.

— Et alors ? a demandé Herb.

— Je suis prête, a répondu ma mère. Laissons aux gens encore quelques minutes pour s'installer. Je prendrais bien un peu d'air.

Je savais qu'elle était épuisée. Après être rentrés de notre vol de reconnaissance, Herb et moi lui avions raconté ce que nous avions vu, et cela l'avait plongée dans une grande confusion pendant plusieurs jours. La dernière chose que ma mère aurait souhaitée, c'était d'abandonner son poste de police, mais elle n'avait pas le choix. Herb lui avait décrit ce qui s'était passé à l'autre poste : une attaque frontale par des forces qui avaient utilisé des grenades propulsées par fusée. Au début, elle s'était montrée incrédule, refusant même de le croire, mais Herb connaissait ce type d'armes pour en avoir vu auparavant. Il avait pu constater, en observant les traces de brûlure, l'ampleur des dommages causés, de même que ce qu'il avait appelé le « retour de gaz » provenant de la zone de tir du lance-roquettes.

Ma mère avait demandé où les assaillants avaient bien pu se procurer pareil armement. La question qu'on devait se poser, avait répliqué Herb, était plutôt la suivante : ces gens possédaient-ils d'autres armes semblables et son poste de police risquait-il d'être leur prochaine cible ? Enfin, elle avait accepté, bien qu'à contre-cœur, de déplacer à l'intérieur de notre quartier les activités du poste de police et tout l'équipement que celui-ci contenait. Une partie de ce qui allait être annoncé ce soir portait sur ce point précis.

* * *

Le jour même, au cours de l'après-midi, Herb et elle avaient pris la tête d'un convoi dans le but d'aller récupérer tout ce qu'il y avait d'utile dans le poste de police et de le fermer. Je faisais partie des conducteurs. Nous avions emporté toutes les choses qui pouvaient nous servir : fusils, carabines et pistolets, munitions, gilets pare-balles, gaz lacrymogènes, mégaphones et talkies-walkies, ainsi que boucliers, matraques, menottes et autres types d'entraves. Nous avions également transporté tous les documents importants, les machines à écrire manuelles, les piles électriques, les fournitures de bureau, les ampoules électriques, les chaises et la génératrice portative. Par chance, les quatre policiers qui logeaient sur place avaient tous accepté de venir dans notre quartier. Il n'avait pas été difficile de trouver à chacun un endroit où demeurer. Toutes les familles sollicitées en ce sens s'étaient montrées trop heureuses d'accueillir un policier sous leur toit. Avoir un flic dans la chambre d'amis leur donnait sans doute l'impression d'être plus en sécurité.

— Est-ce que les nouveaux venus sont en poste ? a demandé Herb.

— Oui, a répondu ma mère. Ils patrouillent autour du périmètre, en plus des hommes qui montent habituellement la garde aux postes de contrôle.

— Je sais que ça n'a pas été facile pour vous, a-t-il ajouté.

— Je n'aurais jamais cru que je prendrais un jour la responsabilité de dévaliser mon propre poste de police. Nous avons même décroché le drapeau du pays !

— Vous l'avez décroché de manière à pouvoir le mettre ailleurs, quand vous aurez décidé où sera installé le nouveau poste.

— En supposant que nous ayons un jour un nouveau poste de police et un nouveau mât. Pour le moment du moins, tout est entreposé sous clé, soit dans votre cave, soit dans la mienne.

— Tu as fait ce qu'il fallait faire, ai-je rassuré maman, qui semblait si inquiète.

— J'avais tellement l'impression de mal agir, a-t-elle avoué.

— Mais vous avez pris la bonne décision, a affirmé Herb.

— Je pense que je n'avais pas le choix. J'espère simplement que les autorités ne vont pas juger que j'ai manqué à mes devoirs, une fois que la situation sera rétablie.

— Tu pourrais avoir des ennuis ? ai-je demandé. Je n'avais pas pensé à ça.

— De très graves ennuis.

— Il y a toujours des risques dans tout ce qu'on entreprend, mais vos actions auront au moins contribué à sauver des vies en attendant que les choses finissent par s'arranger – espérons-le ! a renchéri Herb. Vous n'avez rien fait de mal et je serai le premier à en témoigner.

— Merci. Il est inutile de s'inquiéter d'avance à ce sujet. Nous devons nous concentrer sur ce qui se passe ici et maintenant, a-t-elle conclu en parcourant la salle du regard. On dirait que nous faisons salle comble ce soir.

— À part les personnes qui s'occupent des enfants et celles qui sont aux postes de contrôle, presque tous les habitants du quartier sans exception sont ici. Ils espèrent avoir des nouvelles, même si je ne pense pas que la plupart d'entre eux s'attendent à ce qu'on va leur annoncer.

— Donc, vous pensez que ceux à qui nous en avons parlé jusqu'ici ont gardé le silence ? a lancé maman.

— S'ils ne l'ont pas fait, c'est que nous avons choisi les mauvaises personnes à qui en parler.

Au cours des trois derniers jours, ma mère et Herb avaient rencontré des dizaines de représentants de la population : le juge Roberts, une conseillère municipale, les quatre médecins, un avocat, Ernie Williams du supermarché, tous les agents de police, quelques ingénieurs et, bien entendu, les Peterson. Ils leur avaient fait part de leur plan tout en leur demandant de jurer de garder le secret.

Il s'agissait des personnes que Herb avait identifiées comme leaders : des représentants de la police, du gouvernement, du système judiciaire et du corps médical qui incarnaient l'autorité au sein de la communauté. Herb avait expliqué qu'il fallait les inclure dans les discussions, afin de susciter chez eux un sentiment d'appartenance tel qu'ils appuieraient notre plan d'action. Si leur soutien était acquis, d'autres en feraient autant. Mais s'ils s'étaient opposés au plan ou l'avaient même contesté ouvertement au sein de ce petit groupe, cela aurait pu faire échouer toute l'opération. Or, certains avaient argumenté et il avait fallu les convaincre du bien-fondé du projet. Mais, à présent, ils allaient le soutenir.

Ils étaient d'ailleurs tous assis dans les premières rangées du gymnase, à l'exception du juge Roberts, de la conseillère Stevens, du chef des pompiers – lui aussi en uniforme – et du docteur Morgan. Tous les quatre avaient pris place sur la petite scène, face au public. Il restait deux sièges libres, qui étaient destinés à Herb et à ma mère.

— À présent, il nous reste à faire en sorte que ces gens comprennent et approuvent notre plan, a affirmé ma mère.

— Ils vont le faire, c'est sûr à cent pour cent, a répondu Herb.

— J'aimerais pouvoir être aussi confiante que vous.

— Nous devons inspirer confiance. Ces gens-là espèrent non seulement qu'on les guide, mais aussi qu'on les rassure. Nous devons être en mesure de garantir leur sécurité s'ils acceptent notre plan.

— Pouvez-vous vraiment garantir leur sécurité ? a demandé ma mère.

— Je peux vous garantir que, sans ce plan, ils ne seront *pas* en sécurité. Nous ferions mieux de commencer.

Herb et ma mère sont montés sur la petite scène qui avait été construite à l'avant de la salle et je me suis placé sur le côté du gymnase. Tous les sièges étaient occupés, mais je n'avais pas envie de m'asseoir de toute façon, tellement je me sentais angoissé. Herb et ma mère allaient présenter le plan, mais c'était moi qui en avais eu l'idée. Qu'adviendrait-il si je m'étais trompé ?

J'ai cherché Lori parmi l'assistance ; elle était assise avec quelques camarades de classe. Nos regards se sont croisés à plusieurs reprises et elle m'a à chaque fois adressé un de ses sourires extraordinaires. C'était vraiment stupide de penser qu'une telle chose pouvait avoir autant d'importance pour moi au beau milieu de tout cela.

— Pourrais-je avoir votre attention, s'il vous plaît !

La voix métallique et amplifiée de ma mère s'est répercutée sur les murs. La foule, à l'exception d'un bébé qui pleurait, est aussitôt devenue silencieuse. La plupart des regards se sont portés sur ma mère, debout à l'avant, tandis que d'autres se sont tournés vers la femme, debout à l'arrière, qui tenait le bébé en pleurs dans ses bras. Ce dernier a continué de gémir et la femme, confuse, est sortie rapidement ; les vagissements de l'enfant se sont tus dès que la porte s'est refermée derrière elle.

— J'aimerais vous remercier tous d'être venus, a affirmé ma mère. Cette réunion ne devrait pas durer très longtemps et je tiens à vous rassurer en vous disant que, pendant que vous êtes ici, toutes vos maisons sont en sécurité. En effet, des patrouilles et des sentinelles sont sur place et assurent la protection du quartier.

Applaudissements et acclamations ont fusé spontanément de toutes parts.

— En fait, a-t-elle poursuivi, je voudrais souligner que nous avons accru la sécurité. Il y a environ une heure, mon poste de police et une grande partie de ce qu'il contenait ont été déplacés et quatre agents de police supplémentaires ont été réaffectés à ce quartier. Ce quartier est maintenant notre seule priorité.

Des applaudissements se sont de nouveau fait entendre, plus bruyants et enthousiastes encore que les précédents. Le soulagement et la joie se lisaient sur les visages des gens pendant qu'ils applaudissaient. Ma mère a levé les mains pour faire taire la foule.

— Voilà maintenant quinze jours que nos vies ont été bouleversées, soit depuis qu'une espèce de virus très grave a détruit les ordinateurs et rendu toutes les formes de technologie qui en dépendent complètement désuètes. Au début, nous espérions que cette panne serait localisée, mais nous sommes actuellement à peu près certains qu'il ne s'agit pas simplement d'un phénomène national : il est probable que l'ensemble de la planète a été touché. Pour autant que nous puissions en juger d'après les informations que nous avons recueillies, le monde est passé brusquement du vingt et unième au dix-neuvième siècle.

Même s'il n'y avait là rien qui ne soit déjà connu de toute l'assistance, une vague de soupirs et de gémissements de désespoir a déferlé sur l'ensemble de la salle avant de submerger la scène. Maman a encore levé les mains.

— Nous avions tous espéré que la situation serait rétablie rapidement, mais il est clair aujourd'hui que la technologie qui aurait permis de résoudre le problème a elle-même été rendue totalement inutilisable. Par conséquent, il n'y a pas de solution en vue à court terme. En réalité, il est plus que probable que la situation actuelle va perdurer pendant plusieurs mois.

L'auditoire s'est mis à faire encore plus de bruit. J'ai su gré à ma mère de ne pas dévoiler le fond de la pensée de Herb, selon qui la résolution du problème pourrait prendre des années.

— Comment pouvez-vous savoir que ça va durer des mois? a lancé un homme qui venait de se lever. Comment pouvez-vous savoir que c'est pareil partout dans le monde?

Certains se sont levés à leur tour et ont exprimé des sentiments similaires; d'autres ont émis des avis contraires. La cacophonie s'installait de plus en plus dans la salle. Je m'attendais à ce que ma mère exerce les pouvoirs que lui conférait son rôle sur l'estrade et utilise le microphone pour inviter tout le monde à se calmer, ou à ce que Herb intervienne de son côté, mais rien de tout cela ne s'est produit. Elle les a laissés se disputer jusqu'à ce qu'ils finissent par s'essouffler.

— J'aimerais maintenant vous présenter quelqu'un que la plupart d'entre vous connaissent déjà, monsieur Herb Campbell. Il va faire le point sur la situation actuelle et vous demander votre avis sur nos propositions concernant la suite des événements.

Ma mère s'est assise et Herb s'est dirigé vers la tribune et le micro. J'ai été frappé de voir à quel point il semblait détendu. On aurait dit un directeur d'école nous accueillant dans le cadre d'une rencontre parents-enseignants ou d'une pièce de théâtre interprétée par des élèves.

— Bonsoir, a-t-il commencé. Je connais beaucoup de personnes parmi vous, et beaucoup parmi vous me connaissent. J'ai été amené à faire la connaissance de bon nombre d'entre vous au cours des deux dernières semaines. Je tiens personnellement à remercier tous ceux qui ont contribué à nourrir nos voisins et à assurer la sécurité de notre quartier. Applaudissons chaleureusement toutes ces personnes pour leur précieuse contribution.

Son intervention a été saluée par une nouvelle salve d'applaudissements accompagnée de cris d'acclamation. J'ai également applaudi, mais sans cesser pour autant d'observer et de réfléchir. Je savais ce que Herb faisait. Il ne se contentait pas seulement de remercier ces personnes ; il tissait des liens avec elles, il les intégrait à son plan.

— Merci, a-t-il déclaré. Je comprends à quel point tout ça est difficile sur le plan émotionnel. Pourrais-je demander au premier monsieur qui est intervenu – celui qui a demandé comment nous pouvions savoir que ça va durer des mois et que le problème est le même à l'échelle mondiale – de se lever de nouveau ?

L'homme s'est remis debout lentement et à contrecœur. Il paraissait mal à l'aise.

— Tout d'abord, je tiens à vous remercier pour avoir exprimé vos inquiétudes et avoir soulevé des questions que beaucoup d'entre nous se posent, j'en suis convaincu.

— Euh... de rien, a balbutié l'homme.

— Je sais que tous ici nous manquons d'information sur ce qui se passe. Par conséquent, je me demandais si vous aviez personnellement eu connaissance de quoi que ce soit qui nous indiquerait que la situation a été rétablie à un endroit en particulier ou que des progrès ont été accomplis dans le rétablissement des services publics, et qui nous permettrait de penser que tout ça va se terminer plus tôt que prévu.

L'homme avait l'air encore plus embarrassé à présent.

— Euh... non. Faut croire que j'espérais simplement que ça se termine rapidement.

— C'est ce que nous espérons tous ! s'est exclamé Herb. Merci encore une fois d'avoir posé votre question.

Visiblement soulagé, l'homme s'est laissé tomber sur son siège.

— Pour ce qui est de la deuxième partie de la question, je sais avec certitude, grâce à mes contacts avec quelques radioamateurs, que la situation est comparable à la nôtre à l'échelle nationale. Tout le pays est paralysé. Par conséquent, il n'y a aucune aide à attendre de la part du gouvernement. Quant à savoir s'il en est de même à l'échelle internationale, eh bien, le seul fait que nous sommes encore ici ce soir en est la meilleure preuve, a soutenu Herb.

Qu'est-ce qu'il voulait dire par là ?

— Permettez-moi de vous expliquer. Notre pays compte de nombreux alliés et de nombreux ennemis de par le monde. Si nos alliés n'avaient pas été touchés eux aussi, ils nous auraient déjà porté secours. Or, ils ne l'ont pas fait. Quant à nos ennemis, si eux n'avaient pas été touchés, j'imagine qu'ils auraient profité de notre position de faiblesse pour se jeter comme des prédateurs sur notre pays et nous aurions tous été incinérés bien avant aujourd'hui par suite d'une attaque nucléaire.

Je n'avais pas pensé à ça et, à voir la réaction des gens, je n'étais pas le seul à être ébranlé. Les propos de Herb avaient toutefois du bon sens. Nous étions en sécurité parce que le monde entier avait été projeté simultanément en arrière dans le temps. Aucun pays ami n'était en mesure de nous venir en aide, mais aucune nation ennemie ne pouvait nous détruire non plus. Je me sentais à la fois plus rassuré et plus terrifié que jamais.

— Nous ne pouvons compter sur personne d'autre que sur nous-mêmes, a poursuivi Herb. Mais nous ne sommes pas entièrement démunis pour autant. Nous pouvons compter sur la présence dans nos rangs de notre conseillère municipale, de notre capitaine de police, du chef des pompiers, d'un juge et de membres de la profession médicale. Quant à moi, je suis un employé de longue date du gouvernement fédéral. Aucun de nous ne sait ce qui a été entrepris jusqu'à présent pour essayer de remédier à la situation, même si nous entretenons tous secrètement l'espoir que les choses vont finir par s'arranger. Par conséquent, nous ne savons que ce que nous voyons de nos propres yeux.

L'assistance était maintenant si silencieuse que je ne pense pas que Herb aurait eu besoin de micro pour que les gens au fond de la salle puissent l'entendre.

— Là-bas, au-delà des limites de notre quartier, c'est l'anarchie totale. Certains allument des incendies, d'autres commettent des actes de pillage, des vols et même des meurtres. Des gens manquent de nourriture, d'eau et de médicaments, ou sont privés de soins médicaux. Ceux qui sont allés voir à l'extérieur du quartier savent que je ne parle pas de *rumeurs* mais de *faits*. Mais ici, dans notre quartier, les gens – c'est-à-dire vous, vos familles et vos enfants – ont de quoi se nourrir, ont accès à de l'eau potable et sont en sécurité.

Un tonnerre d'applaudissements a de nouveau retenti. Herb a laissé les acclamations se poursuivre pendant un moment, puis il a levé les mains afin d'imposer le silence à la foule.

— Vous avez été nourris et protégés, du moins *jusqu'à présent*, a-t-il ajouté. Je répète : *jusqu'à présent*. Nous avons des provisions pour une durée de moins de deux mois. Compte tenu du niveau de sécurité actuel, cette nourriture, vos biens et la vie de vos familles sont en danger, car ceux qui n'ont plus rien vont vouloir s'en emparer.

Les gens ont réagi une fois de plus, mais non pas en élevant la voix comme précédemment : cette fois, leurs mines effrayées indiquaient qu'ils étaient en état de choc.

— Néanmoins, a repris Herb en élevant la voix, nous sommes prêts ce soir à vous soumettre un plan d'action qui permettra de protéger vos familles et vos maisons, tout en vous assurant que vos enfants pourront manger à leur faim et avoir de l'eau potable à boire. Il s'agit d'un plan destiné à nous permettre de survivre.

— Et si nous ne voulons pas faire partie de votre plan? a demandé une femme en se levant.

— La participation de chacun doit se faire sur une base volontaire. Si une personne ne souhaite pas en faire partie, elle est libre de quitter la salle. Le choix vous appartient. Voulez-vous connaître les détails de ce plan?

— Euh... oui, je voulais simplement... D'accord, a-t-elle acquiescé en se rassoyant.

— Les gens présents dans cette salle constituent un microcosme de notre société. Il y a parmi nous des médecins et des infirmières qui peuvent s'occuper des malades, un pharmacien qui peut prescrire les médicaments que nous avons déjà entreposés. Nous avons un dentiste, de même qu'un vétérinaire qui peut soigner vos animaux de compagnie. Nous avons des gens qui possèdent les compétences nécessaires pour transformer nos cours d'écoles et nos parcs en terres agricoles susceptibles de tous nous nourrir. Il y a aussi des ingénieurs, des mécaniciens et des artisans qui peuvent entretenir, créer, réinventer et moderniser tout ce dont nous avons besoin pour survivre. Il y a enfin des enseignants qui peuvent instruire vos enfants, des chefs d'entreprise qui peuvent participer à l'organisation de notre communauté et des policiers, des pompiers et des militaires qui peuvent défendre et protéger notre quartier.

Un silence complet régnait à présent dans tout le gymnase, mais, presque à l'unisson, les gens hochaient la tête en signe d'approbation, assis au bord de leurs sièges afin de capter chacune des syllabes prononcées par Herb. On pouvait voir l'espoir illuminer leurs visages.

— Adam, pourrais-tu venir ici, s'il te plaît ? m'a demandé Herb.

Je l'ai regardé d'un air surpris. Cela ne faisait pas partie du plan. Il me fixait du regard tout en me faisant signe d'approcher. Après avoir failli trébucher, je me suis efforcé de ne pas tomber pendant que je montais sur la scène. Tous les yeux étaient braqués sur moi. J'ai rejoint Herb à la tribune.

— Le plan en question a d'abord été proposé par ce jeune homme. Je pense que nous devons lui témoigner notre reconnaissance avant de lui donner la parole.

Il y a aussitôt eu un tonnerre d'applaudissements et d'acclamations. Mais... Herb avait-il dit sérieusement que je devais prendre la parole ?

— Je ne peux pas m'adresser aux gens. Je ne sais pas quoi leur dire, lui ai-je murmuré.

— Il suffit de laisser parler ton cœur, m'a-t-il répondu avant de se tourner vers la foule et de lever les mains pour réclamer le silence.

J'ai pris une grande respiration et le son de ma voix provenant du microphone a retenti dans tout le gymnase.

— Merci à tous d'être venus, ai-je dit en guise de préambule. Je suis navré, sincèrement navré que vous ayez dû entendre le récit des événements qui sont survenus depuis le début de cette histoire. Malheureusement, c'est la vérité. Nous pouvons faire comme si rien de tout ça ne s'était produit ou souhaiter que les choses se soient passées différemment, nous pouvons nier les faits ou faire semblant de les ignorer, mais ça ne changera rien à l'affaire. Peu importe si l'électricité revenait aujourd'hui, si toutes les voitures se remettaient à rouler demain matin et si l'eau recommençait à couler de nos robinets, à cause de ce qui est arrivé, notre monde sera pour toujours différent de celui que nous avons connu.

J'ai regardé les spectateurs qui occupaient les sièges des premières rangées. L'espoir que j'avais lu sur leurs visages avait maintenant disparu. Pourtant, je n'étais pas censé leur enlever tout espoir. En conséquence, je devais songer à ce qu'il fallait dire pour le raviver.

— Je sais qu'un jour les choses vont s'arranger, mais, d'ici là, nous devons prendre soin de nous-mêmes, me suis-je repris. Nous devons prendre soin les uns des autres. Là-bas, à l'extérieur de notre quartier, les choses ne cessent d'empirer et la situation devient de plus en plus désespérée : les gens y sont de plus en plus dangereux et sans pitié. Nous devons nous en protéger, mais il n'est pas nécessaire de devenir comme eux. Nous pouvons construire notre propre monde, un monde dans lequel nos actes seront guidés par les principes de justice et d'équité, un monde caractérisé par la bienveillance et la compassion. Nous pouvons dresser un rempart contre ce qui se passe tout autour de nous et continuer à nous battre pour nos convictions. L'occasion nous est offerte de nous unir et de réussir tous ensemble ou de nous diviser et d'échouer individuellement. Seulement voilà, nous n'y arriverons pas tout seuls. Ma famille ne peut pas y arriver toute seule, pas plus que mes amis ou les gens qui habitent dans ma rue. Mais, nous tous, tous les habitants du quartier, nous pouvons y arriver tous ensemble. Je veux savoir, ici et maintenant, qui a l'intention de se joindre à nous. Qui veut survivre ? Qui veut que sa famille soit en sécurité, qu'elle soit nourrie et qu'elle puisse vivre dans un endroit où tous seront traités convenablement et équitablement ?

Herb s'est avancé.

— Levez-vous, a-t-il ordonné à l'auditoire. Si vous êtes avec nous, je veux que vous vous leviez *immédiatement*.

J'ai retenu mon souffle pendant que les gens se regardaient les uns les autres comme si chacun d'eux craignait d'être le premier à obtempérer. Puis un homme et une femme assis presque à l'avant se sont levés, bientôt suivis d'une famille qui se trouvait à l'arrière, puis d'autres personnes disséminées parmi l'assistance ; enfin, telle une vague déferlante, ils se sont presque tous levés d'un seul coup. Certains applaudissaient et d'autres montaient sur leurs chaises, mettant leurs mains au-dessus de leurs têtes comme s'ils voulaient toucher le plafond.

Herb m'a serré la main et l'a ensuite levée bien haut.

— Et tu t'inquiétais de ce que tu allais dire ?

— Nous avons réussi, ai-je répondu.

Il a continué de sourire, mais il a secoué la tête.

— Non, a-t-il dit. Tu te trompes.

— Mais... mais...

— Tout ça, ce sont des paroles. Maintenant, il va falloir passer aux actes. Le plus difficile est sur le point de commencer.

— Je sais que ça va être difficile, ai-je admis. Mais nous pouvons y arriver, non ?

Il a haussé les épaules.

— Vous croyez que nous pouvons y arriver, pas vrai ? lui ai-je redemandé, cette fois avec plus de ferveur, de façon à ce que ma voix puisse couvrir les acclamations de la foule.

— Ce que je crois est sans importance, a répliqué Herb tout en approchant sa bouche de mon oreille. C'est ce qu'*eux* croient qui compte. Et c'est pourquoi je voulais que tu leur adresses la parole. Il n'y a aucun doute dans ton esprit et c'est ce dont ils ont besoin : de certitude. Tu nous as donné à tous ce qu'il nous faut pour avoir une chance de réussir. Maintenant, nous allons voir jusqu'à quel point la chance est vraiment avec nous.

J'ai parcouru la salle des yeux. Les spectateurs allaient bientôt se calmer et ils voudraient alors connaître les détails de l'opération. Nous étions prêts à les leur communiquer ; nous savions parfaitement ce que nous allions leur dire. Mais, pour le moment, je trouvais agréable de simplement apprécier l'effet que nous avions produit. Les gens avaient le sourire aux lèvres et ils se donnaient de grandes tapes dans le dos. Je me tenais devant une foule pleine d'optimisme. J'osais croire que je ne leur avais pas donné de faux espoirs.

26

Monsieur Peterson a labouré une seconde fois le terrain sous les lignes de haute tension pour en faire un champ cultivable. La terre qu'il retournait n'avait pas été ensemencée depuis au moins cinquante ans, soit depuis qu'on y avait érigé des pylônes afin de transporter l'électricité d'une centrale lointaine aux collectivités venues s'établir ici. Mais puisque aucun courant ne circulait plus dans ces lignes de transmission, on rendait au sol sa vocation première, sa vocation d'avant la construction des premiers lotissements suburbains, bref, sa vocation agricole. La terre y était grasse, noire et riche. Monsieur Peterson avait eu raison de dire qu'elle était fertile.

Dans tout le quartier, on ameublissait de petites parcelles, des cours, des jardins et d'étroites bandes de terre en bordure de la chaussée. Les neuf motoculteurs disponibles étaient utilisés, mais partout aussi on labourait à la main : munis de pelles et de bêches, les gens préparaient le sol à recevoir les semences. Il fallait que le moindre espace libre puisse produire des récoltes. Le printemps était bien avancé, mais il n'était pas trop tard pour semer en vue de récolter à l'automne.

Les choses s'étaient enclenchées rapidement ; l'assemblée avait eu lieu à peine trois jours auparavant. Beaucoup de gens venaient me voir pour me remercier et me dire qu'ils croyaient à ce que nous faisions. De mon côté, je m'efforçais de demeurer confiant et optimiste.

Monsieur Peterson est passé près de moi sur son tracteur. Je l'ai salué de la main et il a répondu à mon salut avant de reporter son attention sur son travail. La parcelle qu'il labourait étant légèrement inclinée, il creusait ses sillons perpendiculairement à la pente pour qu'ils retiennent l'eau et la terre, pour que l'érosion n'entraîne pas tout jusqu'au ruisseau. C'était un terrain étroit et long, bordé d'un côté par les jardins des résidences et de l'autre par l'immense barrière d'acier et de béton qui le séparait de l'autoroute. Le but de cet ouvrage antibruit était d'atténuer le vrombissement de la circulation automobile, mais l'écran avait maintenant acquis une tout autre fonction. Trois fois plus haut que moi, épais, solide et aménagé sur un remblai, il assurait la protection du quartier sur toute sa lisière nord.

Des équipes érigeaient tous les cinquante mètres des plateformes pouvant accueillir une ou deux sentinelles chargées de scruter les alentours. L'ouvrage évoquait les châteaux forts en carton que nous fabriquions à la petite école dans nos cours sur le Moyen-Âge, sauf que cette version-ci, plutôt inhabituelle, était bien réelle. J'aurais aimé qu'il y ait aussi une douve et qu'on construise un pont-levis. Je suppose que les deux ruisseaux qui nous bordaient à l'est et au sud en tenaient lieu. Mais le ruisseau Mullett était presque à sec compte tenu de la quantité d'eau que nous y puisions en amont pour nous approvisionner. Il ne repousserait que les envahisseurs ayant peur de se mouiller les orteils...

Pendant que je restais là à réfléchir, des gens munis de toutes sortes de récipients et de bidons descendaient au ruisseau et en revenaient. Des jeunes, surtout. Beaucoup d'entre eux m'adressaient la parole en passant. Certains se contentaient de me saluer, d'autres parlaient de mon exposé, du plan, de ce qui était en train de se produire.

Voilà que me connaissaient tous les gens du quartier où j'avais jusque-là vécu dans un anonymat quasi total. C'était curieux. Mais, après tout, qu'est-ce qui ne l'était pas ?

Je me suis engagé sur une étroite bande d'asphalte entre la terre retournée et la rive du ruisseau où des gens du quartier dressaient une barrière de sécurité. Le bruit des marteaux et des égoïnes se mêlait aux éclats de voix et aux rires bon enfant. On aurait dit que la population préférait se concentrer allègrement sur le travail à faire plutôt que de s'attarder aux raisons qui avaient rendu celui-ci si nécessaire.

Il y avait là des douzaines d'hommes et de femmes au travail. Le père de Todd était maintenant l'un des chefs d'équipe. Il ne fabriquait pas des meubles, mais il mettait à profit ses talents d'ébéniste dans l'érection des murs destinés à nous protéger. Todd le secondait. Il travaillait si fort que nous n'avions pas le temps de nous voir ni de nous parler. Mon ami, qui n'avait jamais su se servir d'un marteau sans s'en donner un coup sur les doigts, était devenu d'une habileté manifeste. Le plus beau de l'affaire était que, pendant qu'il maniait un marteau, il n'avait pas envie de brandir une arme à feu.

La vitesse avec laquelle le périmètre de sécurité prenait forme était impressionnante. L'espace entre la dernière maison et l'autoroute était maintenant comblé. Puisqu'on recyclait les anciennes clôtures qui servaient naguère à isoler les voisins les uns des autres, la barrière n'était pas très haute et n'avait pas l'air très solide, mais elle créait une frontière supplémentaire entre nous et le monde du dehors. Ces barrières nous rassemblaient, elles étaient une des forces de cohésion qui nous coupaient du reste du monde.

Cinq familles avaient choisi de ne pas se joindre à nous, de conserver leur indépendance derrière la clôture de leur jardin. C'était leur droit, et nous le respections, mais je ne pense pas que tout le monde ait validé leur décision. Selon ce que m'avait dit ma mère, certains voulaient les expulser, mais elle était fermement décidée à défendre leur droit de choisir leur propre destinée. Agir autrement aurait trahi notre objectif qui était de maintenir un îlot organisé dans un océan d'anarchie.

J'étais content qu'il n'y ait que cinq familles dissidentes, car il y en avait eu dix-huit à rejeter notre plan au départ. Les cinq familles récalcitrantes en viendraient peut-être tôt ou tard à rejoindre nos rangs quand elles comprendraient qu'elles ne pourraient pas survivre bien longtemps toutes seules. Mais je suppose que c'est précisément cela qu'elles espéraient : la résolution prochaine de notre malheureuse situation.

C'est bien d'espérer. Ça l'est beaucoup moins de se faire des illusions.

Juché sur une des plateformes surplombant l'autoroute à côté du ruisseau, Herb regardait au loin. Je me suis demandé ce qu'il observait ainsi, à quoi il pouvait bien penser. J'avais d'autant plus envie de lui parler qu'il n'avait pas été très disponible ces derniers jours. Dans l'urgence d'aider les autres à tout mettre en place, il était partout à la fois. Quand nous finissions par nous retrouver, il y avait trop de gens autour de nous pour que nous puissions parler librement. Cette fois, j'ai voulu damer le pion aux autres.

Je me suis hâté le long de l'écran antibruit qui séparait le champ de l'autoroute. Je me sentais à l'abri derrière cet immense ouvrage de béton et d'acier ; il m'inspirait confiance. Quel dommage que nous ne possédions pas les matériaux requis pour ériger un mur comme celui-là sur tout le périmètre du lotissement !

M'apercevant, Herb m'a salué de la main et m'a fait signe de venir le rejoindre. J'en ai été ravi. J'ai grimpé l'échelle que nous avions trouvée dans une résidence et fixée à la plateforme. Cette dernière a légèrement fléchi sous nos poids conjugués.

— Tout est calme, a dit doucement Herb. C'est ce qu'on dit dans les vieux films de guerre et de cow-boys juste avant la pagaille.

— Vous croyez que ce sera la pagaille ?

— Si ça l'est, j'espère que nous serons prêts à y faire face.

— D'après vous, c'est pour bientôt ?

— Quoi ? La pagaille ou notre capacité à y faire face ?

— Les deux, je suppose.

— Eh bien, je suis agréablement surpris de la rapidité avec laquelle les choses se mettent en place.

Le ton de notre conversation était toujours le même : mon optimisme s'opposait à son pragmatisme ; je posais des questions auxquelles il ne répondait pas toujours directement.

— Alors, vous pensez que nous serons prêts ? ai-je insisté.

— Je n'ai pas dit ça. Nous faisons des progrès chaque jour et nous sommes certainement en mesure de faire face à certaines situations.

— Mais pas à toutes.

— Une troupe nombreuse, bien organisée et bien armée pourrait s'amener par l'autoroute, franchir ce mur et nous éliminer d'un coup sec, a-t-il affirmé avec un claquement de doigts. Souviens-toi de ce qui s'est passé au poste de police.

Je préférais ne pas m'en souvenir, mais Herb avait raison. Une horde en furie avait attaqué et détruit le poste avec une violence inouïe et des armes redoutables. Si cette meute venait nous attaquer ici, pourrions-nous lui résister ? J'ai parcouru la route des yeux, heureux de n'y voir que des véhicules hors d'usage, abandonnés par leur conducteur en plein trajet. Dans les deux sens, à perte de vue, on les comptait par centaines. La plupart étaient intacts, mais certains avaient été vandalisés et au moins un était calciné.

— Heureusement, a poursuivi Herb, nous n'avons encore vu aucun groupe imposant, armé et bien organisé.

— Serions-nous capables de freiner une bande comme celle qui a attaqué le poste de police ?

— C'est peu probable. Je ne sais pas qui étaient ces gens, mais il devait s'agir d'une milice, ou même de membres de nos forces armées.

— Vous pensez que l'armée est en cause ?

Cette idée m'a ébranlé. Je m'attendais encore à ce que nos militaires viennent nous secourir.

— Nous n'avons pas assez d'informations pour répondre à cette question avec certitude. Il suffit de connaître l'histoire pour savoir qu'un soldat peut être un héros pacifique ou un guerrier. Ça dépend entre autres des ordres auxquels il obéit.

— C'est ce qui se passe ici, d'après vous ?

— Regarde autour de toi. Est-ce que nous ne sommes pas en train de mettre sur pied un véritable fief dans le seul but de nous protéger ?

— Pour nous protéger. Pas pour faire du mal aux autres.

— Tout le monde n'a pas d'aussi nobles idéaux. Notre meilleur système de défense en ce moment, ce ne sont pas tant ces murs que notre situation à l'écart de la ville combinée à l'absence de technologie. En raison de l'inexistence des moyens de transport et de communication, ceux qui songeraient à nous attaquer trouveront difficile de passer à l'action.

— Dans ce cas, c'est bien.

— Pour l'instant, oui. Mais n'oublie pas que nous ne sommes pas les seuls à nous organiser. Des ennemis vont bientôt se pointer à l'horizon. Ils vont convoiter nos biens. Le plus inquiétant, c'est que l'assaut sera d'autant plus féroce que nous serons préparés à le soutenir.

Je côtoyais Herb depuis assez longtemps maintenant pour savoir deviner sa pensée.

— Vous voulez dire que plus haute et solide sera l'enceinte protectrice et plus costaud notre système défensif, plus nos ennemis croiront que ce que nous avons ici est précieux?

— C'est exact, Adam. Ce territoire attirera nos adversaires comme la flamme attire les papillons de nuit. À défaut d'une attaque, nous susciterons au moins beaucoup de curiosité. Mais nous n'avons pas d'autre choix. Nous devons nous préparer du mieux possible. Je serai plus tranquille quand tout le périmètre de sécurité sera en place et quand nous aurons dégagé le pourtour du lotissement des arbres et des buissons qui l'encombrent.

Hors des murs, des équipes munies de scies à chaîne et de haches abattaient tout ce qui pouvait servir de cachette. Les plus gros arbres étaient débités et transportés en deçà des barrières de sécurité où les bûches seraient ensuite cordées et mises à sécher pour servir de bois de chauffage.

— Il faut que rien ne gêne notre visibilité dans l'éventualité d'un échange de coups de feu, a dit Herb.

J'ai secoué la tête. Ce genre de propos m'ébranlait au plus haut point.

— Je sais, c'est troublant. Mais il faut que je dise la vérité. En tout cas, à certaines personnes. Pour l'instant, continuons à planifier, à nous organiser et à nous préparer.

27

Le comité s'était donné rendez-vous dans notre salle de séjour pour sa réunion quotidienne. Une douzaine de personnes occupaient les fauteuils et le canapé qu'on avait poussés contre le mur pour dégager le centre de la pièce. Ma mère et Herb orchestraient les débats. Howie était également présent. Il était désormais responsable des postes de contrôle et des guetteurs du périmètre de sécurité. Dans la cuisine, j'écoutais la discussion en feignant de ranger le garde-manger qui, de toute façon, était quasiment vide.

Assis à table, Danny et Rachel jouaient au pendu sur un bout de papier. Ils ne parlaient pas. J'aurais aimé leur ressembler, ne rien comprendre à ce qui se passait.

Tous les leaders de notre communauté étaient présents : le juge Roberts, la conseillère Stevens, le docteur Morgan, Ernie Williams, monsieur Gomez qui avait été nommé responsable des équipes de récupération, monsieur Peterson, monsieur Nicholas qui était ingénieur, et le chef des pompiers, le capitaine Saunders.

Ils parlaient de la nécessité d'avoir une garderie. Le travail ne manquait pas, si bien qu'il fallait trouver un endroit où garder les tout-petits pendant que leurs parents et leurs frères et sœurs étaient occupés. Les membres du comité se sont entendus pour ouvrir une garderie et une école pour les enfants de moins de douze ans. Je me suis dit que Lori aimerait sans doute participer à la mise sur pied d'un tel projet.

Le comité a ensuite abordé la question des soins médicaux. Le centre de consultation sans rendez-vous était fonctionnel, tandis qu'on transformait la moitié du local de la pharmacie en une petite salle d'urgence de huit lits. Ce mini-hôpital pourrait ouvrir ses portes dans une semaine grâce aux dons de lits, de rideaux et d'ameublement varié en provenance de plusieurs résidences du quartier. Le docteur Morgan avait même aménagé une petite salle d'opération pour y effectuer des chirurgies mineures.

Je me suis demandé si monsieur Smith serait mort si on avait pu l'amener dans une telle clinique. Cela faisait plus de deux semaines qu'il avait été tué, et sa famille venait tout juste de régler les modalités de l'enterrement. En attendant, on avait entreposé sa dépouille dans la vaste chambre froide du supermarché d'Ernie Williams, la seule à fonctionner. Celui-ci était présent à la réunion et semblait avoir hâte de se débarrasser du corps.

Un dentiste avait ouvert son cabinet à deux portes de la clinique et recevait déjà des clients. Une seule génératrice alimentait en électricité la clinique, la pharmacie, l'hôpital et le cabinet du dentiste. Ce n'était pas suffisant, mais cela assurait un certain éclairage, le fonctionnement d'un réfrigérateur pour les médicaments et, si on éteignait d'autres appareils, celui d'une fraise de dentiste et des rares pièces d'équipement médical pouvant encore servir dans un contexte aussi primitif.

La sécurité figurait également à l'ordre du jour.

— Nous avons affecté à la sécurité trois unités de soixante-cinq personnes chacune, a annoncé ma mère. Chaque unité est de faction pendant douze heures consécutives, puis au repos pendant vingt-quatre heures.

Je me suis approché de la porte pour pouvoir voir l'intérieur de la salle de séjour. La question m'intéressait.

— Quelle proportion de cet effectif a bénéficié d'un entraînement ? a demandé le juge Roberts, qui occupait le fauteuil de lecture préféré de mon père.

— Tout dépend de ce que vous entendez par «entraînement», a répondu ma mère. Nous avons dix agents de police, trois officiers à la retraite, cinq anciens membres des forces armées, six hommes formés comme gardiens de sécurité, deux détectives privés et huit pompiers ou ambulanciers ayant bénéficié d'un entraînement parallèle.

— Sont-ils tous armés ? a lancé la conseillère Stevens.

— Ils sont tous armés, mais seuls ceux qui ont reçu une formation complète sont autorisés à porter une arme à feu.

— Je suppose que vous entraînez les autres au maniement des armes ?

— Ils reçoivent une formation en matière de sûreté et de maniement des armes en général, mais nous n'avons même pas assez d'armes à feu pour équiper nos tireurs d'élite.

— Vous pourriez armer combien d'individus ?

— Nous avons assez de pistolets, de carabines ou de fusils de chasse pour cent vingt personnes. J'aimerais en avoir davantage, et aussi plus de munitions.

— Devrions-nous essayer d'en trouver à l'extérieur du périmètre de sécurité ? a demandé monsieur Gomez.

— La seule façon de nous procurer des armes est de les enlever à ceux qui en possèdent, a dit Herb. Ils ne se laisseront certainement pas faire.

— La question la plus importante, a enchaîné la conseillère Stevens, est de savoir si nous sommes déjà en mesure d'assurer la sécurité du quartier.

— Depuis que nous avons mis en place de plus nombreuses équipes de surveillance et entrepris l'érection d'une enceinte protectrice, il n'y a eu aucune tentative d'intrusion. Nous sommes en sûreté pour l'instant.

— Pour l'instant ? a répété la conseillère Stevens.

— Nous poursuivrons notre entraînement, nous améliorerons notre équipement et nous consoliderons nos défenses de façon à voir venir les coups et à être prêts à toute éventualité, a déclaré Herb.

Après une légère hésitation, il a ajouté :

— C'est du moins ce que nous espérons.

Un silence a accueilli sa dernière remarque.

Même si tout un comité avait été mis en place, deux leaders se démarquaient de plus en plus du groupe : ma mère et Herb. On aurait dit que leurs opinions pesaient plus lourd, que leurs conseils étaient spontanément suivis et qu'ils s'étaient partagé les responsabilités. Ma mère était chargée de la sécurité quotidienne, tandis que Herb essayait de prévoir ce qui arriverait ensuite afin de nous y préparer. Ils étaient un peu à mes yeux comme les deux composantes d'un même système : ma mère voyait à l'immédiat, et lui à l'avenir ; elle s'occupait de l'intérieur des murs, et lui de l'extérieur. Jusqu'à présent, ils avaient toujours été d'accord sur tout. Je me suis demandé ce qui arriverait quand ils cesseraient de l'être.

— Grâce à la formation continue, a repris ma mère, à la construction de la barrière de sécurité et aux moyens de communication que nous avons pu bricoler, nous sommes en excellente posture.

Le père de Todd supervisait l'érection du périmètre de sécurité, et Todd l'aidait. Lori bossait aussi, mais, elle, c'était plutôt à la ferme.

Les Peterson s'étaient installés dans une maison abandonnée, près du parc. Ils avaient transformé le garage en poulailler et le jardin en pâturages pour les vaches et les chevaux. Lori et sa mère travaillaient fort pour prendre soin des animaux, tandis que son père labourait et ensemençait le moindre lopin de terre de notre quartier. Rachel passait beaucoup de temps à leur donner un coup de main. De temps en temps, elle montait aussi à cheval avec Lori.

— Parlez-moi un peu de ces moyens de communication, a dit le juge Roberts.

— Nous avons pourvu chaque équipe de surveillance d'un talkie-walkie et d'un code de transmission en cas de problème. À chaque section du périmètre correspond un signal spécifique. Lorsque celui-ci nous parvient, nous savons exactement où envoyer les renforts.

— Si nous recevions un signal, a ajouté Herb, toutes les équipes de sécurité au repos accourraient sur les lieux en quelques minutes pour seconder les gardes de faction et repousser le danger.

— C'est rassurant.

Le voyant du percolateur s'est allumé, indiquant que le café était prêt. Parfait timing. C'était mon laissez-passer pour la salle de séjour. Je pourrais mieux écouter en servant le café.

— C'est curieux, a déclaré Howie, ce qui trouble le plus les gens à la ligne de front, ce n'est pas tant la pensée de devoir défendre notre quartier contre les agresseurs, mais celle de devoir refouler les personnes innocentes qui viennent chaque jour nous demander asile.

— Je ne suis pas sûre de comprendre, a lancé la conseillère Stevens.

— Ces pauvres gens qui longent la barrière de sécurité et que nous devons empêcher d'entrer. Le pire, c'est que ce ne sont pas des étrangers, mais des connaissances. Ils nous supplient de les aider. Ils veulent de la nourriture ou de l'eau, ou entrer dans nos murs, et nous devons leur dire non.

— Nous n'avons pas le choix, a dit Herb.

— Je sais, mais ça ne rend pas les choses plus faciles.

J'ai donné une tasse de café à chaque membre du comité. Ils m'ont dit merci ou fait un signe de tête.

— Nous pourrions peut-être laisser entrer certains d'entre eux, a proposé Herb.

— Ah oui ? a fait ma mère.

— Il y a là des gens qui ont des compétences dont nous pourrions profiter. Ce ne serait pas mauvais d'avoir parmi nous un autre agriculteur, quelques travailleurs de la construction, un ou deux bons mécaniciens supplémentaires.

— Voulez-vous que nous leur demandions quel métier ils exercent ? a demandé Howie.

— Il serait bon d'y réfléchir. Mais, de toute évidence, certaines aptitudes nous seraient très utiles. Cela justifierait même que nous partagions avec eux notre nourriture et notre eau.

— Justement... qu'en est-il de l'approvisionnement en eau ? s'est informé le juge Roberts.

— Ça avance, a répondu monsieur Nicholas, l'ingénieur. Nous détournons l'eau de pluie des gouttières pour la recueillir dans des barils — ou dans des piscines, là où il y en a. Les piscines sont d'excellents réservoirs pour l'eau des lessives, des toilettes, du nettoyage et de l'irrigation. Nous cherchons aussi une façon de condamner les égouts pour y entreposer de l'eau de pluie.

— Excellent travail. Cette eau sera-t-elle potable?

— Avec la juste quantité de chlore, toute eau est potable, a affirmé monsieur Nicholas.

— De combien de chlore disposons-nous? est intervenue la conseillère Stevens.

— Nous en avons assez pour procurer de l'eau potable à tout le quartier pendant six mois, a indiqué Herb.

— Nous en avons donc beaucoup plus que nécessaire, a-t-elle dit.

Herb n'était pas de cet avis, mais il n'a rien ajouté.

— Les équipes de récupération nous rendraient un fier service si elles faisaient une petite visite au magasin d'accessoires pour piscines, a lancé ma mère.

— Nous y sommes déjà allés, mais nous sommes arrivés trop tard, a déclaré monsieur Gomez. Il n'y restait plus un seul produit chimique utile.

Si Herb avait été le premier à comprendre la gravité de la situation, il n'était pas le seul à l'avoir fait.

— Le peu de chlore à notre disposition m'inquiète moins que le risque de maladies infectieuses dues à l'ingestion d'eau contaminée par des matières fécales, a expliqué le docteur Morgan. Nous ne sommes pas équipés pour affronter une épidémie de choléra ou de diphtérie.

— Mais cela ne devrait pas nous inquiéter, n'est-ce pas? a objecté le juge Roberts,

— Il y a certes toujours un risque, mais minime, tant que l'appareillage sanitaire fonctionne normalement, a précisé le médecin.

— Nous avons de la chance que les toilettes soient fonctionnelles quand on y verse de l'eau, a ajouté le juge.

— C'est un système extrêmement simple fondé sur la gravité, a dit monsieur Nicholas. L'eau que l'on verse dans la cuvette entraîne les matières fécales à un niveau inférieur. Mais si un blocage survient dans les canalisations entre l'endroit où nous sommes et le centre de traitement des eaux usées, tout pourrait refluer.

— Et dans ce cas... ?

— Dans ce cas, il faudrait trouver une autre façon d'évacuer les excréments. Si le système est foutu ici, il le sera partout, y compris en amont où l'eau sera presque certainement contaminée par plusieurs bactéries comme l'*E. coli*.

— Que diriez-vous si, par simple précaution, je testais régulièrement l'eau du ruisseau ? a demandé le docteur Morgan.

— C'est une excellente suggestion, docteur, mais nous devons procéder par étapes, a objecté Herb. Si nous attendons qu'un malheur arrive, il sera trop tard. Nous devons planifier l'évacuation des eaux usées et, dans l'immédiat, creuser des puits.

— Creuser des puits ? a fait Ernie. Le pouvons-nous ?

— Absolument, a répondu monsieur Nicholas. Ici, la nappe phréatique est très près de la surface. Si nous choisissons bien l'endroit où creuser, nous la trouverons à environ trois mètres de profondeur. Je peux affecter quelqu'un à cette tâche dès demain.

Herb a souri.

— Voilà la sorte de propos que j'aime entendre. Les gens sont souvent prompts à trouver des excuses pour ne pas donner un coup de main.

— Je suis ingénieur. Mon boulot est de trouver des solutions.

— Est-ce qu'il reste du café ? a demandé le juge Roberts.

— Oui, monsieur.

J'ai rempli sa tasse.

— Merci, fiston. Il est meilleur que celui qu'on nous a servi au dîner.

— Je suis désolé, a dit Ernie. Faire du café pour mille personnes n'est pas facile.

— Ne vous excusez pas. Le repas était excellent !

— Nous avons eu beaucoup d'aide. Et puis, nous nous améliorerons avec le temps.

Notre plan prévoyait que chaque famille devait s'occuper des deux premiers repas de la journée en puisant dans ses propres réserves de nourriture ou en partageant les victuailles avec ses voisins. Il y avait ensuite un dîner communautaire au gymnase, en plusieurs services. Chez moi, nous avions de la chance. Nous étions allés au supermarché juste avant que l'événement se produise, et Herb continuait à nous apporter régulièrement d'autres provisions. Combien en avait-il encore dans sa cave ?

— Sachez que nous pouvons tous survivre en mangeant beaucoup moins que nous en avons l'habitude, a déclaré Herb.

— Nous devrons nous rationner ? l'a interrogé la conseillère, affolée. Prévoyez-vous que nous manquerons de vivres ?

— Nous en avons suffisamment pour l'instant, a assuré Herb, n'est-ce pas, Ernie ?

— Nous avons des haricots secs, du riz, des conserves et d'autres denrées de base pour au moins deux mois.

— Mais les récoltes ne seront pas prêtes avant au moins quatre mois, a lancé monsieur Peterson.

— Nous ajouterons à nos réserves ce que nous trouvons en ratissant les environs, a dit Herb. La récolte a été bonne aujourd'hui, hein, Jeff ?

— Oui. La récupération a été très productive.

Entourés de gardes du corps, monsieur Gomez et plusieurs autres personnes fouillaient chaque jour les environs du lotissement pour trouver de la nourriture et des choses dont nous pouvions avoir besoin.

J'ai bien vu que Herb cherchait à fixer l'attention des gens sur les bonnes nouvelles plutôt que sur les éventuelles pénuries. Personne n'a semblé s'en rendre compte, mais moi, si. La nourriture allait sûrement poser problème, ainsi qu'il me l'avait dit dès le départ.

— L'équipe de récupération a rapporté en une seule journée de quoi nourrir tous les chiens du quartier pendant plusieurs mois, a poursuivi monsieur Gomez, de même que des sacs de terreau, des fertilisants, toutes sortes d'outils et, curieusement, des arbalètes, des traits, des arcs et des flèches.

— Voilà qui est bien, a dit Herb.

— Demain, nous trouverons peut-être une plus grande quantité de nourriture pour les humains.

— Je sais que vous prendrez tous les aliments qui vous tomberont sous la main, mais nous avons aussi d'autres choses à trouver.

— Qu'est-ce qu'il vous faut en priorité ?

— Le ciel nous enverra de la pluie, et le sol fera pousser des plantes. Il faut d'abord songer à ce que nous ne pourrons pas reproduire : des réserves d'essence pour nos véhicules et nos génératrices.

— Je croyais que le contenu du camion-citerne que nous avons tiré jusqu'ici nous suffirait, a fait Ernie.

— Il n'y a pas de mal à en emmagasiner plus que nécessaire, a répliqué Herb. Nous pourrons toujours troquer le surplus contre des denrées, par exemple.

— Quelle est votre idée ? a demandé ma mère.

— Nous devrions prendre toute l'essence que renferment les réservoirs souterrains de la station-service.

— Ne serait-ce pas plus simple d'élargir le périmètre de sécurité de manière à englober la station-service ? a suggéré ma mère.

— Même si nous pouvions ériger plus de barrières, ce ne serait pas une bonne idée de concentrer une aussi précieuse ressource en un seul endroit et de l'entreposer à proximité de la ligne de défense. Nous serions beaucoup trop vulnérables : ce serait une invitation à l'attaque.

— Mais où la mettre, alors ? a lancé le juge Roberts.

— C'est simple comme bonjour. Nous transvidons l'essence dans les réservoirs de tous les véhicules du quartier. S'ils ne peuvent pas rouler, ils peuvent quand même stocker du carburant.

— C'est parfaitement sensé, a affirmé ma mère.

— Nous pouvons aussi moissonner les véhicules abandonnés de l'autre côté du mur, a ajouté Herb. Cela nous permettrait d'accroître nos réserves de carburant et d'avoir plus de réservoirs à notre disposition.

— N'oubliez pas les pneus, a dit monsieur Nicholas. Ils peuvent servir de combustible. On peut aussi utiliser le métal du châssis et les pièces. C'est incroyable tout ce qu'on peut faire avec des pièces d'automobile.

— On dirait que vous avez déjà une petite idée de ce que vous en ferez, a déclaré ma mère. Ça vous ennuierait de nous en parler ?

— J'ai pensé que nous pourrions nous servir de certaines pièces d'automobile pour construire de mini-éoliennes. Les alternateurs et les génératrices, par exemple, peuvent servir à ça.

— C'est possible ? l'a interrogé le juge Roberts.

— Absolument. Cette forme d'énergie renouvelable serait une excellente solution à long terme pour alimenter nos génératrices de secours sans devoir compter sur l'essence.

Quelque chose me disait que monsieur Nicholas comprenait mieux que la plupart des gens le sens de ce « long terme ».

— Très bien, a répondu Herb. Faites tout de suite le nécessaire.

— Je serai très heureux quand nous aurons ramené ces véhicules à l'intérieur du périmètre, a enchaîné Howie. En ce moment, des agresseurs pourraient s'y abriter en cas d'échange de tirs ou y mettre le feu. Leur absence renforcera nos moyens de défense.

— Tout le monde y gagnera, a conclu ma mère.

— Comment ferez-vous pour les transporter jusqu'ici ? a demandé le juge.

— Il suffira de casser une vitre, de les faire démarrer à l'aide d'un tournevis, puis de les tirer ou de les pousser.

— J'hésite à m'approprier le bien d'autrui, a dit le juge.

— Nous pourrions noter chaque plaque minéralogique dans un registre, avec le numéro de série du véhicule et, si nous trouvons le certificat d'immatriculation, le nom du propriétaire. Est-ce suffisant ? a fait Herb.

— Ça me va.

Nous avions convenu que le respect des droits de chaque individu, qu'il fasse ou non partie de notre groupe, serait un de nos principes fondateurs. Tout objet recueilli devait être inscrit sur une liste, et tout geste fait pour le bien de la collectivité mais pouvant être interprété comme un acte criminel, soumis à l'examen et à l'approbation des membres du comité.

— Monsieur Gomez, vous occuperez-vous de rassembler ces véhicules ? a demandé ma mère.

— Bien sûr. Dès demain matin, je formerai une autre équipe dans ce but. Beaucoup de gens sont prêts à nous donner un coup de main dans presque tous les domaines.

— Je peux assurer votre sécurité, a indiqué Howie. Nous posterons des gardes sur un côté de la rue où vos équipes travailleront à récupérer les voitures.

— Et, moi, je peux libérer des gens de mon équipe pour vous aider à prendre les voitures, a ajouté monsieur Nicholas.

— Je vous suis reconnaissant de votre enthousiasme, a fait Herb tandis que les autres secouaient la tête pour approuver.

— Nous pourrons garer les véhicules qui se trouvent dans Burnham Road dans le stationnement de l'école, a déclaré monsieur Gomez, et ceux de la promenade Erin Mills dans celui du mini-centre commercial.

— Excellent, a dit ma mère, vraiment parfait. Y a-t-il encore autre chose ou pouvons-nous retourner à nos tâches ?

— Il n'y a pas d'autre point à l'ordre du jour, a conclu le juge Robert. La séance est ajournée jusqu'à demain, à la même heure.

28

— Protection ! a commandé Brett.

Nous avons abaissé la visière de notre casque antiémeute, et Brett a fracassé la vitre d'une camionnette à coups de matraque. Des millions de fragments de verre se sont répandus sur la banquette. J'ai soulevé ma visière, tendu la main à l'intérieur et déverrouillé la portière. L'ayant ouverte, j'ai épousseté de ma main gantée la place du conducteur.

— Jamais je n'aurais cru que voler des véhicules pourrait faire partie des responsabilités d'un agent de police, a dit Brett.

Il m'a tendu le tournevis. Je l'ai enfoncé dans le contact en tournant juste assez pour débloquer le volant et la transmission, et j'ai placé le levier de vitesses au point mort. Brett a fait un signe au groupe de jeunes sur l'accotement.

Ils ont couru vers nous en se bousculant et en riant. J'ai eu à peine le temps de sortir de la camionnette que deux d'entre eux se disputaient le volant. Le plus costaud a remporté la joute et refermé la portière pour marquer sa victoire. Âgé de treize ou quatorze ans, il était un peu plus vieux que ses compagnons. Son adversaire a rejoint les autres à l'arrière du véhicule. Curieusement, je me sentais beaucoup plus vieux qu'eux. En fait, je m'étais toujours senti plus vieux que les garçons de mon âge et même que certains adultes. Depuis le début de cette situation catastrophique, j'avais appris des choses que beaucoup de gens ignoraient, des choses qui pesaient sur mes épaules et m'avaient fait mûrir d'un coup.

— Veillez à bien faire le plein, a lancé Brett. Ensuite, quelqu'un d'autre se chargera de conduire la camionnette jusqu'au bas de la pente et à l'intérieur du périmètre de sécurité.

On remplissait les réservoirs à la station-service en pompant à la main l'essence entreposée dans l'immense cuve souterraine. Ensuite, on conduisait les véhicules en bas de la côte pour les mettre à l'abri derrière nos murs. Leur précieuse réserve de carburant servirait à alimenter d'autres véhicules ou des génératrices.

— Je peux l'amener jusqu'au stationnement ! a crié le garçon qui était au volant.

Brett s'est penché par la fenêtre de la portière. Je devinais sans la voir la fureur de son expression.

— Tu conduis la camionnette jusqu'à la station-service. Ensuite, quelqu'un d'autre, quelqu'un qui possède un permis de conduire, la ramène jusqu'au quartier.

— Le moteur ne fonctionne même pas, et puis...

— Contredis-moi encore une fois et tu ne conduiras rien du tout, point, à la ligne.

— D'accord, a répondu le garçon, sans avoir l'air très convaincu.

— Je te surveille.

Brett a flanqué un coup de matraque contre la portière. Le garçon a sursauté.

— Je peux faire pas mal plus que casser des vitres avec cette matraque. Tu saisis ?

— Oui, monsieur, j'ai compris.

— Bien. Allez-y, maintenant, a ordonné Brett en se tournant vers les autres. En route !

Ils se sont mis à pousser la camionnette en riant et en plaisantant. J'ai pensé que ça ressemblait à un lave-auto de bienfaisance. Mais la présence de gardes armés en bordure de la route m'a ramené à la réalité.

— Il y en a un ou deux qui mériteraient un bon coup de pied au cul, a dit Brett. Mon père ne tolérait pas ce genre de bêtises. C'est ça qui a fait de nous de meilleures personnes, mon frère et moi.

Je n'ai pas répondu. Mes parents ne croyaient pas aux châtiments corporels. Ma mère disait n'avoir jamais rencontré un agresseur violent qui n'ait pas lui-même été victime de violence familiale.

— C'était le dernier tournevis, ai-je lancé pour changer de sujet. Il va falloir attendre qu'on nous en apporte d'autres.

— Combien de véhicules avons-nous ramassés ?

— Une bonne quarantaine.

— Ça fera du bien de dégager ce bout de chemin, a fait Brett. J'espère qu'ils vont venir à bout de Birnham.

— Nous le saurons bientôt.

Brett s'est approché de la voiture suivante, une élégante Buick. Il lui a donné un coup de matraque et le phare droit a volé en éclats.

— Pourquoi tu as fait ça ? ai-je demandé.

Il a haussé les épaules.

— J'avoue que j'aime le bruit du verre brisé. Tu n'as pas envie de fracasser quelques vitres, toi ?

— Non, merci, je n'y tiens pas.

— Tu ne pourras pas dire que je ne te l'ai pas proposé. Tu sais, s'ils ne perdaient pas tant de temps avec leur paperasse, ça irait beaucoup plus vite.

— Ils ne font que noter quelques détails, le nom du pro-priétaire, l'immatriculation, le numéro de série, c'est tout.

— Regardons la vérité en face : nous volons des voitures.

— Le juge a dit que ce n'était pas plus mal que de remorquer des véhicules après une tempête de neige, ai-je protesté.

— Tu peux dire ça comme tu veux, mais il y en a qui vont être furieux quand ils ne retrouveront pas leur voiture.

— Je suppose, oui. Mais, au moins, le réservoir sera plein.

— J'aimerais qu'on cesse de se raconter des histoires, a dit Brett. À vrai dire, j'aimerais mieux qu'on choisisse autre chose que des voitures.

— Quoi, par exemple ?

— Certains disent qu'il y a un troupeau de chevreuils au bord de la rivière. Est-ce que c'est vrai, d'après toi ?

— Je les ai vus. On allait souvent jouer là quand j'étais petit.

— Donc, tu pourrais m'indiquer où les chasser ?

— Oui.

— As-tu déjà chassé le chevreuil ?

— Non, ai-je répondu avec un hochement de tête. Je n'ai fait que du tir à la cible.

— La chasse, c'est beaucoup mieux. L'homme contre l'animal. Que le meilleur l'emporte.

— La compétition serait sans doute plus équitable si le chevreuil était armé.

Todd m'avait un jour dit cela.

— C'est encore plus juste si on chasse à l'arc, a répliqué Brett.

— Tu as déjà chassé à l'arc ?

— Souvent. C'est beaucoup plus personnel quand on fixe l'animal dans les yeux.

Son regard est devenu étrange tout à coup : il ne parlait pas que de chasse. Mais il était vrai qu'un chevreuil pourrait nourrir plusieurs personnes. Un chevreuil nous aiderait, deux encore plus et, avec un troupeau tout entier, la différence serait énorme.

— Reste à mes côtés, gamin, et je ferai de toi un bon chasseur et un bon agent de police.

— Je crois que je préfère être pilote.

— Dommage que tu ne puisses pas piloter un vrai avion.

— C'est ce qu'il y a de plus vrai quand on est dans les airs. Tu as encore peur de voler avec moi ?

— Tu veux dire que je suis trop intelligent pour voler avec toi, a-t-il répliqué avec un éclat de rire avant de s'arrêter net. Oh oh... il y a des gens qui approchent.

En me retournant, j'ai vu une famille : le père, la mère et deux très jeunes enfants. L'homme tirait une petite remorque remplie de leurs affaires, et la femme poussait un chariot de supermarché.

— Ils ont l'air inoffensifs, ai-je dit.

— Je pense qu'on devrait empêcher tout le monde de passer pendant qu'on travaille.

—Ils veulent juste se casser ailleurs. La patrouille les laisse tranquilles.

— Pour moi, en fait de casse, il n'y a que ça qui compte, a riposté Brett en pulvérisant une vitre de la voiture à côté de lui.

En entendant ce bruit, un des enfants a eu peur et s'est mis à crier.

— Excusez-nous, ai-je lancé à la petite famille. On nous a demandé de faire ça.

La femme a hoché la tête avec un sourire forcé.

— Nous dégageons la route, ai-je précisé.

— Vous pourriez le faire sans rien casser, a déclaré l'homme.

— Je suppose que vous avez sous la main les clés de toutes les voitures de la planète ? a rétorqué Brett.

— Quand on a les bons outils, on n'a pas besoin de clé.

— Vous les avez, vous, ces outils ?

L'homme a tiré la poignée de la remorque et pris une fine lame de métal d'un étui à outils rangé dessous.

— J'ai déjà vu ça, a fait Brett. C'est un Slim Jim. Les voleurs de voitures s'en servent.

— Les mécaniciens et les conducteurs de dépanneuses aussi, a ajouté l'homme.

— Êtes-vous mécanicien ? ai-je demandé.

— Je peux réparer n'importe quel moteur, du moment qu'il n'est pas informatisé.

— Intéressant...

— Pas autant que ce que vous faites ici, Qu'est-ce qui se passe ?

— Quelqu'un d'autre vous expliquera, ai-je répondu. Écoutez, les habitants du quartier se réunissent pour un dîner collectif dans environ une heure. Aimeriez-vous vous joindre à nous avec votre petite famille ?

— On ne peut pas laisser entrer tout le monde ! a protesté Brett.

— Nous ne voulons pas vous créer d'ennuis, a dit l'homme.

— Ne vous en faites pas. Venez dîner avec nous, je vous en prie.

Selon Herb, c'était précisément le genre d'homme qu'il nous fallait.

— Vous êtes sûr d'avoir assez de nourriture ?

— Assez pour nourrir quatre bouches de plus. De toute façon, j'aimerais vous présenter à quelqu'un.

29

Je ne m'étais pas trompé. Très intéressé par la petite famille que j'avais conviée à manger, Herb avait posé beaucoup de questions à Paul Robson – le père– sur son expérience de mécanicien. Après le repas, il avait consulté brièvement les membres importants du comité. Tous s'étaient dits d'accord pour que les Robson viennent grossir nos rangs et avaient décidé de les loger provisoirement chez une dame âgée qui vivait dans ma rue.

Les Robson ne pouvaient pas savoir qu'ils assisteraient à des obsèques le lendemain en compagnie du reste du quartier. Ce matin-là, ils se tenaient un peu à l'écart du cortège quand je les ai croisés. Ils m'ont remercié. J'ai eu beau leur dire qu'ils devaient plutôt remercier les membres du comité, ils m'ont dit merci une troisième fois.

Je voulais assister aux funérailles de Mike Smith par respect pour lui même si je ne l'avais pas bien connu. Je le voyais souvent dans les environs, mais nous ne nous fréquentions pas. L'image de son cadavre couvert de sang, les yeux fermés, le visage tordu de douleur m'obsédait.

Sa femme, son fils et sa fille suivaient le cercueil porté par six hommes. C'était une boîte en pin toute simple, fabriquée dans l'atelier de menuiserie qui avait ouvert ses portes au cours des derniers jours. Une autre initiative du père de Todd.

Nous n'avions pas d'entreprise de pompes funèbres ni de cimetière. Nous n'avions pas d'église non plus, ni de temple, ni

aucun autre lieu de culte. Mais nous avions un pasteur métho-
diste. Il célébrerait le service.

Cela faisait déjà un bon moment que Smith était mort. On
avait mis sa dépouille dans la chambre froide du supermarché.
Il aurait été préférable de l'inhumer plus tôt, mais la chose
n'avait pas été possible en raison des interminables discussions
entre la famille et le comité au sujet de la façon dont il allait être
enterré et du lieu de la sépulture.

Ma mère disait qu'un des traits qui distinguent les humains des animaux est le respect avec lequel nous traitons nos
disparus. Mais je savais que nous ne leur avions pas manifesté
beaucoup d'égards depuis quelque temps. Il y avait, bien sûr, les
morts gisant dans l'allée des Peterson, et les hommes qui avaient
été tués lorsqu'ils avaient tenté d'envahir notre quartier, mais,
cette fois, c'était différent. Mike Smith était un des nôtres.

Tous ceux qui n'étaient pas de garde ou au travail suivaient
le cortège ; ils devaient être des centaines. On aurait dit un mariage plus que des funérailles, en tout cas une cérémonie qui
rassemblait la presque totalité de la collectivité. Herb avait dit
qu'un service funèbre aurait du bon, car il rappellerait aux gens
ce qui était au centre de nos préoccupations du moment : une
simple question de vie et de mort.

Le cortège a longé le champ sous les lignes de haute tension elles aussi sans vie, puis il est descendu jusqu'au ruisseau
où il a franchi une ouverture dans la barrière avant de se glisser
sous le viaduc de l'autoroute. C'était étrange de voir tous ces
gens pour la plupart endimanchés avancer péniblement sur ce
sentier étroit et difficile. Au-dessus d'eux, l'autoroute silencieuse et enfin dégagée de tous les véhicules abandonnés qui
l'avaient encombrée n'était plus qu'un long et aride ruban d'asphalte et de béton. Je me suis dit que ce serait une excellente
piste d'atterrissage pour mon ULM ou même pour un Cessna.

Jamais je ne l'aurais avoué à Brett, mais j'aurais préféré piloter un Cessna. Avec un Cessna, j'aurais pu aller jusqu'à Chicago chercher mon père, qui en aurait pris les commandes au retour.

L'endroit qui avait été choisi pour la sépulture était situé de l'autre côté de l'autoroute, à l'extérieur du périmètre mais voisin de celui-ci. On pouvait en creuser le sol meuble et, détail qui avait son importance, il était assez vaste pour accueillir encore plusieurs autres dépouilles. Quand ma mère m'avait dit cela, un frisson m'avait parcouru. Nous savions qu'il y aurait d'autres décès, mais de l'entendre en parler ainsi avait rendu cette perspective plus réelle. Combien mourraient avant que tout revienne à la normale ?

Je me suis posté à l'arrière, très en retrait, pendant que les gens du cortège se massaient aux abords de la tombe, mais j'étais encore assez près pour entendre les sanglots de la famille éplorée. Quand le pasteur a parlé, je n'ai pas bien saisi ce qu'il disait. Ça m'était égal. Rien de ce qu'il disait ne pouvait ramener Mike ou consoler sa famille.

J'ai levé les yeux vers l'autoroute. Herb observait la mise en terre du haut du viaduc, un fusil à lunette en bandoulière. Tout me paraissait plus vrai en même temps qu'irréel. C'étaient les funérailles d'un homme qui était mort en se portant à la défense de notre quartier et Herb était là, prêt à son tour à défendre son inhumation. J'ai compris que je voulais être là-haut, aux côtés de Herb, plutôt qu'en bas, où je me trouvais.

Lentement, à reculons, je me suis éloigné de la famille Robson et, sans bruit, je me suis frayé un chemin dans le sous-bois. J'ai escaladé le talus et enjambé la glissière de sécurité pour accéder à l'autoroute. En me voyant, Herb m'a fait un bref signe de tête. À cette distance, je voyais tout et n'entendais rien. Ce recul m'a fait du bien.

— Je suis content qu'on ait pu le mettre en terre, a dit Herb.

— C'est un réconfort pour la famille.

— Je songeais moins à leur réconfort qu'à la nécessité de se débarrasser du corps. Ce n'est pas bon d'accumuler les cadavres, a-t-il déclaré, fidèle à lui-même.

— Non. Je suppose que non. Aujourd'hui, au moins, nous faisons ce qu'il convient de faire.

— En effet. Et pas seulement pour la famille, mais pour nous tous. Ce rassemblement témoigne de notre cohésion. De telles circonstances nous soudent les uns aux autres et nous préparent à ce qui s'en vient.

— Je crois qu'ils se donnent tous la main.

— C'est normal au début, a répondu Herb en regardant au loin. L'équipe de récupération est partie en quête de nourriture.

— Brett est avec eux?

— Oui. Il est responsable de leur sécurité.

— Est-ce qu'il sera responsable de la sécurité à chaque sortie du quartier?

— Pas à chaque fois, mais souvent. De par ses aptitudes et son tempérament, il est plus actif que passif.

Après un moment de silence, Herb a ajouté:

— Tu ne l'aimes pas beaucoup, hein?

— Ce n'est pas que je ne l'aime pas. Seulement, je ne sais pas si je... enfin... je ne trouve pas les mots qui rendraient...

— Tu n'es pas sûr de pouvoir lui faire confiance?

— Je crois que c'est ça, oui. Je me méfie de ses sautes d'humeur. Il est complètement imprévisible.

— Il est déroutant, c'est vrai, mais je crois que, dans son cas, il est préférable d'agir que de penser. Sachons en tirer parti. Nous verrons bien ce qui en résultera.

— Ce n'est pas une mauvaise idée. J'avoue que si je devais aller quelque part en dehors du périmètre, sa présence me rassurerait.

— Je vais demander à une équipe de construction de démolir le mur de ce côté-ci de l'autoroute, a dit Herb. Nous aurons ainsi une vue dégagée sur elle et, plus loin, sur les champs. Et puis les débris serviront à prolonger le mur de la promenade Erin Mills.

— Est-ce que vous comptez prendre ces champs pour y faire des cultures ?

— Je ne suis pas certain que nous puissions étendre nos mesures de sûreté par-delà l'autoroute pour empêcher quelqu'un de nous voler nos récoltes. Ça ne sert à rien de semer si nous ne sommes pas sûrs de récolter. Mais nous... Oups, attends une seconde.

Herb a porté à sa bouche le talkie-walkie qui était accroché à sa ceinture.

— Un groupe sort du bois au nord. Il y a quatre ou cinq personnes. Envoyez-y une unité de sûreté. Vous me recevez ?

Presque aussitôt, cinq hommes postés à l'arrière de la foule se sont dirigés vers le nord. Même d'aussi loin, je voyais à sa taille que l'un d'eux était Howie. Lui et un autre homme portaient un fusil. J'ignore pourquoi ce détail m'a frappé. Je savais pourtant qu'ils étaient armés, comme l'étaient aussi deux ou trois douzaines d'autres hommes présents.

Je les ai observés, fasciné. Ils se sont dispersés, et deux d'entre eux ont retraversé le ruisseau, se trouvant ainsi à cerner les intrus en venant sur leurs flancs.

— Qu'est-ce que qu'ils vont faire ?

— Ils vont leur parler, leur dire de s'en aller. Ce n'est sans doute rien de grave.

— Et si c'était grave ?

— Dans ce cas, ils feront ce qui s'impose. Il faut que nous soyons tous prêts à faire ce qui s'impose, quoi que ce soit.

Ce n'était qu'une fausse alerte. Des chasseurs en quête de gibier s'étaient aventurés à proximité de notre périmètre. Mais quelque chose de grave se produirait tôt ou tard, j'en étais sûr. J'ignorais quoi, j'ignorais quand – aujourd'hui, le lendemain ou dans une semaine –, mais ça arriverait.

30

C'est arrivé cinq jours après.

La sirène et l'écho lointain des coups de feu m'ont tiré d'un sommeil profond. Je me suis levé d'un bond et j'ai couru jusqu'à la porte. Brett s'y trouvait déjà, armé de sa carabine. De repos cette nuit-là, il dormait dans la chambre d'amis.

— Deux coups prolongés indiquent...

N'étant pas encore tout à fait réveillé, je ne parvenais pas à m'en souvenir. Le mur sud ? Ou bien...

— Le mur sud, du côté de Burnham, a dit Brett.

La sirène pneumatique envoyait son signal à répétition, et je suis sûr que, malgré le manque de lumière, Brett voyait que j'avais peur.

— Où est ma mère ?

— Elle fait déjà sa ronde, tu as oublié ? Écoute, ce n'est sans doute pas grand-chose, peut-être une fausse alerte ou alors rien de grave. Les tirs ont cessé.

Je ne m'en étais même pas rendu compte. Il avait raison. J'étais mort de peur, tandis que Brett avait les idées claires et semblait parfaitement calme.

Rachel et Danny sont descendus. Ils étaient manifestement terrorisés, si bien que j'ai dû faire un effort pour paraître aussi calme que Brett.

— Retournez vous coucher, leur ai-je lancé. Ce n'est rien de grave.

— Mais nous allons quand même aller voir ce qui se passe, a fait Brett.

— Nous fermerons la porte à clé en sortant. Vous deux, allez dormir. Vous avez école demain matin.

— Tu dis ça pour nous embêter, a répliqué Danny.

— Va te coucher.

Ils n'ont pas bougé. Brett a tendu un doigt en direction de l'escalier. Ils ont aussitôt fait volte-face et sont remontés à l'étage. Pourquoi ne m'obéissaient-ils jamais aussi facilement ?

— Allons-y, ai-je dit.

Alors que je cherchais la poignée de la porte, Brett m'a arrêté.

— Gilet pare-balles.

— Ah, oui, bien sûr.

Il m'a tendu une tenue de protection et en a enfilé une lui aussi. Les gilets pare-balles, les armes... comment cela pouvait-il me faire croire que ce n'était « pas grave » ?

La sirène hurlait encore ses avertissements à intervalles réguliers quand nous sommes montés dans la voiture. Je m'efforçais désespérément de gérer la montée d'adrénaline qui s'emparait de mon corps quand la sirène s'est tue.

— On y va toujours ? ai-je demandé.

— Tu n'es pas curieux de savoir ce qui s'est passé ?

— Oui, je suppose.

— Alors, on y va.

J'ai vite compris que nous n'étions pas les seuls à répondre à l'alarme. Il y avait partout des faisceaux lumineux – ceux, constants, des phares de véhicules et ceux, dansants, des lampes de poche : des gens se hâtaient vers le périmètre de sécurité. C'était bon de savoir que les habitants du quartier réagissaient comme convenu, même si, cette fois, c'était sans raison.

Les guetteurs avaient sans doute paniqué en entendant un bruit suspect ou quelque chose comme ça, ce qui aurait expliqué les coups de feu. Ce ne serait pas la première fois que, dans un moment de panique, des gardes auraient ouvert le feu sur des fantômes.

Je suis entré dans le stationnement de l'école. Je n'avais pas l'intention d'aller plus près avec la voiture. Brett est sorti avant même l'arrêt complet du véhicule et s'est élancé en direction du mur. J'ai stoppé la voiture, coupé le moteur et je suis sorti à mon tour en m'efforçant de courir malgré ma tenue encombrante. J'avais beau me répéter que ce n'était sans doute qu'une fausse alerte, mes jambes tremblaient tellement que j'ai dû ralentir.

Il y avait beaucoup de bruit, beaucoup d'agitation et de chaos, des voix, des cris. Un grand nombre de personnes s'étaient massées au pied du mur. J'ai aperçu Howie au milieu d'elles, qui dépassait tout le monde d'une tête.

— Votre attention, s'il vous plaît !

C'était ma mère, avec un porte-voix, aux côtés de Howie. J'ai été soulagé de l'entendre, de savoir qu'elle était saine et sauve. J'ai cherché Herb du regard pour m'assurer qu'il allait bien lui aussi. Il fallait qu'il soit là. Il y avait eu une salve de coups de feu, et... Enfin, je l'ai vu. Il était indemne.

— Je tiens à tous vous remercier d'avoir réagi si vite, a dit ma mère. Nous avons eu un petit problème au-delà du périmètre de sécurité, mais tout est réglé.

Des hourras et des applaudissements ont accueilli ses paroles.

— Aucun d'entre nous n'a été blessé... Nous avons la situation en main, tout danger est écarté. Rentrez chez vous. Retournez vous coucher. Encore merci d'avoir réagi rapidement.

Le soulagement de la foule qui se dispersait était palpable et on voyait des sourires sur tous les visages.

J'ai senti mes muscles se détendre. Moi aussi, je pouvais rentrer chez moi, mais je voulais d'abord parler à ma mère. Brett avait raison. Je devais savoir ce qui s'était passé. Je me suis dirigé vers le mur pendant que les autres retournaient lentement chez eux. Ma mère, Howie, Herb et Brett discutaient près de la grille. Ils étaient trop absorbés pour remarquer ma présence. Il ne me restait qu'à attendre la fin de leur conciliabule.

Plus loin, par-delà la grille, la silhouette d'une fourgonnette était visible dans l'obscurité. Elle semblait avoir percuté le mur de l'autre côté de la voie. Puisque nous avions dégagé ce tronçon de route, cette fourgonnette n'aurait pas dû se trouver là. Était-elle à l'origine des coups de feu qui avaient été tirés ?

En tendant l'oreille, j'ai cru entendre le ronron d'un moteur... Le moteur de la fourgonnette tournait-il encore ? Ma curiosité a été plus forte que ma patience. Je me suis approché lentement et me suis joint au petit groupe sans dire un mot.

— Donc, les tirs venaient de la fourgonnette, a dit Herb.

— C'est ce qu'ont affirmé les gardes, a expliqué Howie. Ils ont entendu le moteur, puis vu le véhicule, et quelqu'un s'est mis à leur tirer dessus depuis l'habitacle. Évidemment, ils ont riposté.

— Les tirs venaient-ils surtout de l'extérieur ou de ce côté-ci ? a demandé Herb.

— Je n'y étais pas, donc, je l'ignore. Mais je suis sûr que nous avons tiré autant de coups que nous en avons reçu. Ça a marché.

— Y avait-il d'autres véhicules ? D'autres hommes ? a poursuivi Herb.

— S'il y en avait, ils se sont enfuis, a répondu Howie. Celui-là se serait sûrement enfui aussi s'il n'avait pas embouti le mur.

— Pouvez-vous nous en dire plus ? est intervenue ma mère.

— Désolé, non, a fait Howie avec un hochement de tête. Je n'étais pas là quand tout a commencé. Je patrouillais dans la section nord et...

— Vous faisiez votre boulot, l'a-t-elle interrompu. Vous n'avez ni le don d'ubiquité ni celui de double vue. Vous n'avez rien à vous reprocher.

Howie a paru soulagé.

— Peu importe ce qui est arrivé, a déclaré Herb, toute menace semble écartée maintenant. Savez-vous combien de coups de feu ont été tirés ?

Howie a fait non de la tête avant de répondre.

— Je vais me renseigner et vous revenir.

— Ça peut attendre, a affirmé ma mère. Nous verrons tout ça demain matin.

— Il me semble préférable de mettre les choses en marche dès maintenant, a objecté Herb.

— Il vaut mieux procéder à la lumière du jour. Nous avons trop à perdre et trop peu à gagner si nous agissons avec précipitation.

— Je ne tiens pas à précipiter quoi que ce soit, mais je veux comprendre ce qui s'est passé. Et s'il y avait des blessés qui luttent pour leur vie ?

Un lourd silence a accueilli ces mots. Mais ce n'était sûrement pas la seule raison qui motivait Herb. Il y avait autre chose.

— Il est préférable de sortir du périmètre à la faveur de la nuit, a repris Herb. Croyez-moi, j'ai raison.

Ma mère a acquiescé lentement.

— D'accord. Mais ça ne me plaît pas.

— Je vais rassembler une patrouille, a proposé Howie.

— J'avais plutôt en tête une toute petite patrouille, a dit Herb. Moi, en l'occurrence.

— Vous tout seul ? s'est étonnée ma mère. Je crois plus sage que vous soyez au moins deux. Même avant la catastrophe, les patrouilles de nuit se faisaient toujours à deux.

— Je pourrais vous accompagner, a suggéré Howie.

— J'ai besoin de vous ici. Vous dirigerez les guetteurs. Il ne m'arrivera rien, soyez tranquilles.

— Herb, a riposté ma mère, je ne tiens pas à sortir mes galons, mais je vous interdis d'y aller seul.

Pour la première fois, je percevais une tension entre eux.

— Entendu, a abdiqué Herb. C'est vous qui commandez. Brett pourrait m'accompagner, qu'en dites-vous ?

Nous nous sommes tous tournés vers Brett.

— Je suis d'accord.... enfin... si vous l'êtes aussi, capitaine.

Ma mère n'a pas répondu tout de suite. Était-ce parce qu'elle pensait que Brett devait rester ici, ou parce qu'elle revenait sur sa décision et se disait qu'il valait mieux que personne n'y aille ?

— D'accord. Mais nous vous couvrirons du haut du mur.

— J'accepte que vous nous couvriez, mais avec un léger changement, a dit Herb. Je veux que les gardes quittent cette section du mur et s'avancent pour protéger mes flancs. Comme ça, tout véhicule ou tout individu qui s'approchera sera neutralisé.

Quel mot curieux! *Neutralisé*. Pas tué. Pas mort. Neutralisé.

— Que devrons-nous faire si vous avez des ennuis? a demandé Howie.

— Rien. C'est le tir ami qui me préoccupe le plus. Je serais en danger si les gardes ouvraient encore le feu. Vous et le capitaine, restez ici près de la grille. Ne la refermez pas au cas où Brett et moi devrions revenir en vitesse.

Ma mère a encore une fois paru hésiter. Elle ne voulait pas que qui que ce soit sorte du périmètre, mais elle avait confiance en Herb.

— Howie, allez vite dire aux sentinelles de se positionner comme Herb l'a suggéré, a-t-elle ordonné.

Howie lui a répondu par un bref salut, puis il a pivoté sur ses talons. Maman s'est tournée vers nous. Ayant l'air d'enfin remarquer ma présence, elle m'a adressé un sourire peu convaincant.

— Parfait, Herb, dites-moi pourquoi ce soir, pourquoi immédiatement et pourquoi pas demain matin?

— Howie ignore ce qui s'est vraiment passé. Personne ne le sait. Je crois plus sage de le découvrir avant les autres. Je veux juste faire mon enquête.

— Que cherchez-vous?

— J'ai ma petite idée.

Ma mère l'a fixé quelques secondes avant de lancer:

— Partez. Nous veillerons sur vous deux.

— Nous ne perdrons pas de temps, a dit Herb.

— Allons-y, a enchaîné Brett, aussi calme et confiant que Herb.

Herb a passé la grille, suivi de près par Brett qui couvrait ses arrières. Chacun d'eux était armé d'une carabine et portait un gilet pare-balles. Herb avait aussi chaussé des lunettes de vision nocturne.

Howie et ma mère étaient postés de chaque côté de la grille, armés également de leur carabine. Un peu en retrait, j'essayais de percer l'obscurité. J'aurais souhaité avoir moi aussi des lunettes de vision nocturne. Que Brett accompagne Herb me rassurait : Herb le vieil espion et Brett le bleu. Mais, apparemment, plus personne ne taquinait Brett au sujet de son manque d'expérience : il était l'une des personnes à qui Herb semblait faire le plus confiance.

Je ne voyais pas grand-chose parce que la couverture nuageuse cachait les étoiles et la lune.

— Ça va leur prendre du temps, d'après vous ? ai-je demandé.

— Je ne pense pas, a répondu ma mère.

Ma présence n'avait pas l'air de l'embêter.

— Je ne comprends toujours pas pourquoi ils sont sortis, a dit Howie, pourquoi ça ne pouvait pas attendre à demain matin.

— J'aurais attendu, a répondu ma mère. Mais nous en sommes venus à nous fier à Herb pour ce genre de choses.

— J'ai confiance en lui... Je suis juste certain que nous n'avons rien fait de mal.

— Personne ne vous accuse, Howie. Personne n'accuse aucune des sentinelles.

— C'est si difficile d'être là-haut, de surveiller, d'attendre, de se demander ce qui rôde dans le noir, et puis de...

Il y a eu soudain un souffle violent accompagné d'un éclair. La fourgonnette avait pris feu ! Herb et Brett, qui se trouvaient à quelques pas, sont revenus à toute vitesse vers la grille dans la lueur des flammes.

— Que s'est-il passé ? a demandé ma mère à leur approche.

— Je ne sais trop, a fait Herb. Le réservoir était fêlé. La chaleur du moteur aura enflammé l'essence.

— Qu'en est-il des passagers ?

— Ils sont tous morts, a-t-il dit.

— Et comment ! a ajouté Brett. Ils avaient reçu plusieurs projectiles. La fourgonnette était criblée de balles.

Le feu s'est intensifié, puis il y a eu une explosion. J'ai sursauté malgré moi. Les flammes ont fusé dans le ciel. On aurait dit une scène de film.

— Il n'y a plus de danger, a assuré Herb, mais il faudrait quand même faire un bilan. Brett, dis aux gardes de reprendre leur faction à l'endroit habituel pendant que nous discutons.

Brett a acquiescé et est parti. Il savait ce que Herb voulait nous dire, puisqu'il avait tout vu. Quelque chose dans le regard de Brett et dans le ton de Herb me laissait croire qu'il y avait vraiment matière à discussion.

— Si je comprends bien, a lancé ma mère, la fourgonnette a pris feu toute seule.

— Nous lui avons donné un petit coup de pouce, a avoué Herb. Nous ne pouvions pas laisser d'indices.

— Quels indices ?

— Ils étaient trois dans l'habitacle. Un couple âgé sur la banquette arrière et le conducteur. Un type de quarante ou cinquante ans.

— Les autres ont dû s'enfuir, a fait Howie.

— Personne n'aurait pu s'enfuir. Il y a plus de cent impacts de balles sur la carrosserie de la camionnette.

— Il devait y avoir des gens dans d'autres véhicules ou bien à pied, a suggéré Howie.

— L'un d'entre vous a-t-il vu quelqu'un s'enfuir ? a demandé Herb.

— Je ne crois pas. Mais il faisait nuit noire et...

— Je suis sûr qu'il n'y avait personne d'autre, l'a interrompu Herb. Vous aussi, vous en êtes sûr.

— Je ne peux pas le savoir. Ce que je sais, c'est que ce sont eux qui ont tiré les premiers.

— Ils avaient une carabine .22, mais elle n'avait pas servi.

— Vous êtes certain de ça ? l'a interrogé ma mère.

Herb lui a tendu l'arme.

— Vérifiez. Vous verrez qu'elle n'a pas servi récemment. Nous avons fouillé le véhicule à fond. Il n'y avait aucune autre arme.

— Ça veut dire que ce ne sont pas eux qui ont tiré, a conclu Howie.

— Exactement. Ce ne sont pas eux, mais un de nos gardes. Les pauvres gens qui se trouvaient dans la fourgonnette étaient sans doute parfaitement inoffensifs.

— Seigneur, a soupiré ma mère.

— C'est impossible ! s'est écrié Howie. Nous aurions tué trois personnes sans raison ?

— Pas tout à fait, a répondu Herb. Vos gardes ont peut-être fait trois victimes innocentes, mais ils avaient une bonne douzaine de raisons d'agir ainsi. Ils ont fait pour le mieux.

— Rien ne peut justifier une chose pareille, a objecté Howie. Écoutez, ce sont mes hommes, ils sont sous mon commandement. Par conséquent, je suis responsable, pas eux. Je vais remettre ma démission...

— Pas question ! a rétorqué Herb.

Il s'est tourné vers ma mère et lui a dit :

— Excusez-moi si j'abuse de mon autorité. Ce serait à vous de décider. Mais il n'est absolument pas responsable et nous avons besoin de lui pour superviser les sentinelles.

— Je suis de votre avis. Vous avez bien entraîné ces hommes, Howie, et ils ont confiance en vous.

— Je ne les ai manifestement pas assez entraînés, a répliqué Howie. Quant à leur confiance en moi, elle s'évaporera dès qu'on saura ce qui s'est passé ici ce soir.

— Voilà pourquoi il serait préférable que personne n'en sache rien, a dit Herb. Nous sommes les seules personnes au courant, avec Brett. Il n'est pas nécessaire de le dire aux autres.

— Et le comité ? a fait ma mère.

— Je ne crois pas utile de le mettre au courant non plus. Il sera toujours temps d'en parler, mais je crois que, pour l'instant, le mieux est de garder ça pour nous.

— Qu'est-ce que nous allons dire aux habitants du quartier ? a demandé Howie.

— Ce qu'ils veulent entendre, a répondu Herb. Nous avons été attaqués et nos sentinelles ont repoussé l'assaut avec bravoure.

— Ça ne les incitera pas à tirer sur le moindre véhicule qui s'approche sous le couvert de la nuit ? a lancé ma mère.

— Nous trouverons bien une façon d'empêcher ça, a affirmé Herb.

— Par exemple ?

— Je n'en sais rien. Nous trouverons bien.

Herb a pris Howie par les épaules.

— Vous ne pouvez rien changer au passé, a-t-il déclaré. Mais nous pouvons faire en sorte de changer l'avenir. Vous êtes un excellent leader. Mieux, un brave homme. Et c'est justement parce que les événements de cette nuit vous bouleversent que vous devez rester en poste.

31

Je me suis fait le plus discret possible pendant que les membres du comité passaient en revue les événements de la journée. Ils n'en étaient pas encore au dernier point à l'ordre du jour : l'incident de l'avant-veille, l'affaire de la fourgonnette de Burnham Road. Les nouvelles concernant le quartier étaient rassurantes. L'école et la garderie marchaient rondement, tout comme le cabinet du dentiste, celui du médecin et celui du vétérinaire.

Le grand repas communautaire avait beaucoup de succès. En sa qualité de responsable de la gestion des provisions existantes, Ernie nous a annoncé fièrement que la situation était meilleure que prévu. Cette nouvelle pourtant positive m'a déconcerté : je n'aimais pas les surprises, même quand elles étaient en notre faveur.

Les murs et les barrières de sécurité couvraient maintenant près de quatre-vingt-dix pour cent du périmètre du quartier. Les parties manquantes étaient les plus difficiles à ériger, mais, au dire des membres du comité, les ouvriers auraient terminé au bout d'une semaine. Ensuite, ils inspecteraient le tout et consolideraient les segments jugés fragiles. Une équipe entière démolissait les murs de béton par-delà l'autoroute et les reconstruisait chez nous. Plus nos murs étaient nombreux, épais et hauts, mieux c'était.

Les gouttières de chaque résidence avaient été disposées de façon à récupérer l'eau de pluie. Après d'abondantes précipitations, les piscines du quartier étaient pleines à ras bord. Nous avions creusé un premier puits qui nous procurait de l'eau. Toute notre eau potable provenait de la même réserve située à mi-chemin entre le ruisseau et le nouveau puits. C'est là qu'elle était chlorée et rendue parfaitement propre à la consommation. Elle n'était pas très bonne au goût, j'en conviens, mais, jusqu'à présent, aucune maladie d'origine hydrique n'avait été rapportée.

Les ingénieurs et les mécaniciens avaient bricolé des tas de trucs en plus du système de récupération des eaux de pluie. Ils avaient transformé trois souffleuses à neige en motoculteurs et deux tondeuses à gazon en karts. Les nouveaux motoculteurs étaient déjà en service dans les jardins et les cours qu'ils transformaient en potagers, et les patrouilles utilisaient les karts pour faire leurs rondes. Selon monsieur Nicholas, le quartier comptait une bonne centaine de souffleuses à neige et plus de trois cents tondeuses. Je me figurais une centaine de karts filant à toute allure sur Folkway Drive comme sur une petite piste de course.

Mais la nouveauté la plus intéressante était que des mères de famille du quartier avaient lancé un journal, *The New Neighborhood News*, qu'elles imprimaient à l'aide d'un ancien duplicateur à stencils trouvé dans l'entrepôt de l'école. Herb a parlé de l'importance des communications et de la circulation de l'information pour que les habitants du quartier aient autre chose à se mettre sous la dent que des rumeurs et des renseignements erronés. Ça faisait très vertueux, très «liberté de presse», et ça m'aurait davantage impressionné si je n'avais pas su à quel point Herb veillait à ce que certaines informations ne circulent pas. Je me demandais, par exemple, ce que le journal *tairait* au sujet de l'attaque de l'avant-veille. Il est possible de gérer l'information, de la donner de façon à orienter le public dans un sens ou dans l'autre. J'admettais volontiers la nécessité de prendre des dispositions particulières, mais une partie de moi se demandait si j'en serais *moi aussi* le jouet.

— Nous voici rendus aux derniers points à l'ordre du jour, a dit le juge Roberts. Stan, votre compte rendu, s'il vous plaît.

Monsieur Peterson s'est levé.

— Les plus grands champs, y compris la cour d'école et les parcs, ont été labourés et certains sont déjà ensemencés.

— Parfait, a commenté le juge.

— Nous sommes très avancés. Nous préparons maintenant les jardins. Les souffleuses à neige transformées nous aident beaucoup. Croyez-vous que nous en aurons d'autres bientôt?

— C'est notre priorité, a répondu monsieur Nicholas. Nous pouvons en fabriquer une ou deux par jour. Enfin... dans la mesure où les gens acceptent de nous céder leur souffleuse.

— Cela pose problème? a demandé ma mère.

— Ils sont encore très attachés aux choses qu'ils possèdent.

— Je veillerai à régler ça, a déclaré la conseillère Stevens. Je demanderai à quelques personnes de faire du porte-à-porte pour réquisitionner les machines et vous les apporter à l'atelier.

— Bien entendu, a enchaîné le juge Robert, nous leur remettrons un reçu et la saisie de leur propriété sera clairement consignée dans nos registres officiels.

L'atelier était installé dans l'arrière-boutique du supermarché. À mesure qu'on distribuait les provisions, des espaces se libéraient que venaient occuper des outils et des établis. Les ingénieurs et leurs équipes disposaient aussi d'une génératrice pour leurs outils électriques.

— Nous ferons de notre mieux pour maximiser les cultures, a assuré monsieur Peterson, mais sachez que, malgré tout, les récoltes ne seront ni assez variées ni assez abondantes pour nourrir indéfiniment mille six cents personnes.

— Que faudrait-il pour que vous augmentiez votre rendement? l'a interrogé Herb.

— Plus de terrains cultivables et une saison de croissance plus longue.

— Nous travaillons déjà à rendre cultivables tous les terrains disponibles, a dit Herb, mais pour ce qui est d'en accroître le nombre, il ne faut pas y compter tout de suite. Mais nous pourrons peut-être faire quelque chose pour la saison de croissance.

— J'avais peur qu'on manque de pluie et j'apprends que vous contrôlez la météo? a fait monsieur Peterson en plaisantant.

— D'une certaine façon. Est-ce que ce n'est pas ce qu'une serre fait, prolonger la saison de croissance?

— Bien sûr. Mais nous n'en avons pas.

— Nous n'en avons pas encore, a rectifié Herb. Une serre est-elle plus productive qu'un champ?

— Au moins dix fois plus, a répondu monsieur Peterson. Avez-vous l'intention de dégotter des serres quelque part?

— Je crois que nous pouvons trouver le nécessaire pour en construire quelques-unes, a affirmé Herb, avant de se tourner vers monsieur Nicholas pour s'en assurer. De quoi aurions-nous besoin?

— De panneaux de verre, de châssis en bois ou en métal, de mastic, de clous ou, à défaut, de colle.

— Nous allons confier ce boulot aux équipes de récupération, a précisé Herb.

— Est-ce que tout le monde est d'accord ? a lancé le juge.

Certains ont hoché la tête ; d'autres ont prononcé quelques mots d'approbation.

— Vous avez déploré le peu de variété des cultures, est intervenue la conseillère Stevens en regardant monsieur Peterson. Que plantez-vous exactement ?

— En ce moment, des pommes de terre.

— Pourquoi des pommes de terre ? a-t-elle demandé.

— Parce que nous avons de quoi en planter, parce que c'est une culture à haut rendement qui ne dépend pas trop de la pluie, et parce que je peux faire deux récoltes cette saison.

— Mais nous ne pouvons tout de même pas survivre en ne mangeant que des pommes de terre.

— En fait, si, a dit Herb. Et longtemps.

— Rassurez-vous, nous ne cultivons pas que cela, a ajouté monsieur Peterson. J'ai déjà semé des haricots, des concombres, des tomates, des carottes et quelques variétés de courges. Si nous avions des serres, je pourrais en cultiver davantage et plus longtemps.

— Vous aurez vos serres, a promis Herb.

Quand Herb promettait quelque chose, ce n'étaient pas des paroles en l'air. Nous aurions nos serres.

— Parfait, a conclu le juge. Revenons à notre ordre du jour. À partir de la semaine prochaine, un tribunal civil se réunira trois fois par semaine dans le but d'arbitrer les litiges.

— Sont-ils fréquents ? l'a interrogé la conseillère Stevens.

— Il y a eu quelques différends, mais je m'attends à ce que cela augmente dans les prochaines semaines, a répondu ma mère.

— De quel genre de différends s'agit-il ?

— Jusqu'à présent, ce ne sont que des conflits mineurs, a dit le juge.

— Mais il y a inévitablement des conflits quand un aussi grand nombre d'individus sont confinés dans un espace restreint et qu'ils subissent des pressions, a expliqué ma mère. Le plus dangereux est que, maintenant, beaucoup d'entre eux sont armés.

— Cela semble inquiétant, a fait la conseillère.

— À bien y songer, a lancé le juge, je crois que vous devriez y siéger aussi.

— J'accepte très volontiers.

— C'est là une excellente décision, a approuvé Herb.

Ma mère a acquiescé.

— Passons maintenant, si vous le voulez bien, à la malheureuse altercation qui s'est produite à la lisière sud du quartier, a déclaré le juge.

— Je crois que nous avons montré notre aptitude à défendre le territoire, a affirmé Herb.

J'ai tourné la tête vers Howie. Il avait les yeux baissés dans une attitude de honte, et non pas d'humilité. Mais je suppose qu'on aurait pu interpréter cela de plusieurs façons.

— Je vous félicite d'avoir défendu notre quartier, a repris le juge, mais le fait de tuer ou de blesser des êtres humains n'est jamais une réussite à mes yeux. Il y a eu trois victimes, c'est bien cela ?

— Trois hommes lourdement armés ont été tués quand ils ont tenté de nous attaquer, a précisé Herb. Nous ignorons le nombre des blessés qui se sont enfuis.

— Mauvaise tactique, a dit la conseillère.

— Ils n'étaient sûrement pas conscients de l'ampleur de nos défenses et du degré de préparation de nos hommes en faction, a répondu Herb.

— Mais il n'y a pas eu de victimes chez les nôtres, n'est-ce pas ? a demandé le juge.

— Vous voulez bien répondre, Howie ? a fait Herb.

Howie a levé les yeux.

— Pas même un seul blessé.

Je savais que nos hommes n'avaient couru aucun danger, à moins qu'ils ne se soient tiré dessus les uns les autres.

— Je crois que leur entraînement a porté ses fruits, a commenté le juge.

— De toute évidence, a ajouté la conseillère Stevens.

— Toutefois, il y a des choses qui peuvent avoir d'importantes répercussions sur la survie de notre collectivité, a repris Herb.

S'apprêtait-il à leur dire la vérité ?

— Cette histoire a eu de graves conséquences. Des conséquences que personne ne semble vouloir mentionner.

J'ai cru défaillir. Il allait leur dévoiler le pot aux roses. Quelle serait la réaction des membres du comité quand ils découvriraient que nous avions tué, que nous avions *assassiné* des innocents qui ne s'en étaient jamais pris à nous ?

— Les gardes ont tiré environ trois cents projectiles, a continué Herb.

— C'est beaucoup, a fait remarquer ma mère.

— Nous n'avons absolument pas les moyens de perdre une telle quantité de munitions à chaque assaut. Si les guetteurs continuent de les gaspiller ainsi à la moindre menace, un jour viendra où nous ne pourrons plus nous défendre. Je propose que Howie, le capitaine et moi mettions au point un protocole de tir. Je crois nécessaire de limiter la quantité de munitions remises à chaque guetteur et de veiller à ce que personne ne tire sans en avoir reçu l'ordre.

— Il est facile de faire le compte des munitions, a dit Howie. Empêcher les gens de tirer, c'est une autre paire de manches.

— Ce n'est pas simple, mais c'est faisable, a répliqué Herb. J'ai pleine confiance en vous et je sais que vous saurez les y entraîner. Je me demande aussi si vous croyez que cette offensive aurait pu être évitée si nous avions disposé d'un meilleur éclairage.

— Absolument. Avec plus de lumière, nous les aurions vus approcher et ils auraient été moins susceptibles de nous attaquer.

— Je vais consulter nos ingénieurs. Peut-être trouveront-ils une solution pour pourvoir le périmètre de projecteurs que nous pourrons allumer à volonté. Monsieur Nicholas, une telle installation est-elle possible ?

— S'ils ne sont allumés que pendant de courtes périodes, les projecteurs pourront être alimentés par des batteries de voitures.

— Les batteries, ce n'est pas ce qui manque, a lancé monsieur Saunders. Mais nous n'avons pas d'appareils d'éclairage.

— Un autre article à ajouter à la liste de l'équipe de récupération, a fait monsieur Gomez.

— Nous pourrions peut-être les trouver ici même, a indiqué Herb. Fouillons d'abord le quartier. Je crois savoir où en trouver. Cela mis à part, dites-nous, je vous prie, ce que les sentinelles observent lorsqu'elles sont en faction.

— Il y a encore beaucoup de gens à l'extérieur du périmètre, a répondu Howie. Ils se déplacent vers l'ouest ou vers le nord. Ils fuient la ville pour la campagne.

— S'agit-il surtout de familles ? a demandé Herb.

— Oui, des groupes de familles, et aussi ce que nous appelons des « meutes ».

— Des meutes ? a répété la conseillère Stevens.

— Des groupes composés surtout d'hommes jeunes à qui je ne donnerais pas le bon Dieu sans confession.

— D'habitude, il y a deux catégories de groupes : les proies et les prédateurs, a dit Herb. Est-ce que vous voyez circuler plus d'armes qu'auparavant ?

— Presque tout le monde possède au moins une arme rudimentaire, on dirait, mais on voit aussi beaucoup plus d'armes à feu.

— Il fallait s'y attendre, a convenu Herb. Si quelqu'un a une arme, il tient à la montrer pour qu'on sache qu'il peut se défendre.

— Nous voyons aussi davantage de véhicules, a poursuivi Howie. De vieilles voitures, des camions, des motos, des minimotos, tout ce qui peut encore rouler. Et les vélos sont très nombreux.

— Avez-vous remarqué encore autre chose ?

— Les gens qui passent nous demandent constamment de la nourriture ou de l'eau. Je sais que les hommes de guet ont du mal à refuser, surtout quand ce sont des femmes et des enfants.

— Oui, c'est dur, a confirmé Herb.

— Ils sont si désespérés, a repris Howie.

— C'est vrai qu'ils le sont. Mais n'oubliez pas que nous ne sommes qu'une barque de sauvetage.

Howie a paru perplexe.

— Notre quartier n'est qu'une barque de sauvetage que ballotte une tempête contre laquelle nous ne pouvons rien. Sa capacité est limitée, peu importe le nombre de naufragés qui surnagent dans l'océan autour de nous. Si nous en embarquons trop, elle coulera et nous périrons tous. Nous devons d'abord nous soucier des gens déjà à bord. Nous ne pouvons pas sauver tout le monde. Nous ne pouvons faire exception que pour ceux qui peuvent rendre notre barque encore plus solide et plus autonome.

— C'est parfaitement sensé, a dit Howie.

Ça l'était, en effet. Mais ça ne nous facilitait pas la vie pour autant.

32

La fin du film a été accueillie tièdement par les quelques centaines de spectateurs réunis au gymnase. C'était une vieille comédie romantique datant de bien avant ma naissance, projetée grâce à un vieux super-8 que nous avait offert quelqu'un qui l'avait trouvé dans son sous-sol.

Le film n'était pas mauvais du tout, mais le gymnase était une étuve. La salle n'avait pas été conçue pour qu'autant de gens s'y entassent comme des sardines. J'étais couvert de sueur. J'espérais ne pas sentir mauvais.

— Sortons par ici, a dit Lori.

Elle a pris ma main humide de transpiration et m'a précédé en se frayant un chemin parmi la foule jusqu'à la porte latérale. La bouffée d'air pur et frais nous a fait du bien. C'était la fin mai, et nous avions déjà connu plusieurs jours de beau temps printanier.

— Est-ce que le film t'a plu ? ai-je demandé pour engager la conversation.

— C'était pas mal. Je suppose que c'est le meilleur film que nous ayons pu trouver dans les circonstances.

— Je suis sûr que c'est le seul film que nous ayons pu trouver, point.

Elle a ri.

Des gamins se promenaient à vélo comme si tout était normal.

— Veux-tu me raccompagner chez moi ? a-t-elle demandé.

— Bien sûr.

Elle n'a pas lâché ma main qui n'en est devenue que plus moite, et m'a guidé parmi la foule maintenant massée dehors.

Todd discutait avec quelques personnes un peu en retrait. Il m'a souri avec un signe de tête approbateur et m'a envoyé un bisou. Il faisait le pitre, mais c'était parce qu'il était presque aussi heureux de me voir avec Lori que je l'étais moi-même. Nous n'étions pas si bons amis pour rien. Je regrettais que nous nous voyions si peu depuis quelque temps. Son père et lui avaient construit le périmètre de sécurité et aussitôt entrepris de le rehausser et de le renforcer.

Lori m'entraînait dans la direction opposée à nos maisons respectives.

— Est-ce qu'on ne devrait pas plutôt aller par là ? ai-je demandé.

— Tu es donc si pressé de te débarrasser de moi ?

— Mais non. Je veux bien passer encore *quelques petites minutes* en ta compagnie.

Laissant la foule derrière nous, nous avons contourné l'école et nous nous sommes retrouvés seuls.

— Ça fait du bien de s'éloigner des autres, a-t-elle dit.

— Il y avait beaucoup de monde.

— Pas seulement ça. Il y avait aussi beaucoup de tension dans l'air. Tu ne l'as pas sentie ?

— Oui, je crois. Les gens sont très anxieux. Danny me disait qu'il y a eu beaucoup de bagarres à l'école.

— Les gens n'aiment pas se savoir prisonniers.

Nous avons continué à marcher. La couverture nuageuse rendait la nuit très noire. Nous approchions de Burnham Road, un secteur que j'avais délibérément évité depuis que des gens y avaient été tués. Je refusais même d'y songer. Je n'étais pas sorti du secteur nord du lotissement sinon en ULM, décollant et atterrissant toujours par là. J'avais volé deux autres fois, ni très longtemps ni très loin, avec la bénédiction de ma mère qui, à chaque fois, avait un peu plus confiance en moi et en mon appareil. De là-haut, je voyais ce qu'une douzaine de patrouilles au sol auraient eu du mal à discerner.

— Si on revenait sur nos pas? ai-je suggéré.

— Si on continuait de longer le mur?

— On peut se promener toute la nuit, si tu veux.

— Je ne pense pas que mon père serait d'accord, même s'il semble avoir confiance en toi.

— J'ai la réputation d'être absolument digne de confiance. De toute façon, il ne peut rien t'arriver, puisque nous sommes entourés de gardes armés.

— Est-ce qu'ils me protégeront contre toi? a-t-elle demandé d'un air coquin.

— Je ne suis pas menaçant.

Curieusement, j'ai pris conscience en disant cela du poids de l'arme que je portais et sans laquelle je n'étais plus du tout tranquille.

Nous étions arrivés à proximité du mur. Je me suis mis à faire plus de bruit en marchant, car surprendre un homme de faction était bien la dernière chose que je souhaitais. Je savais quelles pouvaient être les conséquences d'une pareille surprise. Évidemment, les gardes avaient reçu des instructions très strictes : aucun homme, à l'exception de l'officier responsable, n'avait plus de trois balles dans son chargeur. Ils disposaient de munitions supplémentaires, mais devaient attendre la permission de leur supérieur pour charger leur arme. Herb espérait ainsi empêcher une répétition du même drame.

— La construction des plateformes de guet avance vite, a dit Lori.

— Nous serons plus en sécurité.

Les plateformes excédaient de beaucoup la hauteur du mur : cela faisait partie des recommandations émises pour accroître notre sécurité. Avec une vue plus dégagée des alentours, les guetteurs pourraient mieux réagir – ou ne pas réagir du tout.

— Ohé ! ai-je fait comme nous approchions.

Quelques silhouettes se sont tournées vers nous. L'une d'elles était beaucoup plus grande que les autres : Howie.

— Ça va, Adam ? a-t-il crié.

— Ça va.

J'avais toujours eu beaucoup d'estime pour Howie et j'étais certain qu'il en avait pour moi aussi, mais un secret nous unissait maintenant, et j'avais l'impression que cela nous rapprochait.

— Vous arrivez juste à temps.

— À temps pour quoi ? l'ai-je interrogé.

— Tu verras bien. Venez.

Nous l'avons suivi jusqu'à la grille. Elle était ouverte.

— Il faut sortir pour vraiment apprécier.

J'ai hésité. Ici, nous étions en sécurité. Le dehors était une source de danger, un danger qui pouvait même venir des nôtres.

— C'est la première fois que je sors du périmètre depuis mon arrivée ! s'est réjouie Lori.

Elle m'a ensuite entraîné par-delà la grille en me tirant par la main jusqu'à ce que nous ayons rejoint Howie.

J'ai fouillé le chemin du regard, soulagé de n'y rien trouver. Mais j'ai quand même revu en pensée ce qui ne s'y trouvait plus et imaginé des menaces tapies dans l'obscurité.

— Qu'est-ce qu'on est censés voir ? a fait Lori.

— Allumez ! a ordonné Howie.

Aussitôt, nous avons été baignés de lumière. Des guirlandes de lumières de Noël couraient le long du mur.

— Que c'est beau ! s'est exclamée Lori.

J'étais quant à moi moins émerveillé qu'inquiet. Nous étions hors du périmètre, en pleine lumière, parfaitement visibles et entourés d'une obscurité profonde qui pouvait être lourde de menaces, car quiconque s'y trouvait pouvait nous voir sans être vu.

— C'est le premier segment de tous ceux qui seront installés, a déclaré Howie.

— Joyeux Noël ! s'est écriée Lori.

— Joyeux Noël à toi aussi ! a-t-il répondu en riant.

— Ça fonctionne, ai-je dit. Parfait. Il faut les éteindre, maintenant.

— Oui, je pense que tu as raison. Éteignez !

Après un bref flottement, l'obscurité est revenue. Mes yeux ont mis quelques secondes à s'y habituer.

— Rentrons, ai-je lancé.

— On ne peut pas rester ici encore un peu ? a demandé Lori.

— Non. Il faut retourner à l'intérieur.

J'avais été un peu trop brusque sans le vouloir, et Lori m'a regardé avec étonnement. Mais Howie m'a appuyé.

— Il a raison. C'est plus prudent. Et puis, vous n'ignorez pas qu'il est interdit à quiconque d'entrer ou de sortir sans permission.

Nous sommes revenus à l'intérieur du périmètre. Cette fois, c'est moi qui ai précédé Lori. La grille s'est refermée derrière nous. Je me suis détendu.

— Ça fonctionne, a fait Howie. Personne ne viendra plus nous prendre au dépourvu. Si nous devinons la présence d'un intrus, il nous suffira d'allumer les lumières.

— Ce ne serait pas mieux de les laisser allumées en permanence? a dit Lori.

— Nous épuiserions les batteries de voitures qui les alimentent, a-t-il répondu. Il faudrait alors utiliser des génératrices et de l'essence. Ça représenterait une trop grande dépense d'énergie.

— En plus de trop attirer l'attention sur nous, ai-je enchaîné.

Malgré la nuit, j'ai perçu le regard interrogatif de Lori.

— Quand tout est noir, ces lumières sont visibles de très loin, ai-je expliqué.

— Il a raison. Certaines personnes pourraient se dire que, puisque nous avons de l'électricité, nous avons peut-être beaucoup d'autres choses utiles. Et au lieu d'éviter les conflits, nous les provoquerions.

— Il est préférable de les éviter, ai-je dit.

Une goutte d'eau est tombée sur ma joue. J'ai levé les yeux.

— Il commence à pleuvoir, a fait remarquer Howie. Nous serons tranquilles. Les gens resteront à l'intérieur.

— Merci pour la sortie, Howie. Mettons-nous à l'abri, Lori.

— Ce n'est qu'une petite bruine. Pourquoi ne pas continuer à marcher?

— D'accord.

— Bon, eh bien, bonne promenade, nous a lancé Howie.

J'ai entendu son ricanement en m'éloignant, alors qu'il ajoutait :

— Ma femme et moi allions souvent nous promener tous les deux, à votre âge.

— Bonne nuit, Howie, ai-je répondu.

— C'est comme ça que tout a commencé entre elle et moi, a-t-il insisté.

— Bonne nuit, Howie ! ai-je crié par-dessus mon épaule.

— C'est drôle, a fait Lori avec un petit rire, nous ne nous sommes même pas encore embrassés et il est déjà en train de nous marier.

— Il mélange tout.

— Tu as raison, a déclaré Lori. Alors, simplifions les choses.

Elle s'est arrêtée de marcher, s'est tournée vers moi et m'a embrassé. Lori m'a embrassé ! Je rêvais de cela depuis des siècles ! J'y pensais si souvent, j'imaginais ce moment depuis si longtemps !

— Et voilà, a-t-elle laissé tomber.

— Bon, nous avons passé la première étape !

— Serais-tu en train de me demander en mariage ?

— Non, bien sûr que non ! Je voulais seulement...

— Ne t'en fais pas, m'a interrompu Lori en riant. On n'est pas obligés de se marier parce qu'on s'est embrassés.

Elle s'est hissée sur la pointe des pieds pour m'embrasser une deuxième fois.

Nous nous sommes remis en marche, main dans la main, en longeant le mur. L'obscurité faisait mon affaire. Mais le silence entre nous me mettait mal à l'aise. Puis, j'ai su exactement quoi dire.

— Est-ce que ça te plairait de faire un tour à l'extérieur du périmètre demain ?

— Wow... d'abord un baiser, et maintenant un rendez-vous... Où irons-nous ?

— Pas très loin.

Je me suis tu quelques secondes, histoire de mettre un peu de suspense, avant de poursuivre :

— On fera un petit tour dans les airs.

— Dans ton ULM ?

— Ton père m'en a donné la permission, ai-je répondu avec un signe de tête affirmatif.

Elle a couiné de plaisir en se jetant à mon cou.

— Qu'est-ce que j'ai hâte de voler !

Pour ma part, je n'avais pas à attendre au lendemain. Je planais déjà.

33

— Tu n'as aucune raison d'avoir peur ou d'être inquiète, ai-je dit par le micro de mon casque.

— Je ne suis pas inquiète et je n'ai absolument pas peur.

— C'est bon à savoir. La plupart des gens sont quand même un peu nerveux la première fois qu'ils montent à bord d'un ULM. C'est parce qu'il n'y a rien, autour, pour nous protéger.

— J'aime sentir le vent sur mon visage.

— Moi aussi. Beaucoup. Attention : je vais maintenant faire un virage incliné à gauche.

— Ce n'est pas la peine de me prévenir à chaque fois. Je suis bien. Vraiment.

J'avais tracé un cercle complet au-dessus du quartier en deçà de son périmètre pour être certain que Lori se sentait bien. Mais elle avait l'air plus que bien.

C'était beau en bas, dans tout ce soleil. On voyait les toitures et les rues, mais aussi beaucoup de végétaux, le brun de la terre retournée par les labours, le bleu vif des piscines. Après mon retour à la maison, la veille, une pluie abondante et bienfaisante avait arrosé les plantations, rempli les piscines, gonflé les petits ruisseaux. Je ne m'étais jamais auparavant soucié à ce point de la pluie, sauf quand elle nous obligeait à annuler une partie de baseball. La pluie, maintenant, nous était devenue absolument vitale.

J'ai aussi capté le reflet du soleil sur le verre de quelques-unes des petites serres qui poussaient un peu partout. Les équipes de récupération avaient démonté les fenêtres des maisons laissées à l'abandon et avaient aussi recueilli des pare-brise de voitures. La construction allait bon train. Aussitôt prête, chaque serre était mise en service. Monsieur Peterson a dit que la culture sous serre devançait déjà la culture de plein air.

J'ai survolé la lisière nord du quartier et viré à gauche, plus doucement que je n'en avais l'habitude, puis filé vers le sud. Je ne voulais pas effrayer Lori, car je souhaitais qu'elle m'accompagne souvent. Ce n'était pas une sortie romantique typique – cinéma et casse-croûte –, mais quand même une sortie en amoureux. Le temps que je passais avec elle était ce qui me rendait le plus heureux. Sa compagnie apaisait la folie de notre quotidien. En fait, il m'était impossible d'être malheureux avec elle. On aurait dît qu'elle gommait la terrible réalité de tout ce qui nous entourait.

Encore un petit virage de mon côté pour orienter l'appareil vers l'est, en plein soleil levant. Nous avions une mission que m'avaient confiée Herb et ma mère, et j'avais été fou de joie quand le père de Lori lui avait permis de m'accompagner. Mon petit aéronef était mille fois plus sympa que la BMW de Chad.

— C'est encore loin ? a demandé Lori.

— Pas très. De l'autre côté de la rivière. Ça va toujours ?

— Ça irait mieux si je portais un parachute au lieu de ce gilet pare-balles. Est-ce qu'il est vraiment indispensable ?

— C'est une simple précaution. Ne t'en fais pas, personne ne nous tirera dessus. De toute façon, il te garde au chaud.

— Tu parles ! La sueur me coule dans le dos.

— Je parie que tu dis ça à tous les garçons.

— Seulement à certains d'entre eux. Dis donc, qu'est-ce qui arriverait si on s'écrasait ? Je te le demande par simple curiosité.

— On ne va pas s'écraser. Le pire serait qu'on doive faire un atterrissage forcé, mais un des avantages de l'ULM est qu'il peut se poser sur une piste relativement courte.

J'ai regardé la route en bas, encombrée de véhicules abandonnés ne laissant que peu de place pour un atterrissage. Il était encore tôt, mais je voyais des gens circuler entre les voitures en transportant des seaux et d'autres récipients. La vie continuait. Puiser de l'eau était devenu une activité fondamentale.

— Ce n'est pas du tout comme voyager à bord d'un gros avion, a dit Lori. J'ai l'impression d'être un oiseau au lieu d'une passagère. Jusqu'à quelle altitude peux-tu voler ?

— Mon plafond est à environ deux mille cinq cents mètres.

— Et à quelle altitude sommes-nous maintenant ?

— À un peu moins de cinq cents mètres. Veux-tu monter plus haut ?

— Pas forcément, à moins que tu y sois obligé. Mais peux-tu faire un looping ?

— Si tu tiens à mourir, oui.

— On a des ceintures de sécurité pour nous retenir, non ?

— Ouais. Pour nous retenir à l'intérieur jusqu'à ce qu'on s'écrase.

— C'est malin...

Elle semblait vraiment déçue.

— Je pourrais peut-être faire un tonneau...

— Un tonneau ?

J'ai dessiné un tour complet de la main avant d'enchaîner :

— Mais c'est très dangereux. On devrait plutôt essayer de rester en vie.

Elle a ri.

— Combien de temps peut-on voler ? a-t-elle demandé.

— Tout dépend de notre vitesse et de notre consommation de carburant, mais je dirais environ quatre heures à cette vitesse. Si j'avais un réservoir auxiliaire, nous pourrions voler deux fois plus longtemps et aller deux fois plus loin.

— C'est-à-dire ?

— Jusqu'à neuf cent soixante kilomètres, à la condition de ne pas dépasser une vitesse maximale de cent vingt kilomètres à l'heure.

— Est-ce que nous volons à cette vitesse-là en ce moment ?

— Non. Nous volons à un peu plus de la moitié de cette vitesse-là.

— Ce n'est pas beaucoup, on dirait.

— C'est l'altitude qui te donne cette impression. Le recul modifie la perspective.

Nous nous sommes tus quelques minutes, contents d'apprécier le paysage et notre compagnie mutuelle. À un moment donné, nous avons survolé un centre commercial dont tous les magasins avaient été pillés et incendiés. Lori a poussé un soupir.

— On voit tant de choses du haut des airs.

— Notre objectif est droit devant, ai-je déclaré.

— Moi, je ne vois que des maisons et encore d'autres maisons.

— Nous nous dirigeons vers les bâtiments que tu vois là devant, un peu au sud. Ces propriétés s'étendent jusqu'à l'écran antibruit, comme dans certains coins de notre lotissement.

Vois-tu les véhicules renversés qui bloquent l'accès à une rue qui part du chemin principal ?

— Oui, je les vois. Ça, c'est Olde Burnham Hills. J'y suis déjà allée avant la catastrophe. J'y ai quelques amis.

Dieu merci, Chad n'était pas de ceux-là, puisqu'il vivait dans une grande maison en bordure du lac, au sud de notre quartier.

Olde Burnham, un lotissement relativement récent, était une communauté protégée. Il était entouré d'un mur percé d'une grille d'entrée et sa population était beaucoup moins importante que la nôtre, ne comptant que quelques centaines de personnes.

En approchant, j'ai aperçu des gardiens en faction à la grille et fait un virage raide à droite. Lori s'est agrippée des deux mains à son siège.

— Excuse-moi, ai-je dit.

— J'ai cru que tu avais changé d'idée à propos du tonneau.

— Je t'aurais prévenue.

Nous sommes passés au-dessus du mur de béton et avons survolé les toits et les rues. Des gens nous regardaient d'en bas, pointant le doigt dans notre direction, nous saluant de la main, courant pour nous garder le plus longtemps possible dans leur champ de vision.

— Accroche-toi à tes baskets, ai-je lancé juste avant de virer brusquement sur l'aile gauche.

La manœuvre nous a fait perdre de la vitesse et de l'altitude. Je suis revenu en vol horizontal à cent cinquante mètres du sol et je me suis approché des hommes de guet en rase-mottes.

— Voilà ta cible ! ai-je indiqué.

Lori a défait l'attache en velcro qui retenait un colis sous son siège. Il renfermait une lettre de Herb qui sollicitait une rencontre pour le lendemain et un petit cadeau – trente pastilles de chlore, de quoi purifier une importante quantité d'eau.

Lori a gardé quelques instants le colis dans sa main contre la carlingue avant de le laisser tomber. J'ai aussitôt viré à gauche pour ne pas avoir à survoler les gardiens et pour mieux voir le petit parachute que nous avions bricolé freiner la chute du colis jusqu'au sol. J'ai poursuivi ma trajectoire en rond pendant que Lori surveillait le colis. S'il n'atterrissait pas dans un arbre ou sur un toit, notre mission serait un succès.

— Dans le mille ! s'est-elle écriée avant d'ajouter que le colis s'était posé doucement au beau milieu d'une intersection et qu'une foule de curieux s'étaient jetés dessus.

J'ai tiré le manche de commande, incliné l'ULM à droite et mis les gaz pour gagner à la fois de la vitesse et de l'altitude tout en éloignant l'appareil de la zone où nous étions.

— Je ne comprends toujours pas pourquoi nous avons dû faire ça comme ça, a dit Lori.

— Il y a toujours un risque de malentendus dans les face-à-face inattendus, et les malentendus peuvent entraîner de graves conséquences.

J'aurais voulu imiter Herb que je n'aurais pas mieux réussi.

— Comment saurons-nous s'ils acceptent la rencontre ?

— S'ils le font, demain matin à dix heures ils viendront au grand pont sur la rivière.

— Drôle d'endroit pour un rendez-vous.

— Selon Herb, c'est l'endroit idéal. Personne ne peut s'y faufiler sans être vu. Herb a demandé que deux de leurs représentants, pas davantage, rencontrent deux des nôtres au milieu du pont.

— Herb n'est vraiment pas comme les autres... Ne te méprends pas sur ce que je dis... il a toujours été super gentil avec nous. Mais j'ai parfois l'impression... tu vas me trouver folle... j'ai l'impression que ce type pourrait être dangereux.

J'ai éclaté de rire.

— Tu as raison, je t'assure : il pourrait être très, très dangereux ! Mais il pense d'abord et avant tout au bien-être de notre quartier.

Un coup de vent a secoué les ailes et nous a ballottés quelques secondes. Lori a ri : son rire était comme une musique à mes oreilles. J'aurais vraiment aimé pouvoir faire un tonneau juste pour elle, mais c'était beaucoup trop risqué. J'avais connu des catastrophes amoureuses. Aucune ne pouvait se comparer à une catastrophe aérienne.

Elle a posé une main sur mon genou. C'était bon. *Vraiment* bon. Je ne méritais sans doute pas de me sentir aussi bien avec tout ce qui se passait autour de nous.

34

J'ai arrêté la voiture de notre côté du pont et coupé le moteur.

— Croyez-vous qu'ils vont venir ? ai-je demandé.

— Nous le saurons bientôt, a répondu Herb.

Le convoi qui nous suivait s'est arrêté aussi. Howie avait pris la tête d'une douzaine de gardes, tous armés comme nous.

— Dommage que je n'aie pas pu vous surveiller du haut des airs, ai-je dit.

Il y avait trop de vent pour voler.

— Tu fais ce que tu peux. Je suis content de t'avoir avec nous.

— N'auriez-vous pas préféré que Brett vous accompagne plutôt que moi ?

— Il est là, lui aussi.

J'ai jeté un coup d'œil alentour.

— Où ça ?

— Sur la falaise, à l'autre extrémité du pont. Il a un fusil à lunette.

— Je croyais que le but de cette rencontre était un échange pacifique.

— C'est mon intention, mais ça ne veut pas dire que c'est aussi la leur. Tu sais qu'il me faut toujours un plan de secours.

Herb avait toujours un plan de secours en réserve. Je me suis demandé s'il avait aussi un plan de secours pour son plan de secours.

Quelques voyageurs franchissaient lentement le pont. Parmi eux, tout près de nous, il y avait une famille composée d'un homme, d'une femme et de quatre enfants, dont un bébé. Ils nous ont observés avec méfiance, puis ils ont poursuivi leur chemin en passant le plus loin possible de nous. Je n'ai vu aucun pistolet, mais cela ne voulait pas dire que les parents n'avaient pas sur eux une arme quelconque.

Deux camions se sont arrêtés de l'autre côté du pont. L'un des deux était orange vif. Il m'a semblé l'avoir vu la veille pendant mon vol au-dessus de Olde Burnham.

— Ce sont eux ?

— On dirait.

— On y va ? ai-je demandé.

Nous étions de nouveau le vieil homme et l'ado. Ma mère était au courant de cette rencontre, mais elle ne savait pas que j'accompagnerais Herb sur le pont. Puisque je ne lui en avais pas demandé l'autorisation, elle n'avait pas pu me la refuser. Il valait mieux implorer son pardon après coup que solliciter une permission qu'elle risquait de ne pas m'accorder.

Herb a sorti son arme à feu et l'a posée sur le tableau de bord.

— Nous ne serons pas armés.

— Pas du tout ? ai-je lancé, me demandant s'il avait une arme d'appoint sur lui.

— Ce n'est pas nécessaire. Je t'ai dit que nous avions des amis haut placés... sur la falaise.

J'ai retiré mon arme à mon tour, mais dès que l'étui à ma ceinture a été vide, je me suis senti tout nu.

En sortant de la voiture, Herb s'est tourné vers Howie.

— Ne laissez entrer personne sur le pont jusqu'à notre retour.

— Comptez sur moi.

Nous nous sommes engagés sur le tablier du pont pendant que Howie et ses hommes en barricadaient l'entrée. Il y avait encore quelques personnes qui traversaient le pont à pied. Howie les ferait sortir, mais il ne permettrait à aucune autre d'entrer par notre côté. En même temps, on fermait aussi l'autre extrémité du pont. Deux hommes se sont avancés vers nous.

— Allons-y mollo, a dit Herb. Il ne faut pas avoir l'air anxieux ou menaçants. Tout ce qu'on veut, c'est discuter.

— Tout ce que je veux, moi, c'est écouter.

Nous avons marché lentement, croisant les gens qui étaient toujours sur le pont. Ceux qui avaient remarqué qu'on en fermait les extrémités semblaient effrayés, mais Herb a tenté de les rassurer.

— Vous n'avez rien à craindre, a-t-il déclaré à une petite famille. C'est une simple rencontre.

Les deux hommes de Olde Burnham avaient à peu près le même âge que mon père. Ils étaient plus costauds que Herb et moi, et ils ne semblaient pas armés. Je me suis efforcé de lire dans leurs pensées. Ils avaient l'air vaguement ennuyés, pas à leur place, comme deux gars venus malgré eux faire des emplettes avec leur femme.

— N'oublie pas de sourire, a soufflé Herb. Sois le plus amical possible.

C'était un simulacre. Herb m'avait dit que les assassins ont souvent un sourire hypocrite qui déconcerte leur victime. Serions-nous des assassins? Des victimes? J'ai plaqué un sourire factice sur mon visage en espérant que nos vis-à-vis ne puissent pas lire dans mes yeux la terreur qui me crispait.

— Au premier indice de problème, au premier coup de feu, tu te jettes à terre et tu attends Howie. Il viendra te chercher en voiture.

— OK.

— Reste ici. Ne bouge pas. Je continue tout seul.

J'ai quand même risqué un pas en avant, mais Herb m'a fusillé du regard et je me suis arrêté net. J'avais beau ne pas avoir du tout envie d'être là ou d'aller plus loin, j'aurais aimé rester à ses côtés. Il a continué à marcher en regardant droit devant. Les deux hommes ont eu un moment d'hésitation, ils ont échangé quelques mots, puis ils ont fait comme nous : l'un d'eux est resté derrière et l'autre est allé à la rencontre de Herb.

— Bonjour ! s'est écrié ce dernier. Je présume que vous êtes de Olde Burnham. Je suis content que vous soyez venus.

L'homme a répondu quelque chose, trop bas pour que je saisisse ce qu'il disait. Parvenus à leur point de rencontre, Herb et lui se sont serré la main, sans doute en se présentant. Je les ai observés tout en jetant un coup d'œil au troisième homme qui, derrière, paraissait très agité.

Herb m'a fait signe de venir. En même temps, son vis-à-vis a appelé son compagnon. J'ai ressenti une poussée d'adrénaline, mais j'ai surmonté mon anxiété et je suis allé les rejoindre sans me presser, en mesurant mes pas pour arriver en même temps que l'autre homme.

— Bon, eh bien, c'est vous qui avez demandé à nous voir, Herb, a dit le premier des deux hommes. En quoi pouvons-nous vous être utiles ?

— Je désire seulement établir des relations de bon voisinage, a répondu Herb. Nous formons une petite collectivité un peu à l'ouest d'ici.

— Eden Mills ?

— C'est ça. Vous êtes au courant ?

— Nous avons envoyé une équipe en mission de reconnaissance. C'est vous le chef ?

— Je ne suis qu'un envoyé, mais quand même habilité à prendre des décisions. Et vous ?

— Je suis un des leaders de Olde Burnham. Il y a pas mal de gens à protéger dans notre coin.

— Et nous sommes capables de... de nous défendre, a lancé son compagnon.

C'était une menace, mais sa voix tremblait et il bafouillait. Il avait peur.

— Vous avez sûrement eu les mêmes problèmes que nous, a repris Herb. Avez-vous dû refouler des assaillants ?

— Il y a eu quelques *incidents* avant qu'on se regroupe, a fait le premier des deux hommes. Depuis, nous avons renforcé nos défenses et quand des gens menaçants s'approchent en nous regardant d'un sale œil, nous nous débrouillons pour qu'ils passent leur chemin.

— C'est la même chose pour nous. Jusqu'à présent, ils ne s'attaquent qu'aux personnes faibles et sans défense.

— Et nous ne sommes ni faibles ni sans défense, a répété l'autre homme, sans être plus convaincant que la première fois.

— Nous savons que vous êtes nombreux et nous connaissons votre force, a assuré Herb. Nous avons survolé vos installations une fois ou deux.

— Cet appareil ultraléger vous procure un avantage certain, a convenu le premier homme.

— En effet. C'est mon jeune ami, ici, qui le pilote.

— Un autre avion nous a survolés aussi. Est-il à vous ?

— Nous en avons entendu parler, a répondu Herb. Nous pensons qu'il s'agit d'un Cessna.

— Je l'ai vu, ai-je dit. Mais seulement une fois.

— Nous l'avons aperçu plusieurs fois, a ajouté le même homme. Il n'a jamais volé à une aussi basse altitude que vous. J'avoue que votre petit colis m'a surpris.

Au ton de sa voix, j'ai compris que la surprise avait été agréable.

— C'était le meilleur moyen de vous lancer une invitation sans vous effaroucher, a indiqué Herb.

— Un ou deux types voulaient vous tirer dessus, mais je les en ai dissuadés.

J'ai écarquillé les yeux. Dire que j'avais naïvement rassuré Lori en lui disant qu'aucun danger ne nous menaçait là-haut...

— Je crois que mon jeune ami et sa copine vous en sont particulièrement reconnaissants, a répliqué Herb.

— À vrai dire, ce n'est pas du tout facile de contrôler les gens, a déclaré le plus hostile des deux. S'ils n'ont pas ouvert le feu, c'est qu'ils n'étaient pas sûrs de viser juste et qu'ils ne voulaient pas gaspiller le peu de...

— Ta gueule, a fait l'autre sèchement.

— Nous aussi, nous devons nous rationner, a enchaîné Herb, qu'il s'agisse de munitions, de médicaments, de nourriture ou de chlore pour désinfecter les réserves d'eau.

— Ah bon..., a dit le premier homme, l'air déçu. Nous sommes venus parce que nous avons cru que vous aviez beaucoup de chlore.

— Ces pastilles sont très précieuses. Nous n'en avons pas des tonnes, mais quand même assez pour vous en donner encore quelques-unes. Disons une centaine ?

— Ce serait formidable, mais que voulez-vous en échange ?

— Comme je le disais, nos réserves ne sont pas illimitées, mais nous pourrions en partager une certaine quantité avec vous, en bons voisins qui se donnent un coup de pouce.

Herb avait une idée derrière la tête, je m'en rendais compte.

— S'il n'en tenait qu'à moi, a-t-il poursuivi, nous nous viendrions mutuellement en aide sans autre forme de procès, mais ce n'est pas moi qui décide. Le comité qui gouverne Eden Mills n'apprécierait pas que je vous donne quoi que ce soit sans rien obtenir en échange, mais si vous avez quelque chose à offrir, quelque chose dont vous pouvez vous départir, nous sommes ouverts à la discussion.

Les deux types de Olde Burnham se sont consultés du regard.

— Des véhicules, a lancé le second en haussant les épaules. Nous avons des véhicules.

— Nous en avons aussi, et je suis sûr que vous aurez besoin des vôtres.

— Non, a-t-il répondu en hochant la tête. Curieusement, nous avons parmi nous beaucoup de mécaniciens. Nous avons trouvé une bonne douzaine de voitures et de camions à la casse et ils les ont tous remis en état. Nous pourrions probablement vous donner un camion.

— Ou bien, vous pourriez nous prêter un de vos mécaniciens pour qu'il nous aide dans nos conversions. Voyez-vous, nous transformons des tondeuses en karts et des souffleuses à neige en motoculteurs.

Les deux envoyés de Olde Burnham se sont encore regardés.

— Nous n'avions pas pensé à ça, a dit le second.

— Si un ou deux de vos mécaniciens venaient nous prêter main-forte pendant quelques jours, nous leur montrerions comment s'y prendre. Je crois que ce serait un troc utile à tous.

— Nous consulterons nos gens, a déclaré le premier. Ça devrait être possible.

— Formidable, a fait Herb. J'aimerais en profiter pour vous inviter tous les deux à assister à notre réunion quotidienne et à partager notre repas communautaire. Et si l'un des vôtres a besoin d'un médecin, emmenez-le aussi.

— Vous avez un médecin ? a demandé le premier envoyé.

— Nous avons quatre médecins, une clinique, un dentiste et un vétérinaire. Simple hasard : vous avez hérité des mécaniciens et nous des médecins. Les personnes et les animaux malades chez vous peuvent recevoir des soins chez nous.

— Vous pouvez vraiment nous faire une pareille offre ? a demandé le deuxième homme.

— Je vous en donne ma parole, a répondu Herb en le regardant droit dans les yeux.

— Eh bien, merci infiniment, a fait le plus aimable des deux. Je ne sais vraiment pas quoi dire d'autre.

— Dites que vous acceptez notre invitation. Retournez chez vous et parlez-en aux responsables. Nous vous attendrons demain, vers midi.

— C'est très généreux de votre part. Seulement nous... nous...

— Vous n'êtes pas certains de pouvoir nous faire confiance ? Les deux hommes ont acquiescé à l'unisson.

— Nous ne sommes pas en guerre, mes amis, a dit Herb d'une voix douce et rassurante. Votre quartier et le nôtre constituent deux petites enclaves civilisées. Nous ne devons pas permettre à tout ceci – tout ce dont nous sommes témoins, tout ce que nous sommes contraints de faire – de nous dépouiller de notre humanité. La barbarie qui nous entoure ne justifie pas que nous cédions à cette barbarie. Nous sommes capables de bon voisinage. Je vous en donne ma parole.

Herb leur a serré la main et j'ai fait de même. Le second envoyé m'a paru être au bord des larmes.

— Vous viendrez par la grille du côté sud, a précisé Herb en leur indiquant le trajet. Je vous y accueillerai à midi.

— Nous y serons, a assuré le second homme.

Il a fait une pause avant de poursuivre :

— *Deux* de nos mécaniciens nous accompagneront. Si cela ne vous dérange pas, nous viendrons avec une dizaine de personnes, pour la plupart des femmes et des enfants, qui ont besoin de soins médicaux. Est-ce trop ?

— Emmenez tous ceux qui ont besoin de soins, même s'il y en a deux fois plus. Nous veillerons à ce que nos médecins soient prêts à les recevoir, ensuite nous partagerons un bon repas. À demain, donc. N'oubliez pas que, quoi qu'il arrive autour de nous, a conclu Herb avec un grand geste du bras, vous avez des amis à Eden Mills.

Nous sommes repartis en leur tournant le dos.

— Ça s'est très bien passé, ai-je dit.

— Il y a eu de bons côtés.

— Le fait de pouvoir compter sur plus de mécaniciens nous sera très utile. Ça, c'est un sacré bon côté.

— C'est important pour nous, mais j'y vois aussi un risque de problèmes considérables.

— Quel genre de problèmes ?

— D'autres gens qu'eux recyclent de vieux véhicules et les remettent en état de rouler. Plus les individus capables de circuler seront nombreux, plus le risque sera grand qu'ils viennent ici en grand nombre et représentent une menace pour nous. N'oublie pas non plus que plus il y aura de véhicules, plus on aura besoin de carburant. Et puisqu'il est encore impossible d'en raffiner davantage, tous s'arracheront les réserves existantes et cette concurrence entraînera des conflits.

— Je n'y avais pas songé.

— La première chose à faire est d'accumuler le plus d'essence possible, puis de l'entreposer en vue des trocs éventuels autant que pour nos propres besoins.

— Ensuite?

— Ensuite, nous devrons renforcer notre système de défense, construire des murs plus solides, constituer un dépôt d'armes et de munitions afin de mieux nous défendre contre l'assaut que nous subirons *forcément* tôt ou tard.

— Vous semblez drôlement convaincu.

— Je ne suis pas convaincu que ça *n'arrivera pas*. Je connais la nature humaine. Je pense que les choses empireront avant d'aller ne serait-ce qu'un tout petit peu mieux.

— Est-ce qu'ils nous ont dit la vérité, d'après vous?

— Ils ne nous ont pas menti. Je les ai crus.

— Et vous, vous leur avez menti?

— Je tiendrai parole, tu le sais.

— Je ne parle pas de ça, mais de ce que vous avez dit à propos de l'aide qu'on doit se donner entre amis.

— J'ai un peu exagéré la question de l'amitié pour faire meilleur effet, mais c'est vrai que nous pourrions devenir des alliés et nous entraider. Et puis, c'est dans notre intérêt à court et à long terme qu'existent d'autres quartiers comme le nôtre.

Je l'ai regardé, perplexe.

— À court terme, nous avons besoin de gens pour troquer des biens, mais aussi pour nous soutenir les uns les autres en cas de danger. Il vaut mieux ne pas être la seule et unique cible de l'ennemi. Quiconque empruntera Burnham à la sortie de la ville les verra avant d'arriver chez nous.

— Et à long terme ?

— La société ne se reconstituera jamais rapidement ni complètement. Elle se concentrera en petites collectivités comme la nôtre, de quartier en quartier.

Herb s'est tu un moment avant de poursuivre :

— Mais je commence à croire que tu as une mauvaise influence sur moi.

— Moi ? ai-je grogné. Comment ça ?

— Je me rends compte que je veux *vraiment* croire que les gens ne céderont pas à la barbarie. C'est de ta faute ! J'ai *vraiment* voulu croire à l'issue positive de la rencontre de tout à l'heure, par exemple.

— Elle l'a été.

— Elle l'a été, mais un de mes hommes pointait quand même un fusil à lunette sur eux. Je veux croire en ce qui est bon, mais je ne dois pas me fier à cette foi pour sauver ma peau et celle des membres de notre quartier. Il faut avoir foi en la nature humaine, mais cette confiance ne doit pas nous rendre aveugles à ce qui peut toujours arriver. Je dois veiller à ne pas me laisser infecter par ta confiance en la bonté de l'humanité, a-t-il conclu avec un rire.

* * *

— P-O-U-T-R-E-S, poutres... Le «p» compte double... Ça fait un total de douze points, a lancé Todd en posant ses lettres.

— Pas mal, ai-je dit. Tu nous rattrapes un peu.

— Je te rattrape toi, mais pas Lori. Elle est en train de nous mettre une raclée.

— Que veux-tu, a répondu Lori, il y a quelque chose à l'intérieur de ma jolie tête !

Nous flânions chez Lori, tous les trois, pour tenter d'oublier la réalité de notre quotidien. Pour ma part, je voulais chasser de mon esprit la réunion du matin dont le but avait été de convaincre les membres du comité de faire ce qui était juste et convenable.

— Ça ne m'étonne pas de perdre, a déclaré Todd, mais je m'attendais à mieux de ta part, Adam.

— Ce n'est pas mon jour, c'est tout.

J'étais meilleur au Scrabble d'habitude, mais, ce soir-là, les lettres refusaient de se mettre en place et quand je finissais par trouver quelque chose, je n'avais pas envie de m'en servir. Mon cerveau me ramenait toujours à des mots comme «mort», «tuer», «tricher», «détruire» ou «trahir». Herb craignait que je le contamine, mais c'était plutôt lui – ou plutôt la situation – qui me contaminait, moi. J'aurais aimé pouvoir distraire mon esprit, mais même la présence de Lori n'y suffisait pas. Voler n'était pas toujours efficace non plus. On aurait dit que j'avais besoin de Lori avec moi là-haut pour ressentir un certain optimisme et que, même alors, je me sentais coupable de profiter de cette échappatoire qui était refusée aux autres.

Qu'en était-il de mon père ? Il était si loin, dans une situation sans doute bien pire que la nôtre. Et – à supposer qu'il soit même encore en vie – tout seul.

— Adam ?

J'ai sursauté. Lori me regardait et l'inquiétude était visible dans ses yeux à la lueur des bougies.

— À toi de jouer.

J'ai regardé mes lettres et le jeu. J'avais à peine remarqué les mots qui formaient la grille. En partant du « p », j'ai composé P-A-T-E-R-N-E-L, le cœur serré.

— Bravo, a dit Todd d'un ton laissant entendre qu'il se doutait où j'avais la tête.

Lori a compté les points.

— Le « e » compte double et le mot aussi, alors ton total est de vingt-deux. Ton meilleur score de la soirée.

— Sais-tu ce qui rendrait ce jeu encore plus fascinant ? a demandé Todd.

— Quoi ? a fait Lori.

J'ai été bien avisé de ne rien dire.

— Du sexe, de l'action, de la violence.

— Que suggères-tu que...

— Lori, ne l'encourage pas, s'il te plaît.

— Trop tard, a rétorqué Todd. Je suis déjà lancé. On pourrait donner une raclée à l'adversaire juste au moment où il s'apprête à jouer un coup payant, ou au moins lui flanquer une bonne claque sur la tête.

— Ça ajouterait en effet un élément dramatique, a convenu Lori. Mais le sexe ?

— Strip poker, ma chère. En fonction des lettres.

— La partie de ce soir aurait donné quel résultat ? ai-je dit.

Todd a consulté mon score, puis celui de Lori.

— Pas très bon. Lori aurait gardé tous ses vêtements et elle aurait même pu enfiler un pardessus. Moi, je serais nu comme un ver. J'aurais même dû me débarrasser d'une ou deux dents.

J'ai éclaté de rire. J'imaginais Todd tout nu, cachant d'une main ses parties intimes et, de l'autre, s'arrachant une molaire avec des pinces. Cette vision grotesque était si ridicule que j'ai ri sans pouvoir m'arrêter, plié en deux, de plus en plus fort, jusqu'à ce que j'en pleure. Puis, j'ai vu que Lori et Todd ne riaient pas, qu'ils me regardaient, l'air très inquiets.

Je me suis essuyé les yeux, j'ai inspiré profondément et péniblement, et je leur ai adressé un sourire niais.

— Je crois que je vais aller me coucher, ai-je déclaré. J'ai besoin d'une bonne nuit de sommeil.

— De toute évidence, a répondu Lori.

— Pauvre garçon, a ajouté Todd en hochant la tête.

Je leur ai souhaité une bonne nuit et suis vite parti, les laissant tous les deux finir la soirée au sous-sol, chez Lori.

Ils n'étaient pas les seuls à se faire du souci à mon sujet.

35

J'ai tiré le manche de commande et décollé, survolé les maisons au bout de la rue et pris de l'altitude. Nous allions à Olde Burnham où Herb devait discuter de certaines choses avec les leaders.

— Je suis beaucoup plus à l'aise que la dernière fois, a-t-il dit.

Nous avons continué à grimper, puis j'ai viré sur l'aile gauche. J'avais pris l'habitude de décrire un cercle au-dessus de notre quartier à chaque décollage. C'était rassurant de constater les progrès que nous avions déjà faits, surtout dans la dernière semaine. D'une fois à l'autre, on pouvait voir davantage de changements. Des douzaines et des douzaines de bûcherons étaient en train de raser la forêt au nord pour renforcer le périmètre de sécurité et faire du bois brut de construction. Les lames et les scies à chaîne brillaient au soleil.

— C'est plus rapide que la voiture, a fait Herb. Plus sécuritaire aussi, du moins je l'espère.

— On dirait un vote de confiance! Il faut que vous vous fiiez à moi.

— Je te confierais ma vie, Adam. Toi aussi, tu dois te fier à moi.

— J'ai confiance en vous. Le plus important, c'est que nos amis de Olde Burnham aient confiance en vous.

— Je suis très satisfait de notre collaboration, a conclu Herb.

Nos deux groupes avaient eu des contacts fréquents depuis une semaine. Nos médecins avaient soigné au moins deux douzaines de petits bobos – maux de tête, foulure, et même une jambe fracturée – et une chirurgie mineure était prévue pour la semaine suivante. Le dentiste avait pratiqué quelques obturations et une extraction, tandis que le vétérinaire avait examiné plusieurs chiens malades. En échange, nous avions reçu la visite quotidienne de deux mécaniciens qui nous avaient aidés à transformer des tondeuses. J'en étais venu à imaginer les rues du quartier paralysées par des embouteillages de karts.

Herb avait donné aux gens de Olde Burnham des talkies-walkies longue portée qu'il avait trouvés dans le matériel qu'on avait ramené du poste de police. Ils n'étaient pas extraordinaires, mais, malgré la friture, ils facilitaient les communications entre nos deux collectivités. C'était rassurant de savoir que nous n'étions pas seuls, que nous pouvions *appeler* quelqu'un. Nous avions des amis – ou des alliés, ainsi que préférait les désigner Herb. Amis, alliés, ce n'était pas exactement la même chose, mais certains d'entre eux étaient réellement des *amis* : il y avait parmi eux une demi-douzaine de mes anciens camarades d'école ou des membres de mon ancienne équipe de baseball. J'étais heureux d'aller retrouver des gens que je connaissais au lieu de toujours survoler un territoire hostile, et de savoir que je pourrais atterrir ailleurs que chez nous pour recevoir de l'aide en cas d'urgence.

— Je suis heureux qu'ils aient confiance en nous, a dit Herb. Mais j'aimerais aussi que tu te fies à moi, même quand tu n'es pas d'accord.

— Par exemple ?

— Brett, pour commencer.

— Qu'est-ce qui vous fait croire que je ne lui fais pas confiance ?

— Tu oublies à qui tu parles, Adam. Nous avons déjà eu cette conversation.

J'avais oublié. Mais, même dans le cas contraire, ça n'aurait servi à rien de mentir.

— Tu ne lui fais pas confiance et, en plus, tu ne l'aimes pas.

— Il me met mal à l'aise, ai-je avoué. On dirait qu'il a changé depuis que tout a commencé.

— Les situations de crise ne transforment pas les gens. Elles les montrent sous leur vrai jour.

— Si vous voulez continuer à parler comme le Bouddha, vous devriez arrêter de porter deux armes.

— Même le Bouddha serait armé s'il était dans notre situation, a rétorqué Herb.

— Entendu, monsieur le Bouddha au pistolet. Alors, qu'est-ce que cette situation de crise révèle au sujet de Brett ?

— Brett dirige les patrouilles qui protègent les équipes de récupération. C'est un homme courageux, presque sans peur, qui ne refuse pas de prendre des risques. Cela le décrit très bien.

— Il n'aime pas non plus obéir aux ordres, il n'a aucun respect pour l'autorité et il croit tout savoir.

— Ces caractéristiques sont parentes de celles que j'ai mentionnées. Brett était déjà tout cela. Les circonstances actuelles lui ont simplement permis d'être lui-même aux yeux de tous.

— Mais, avant, il semblait toujours si respectueux, surtout avec les officiers supérieurs et ma mère.

— Il « semblait ». Il n'a jamais eu beaucoup de respect pour qui que ce soit. Maintenant, il se montre exactement tel qu'il est.

— C'est sans doute pour cette raison que je ne lui fais pas confiance.

— La confiance naît de la connaissance. Si je peux prévoir ce qu'il va faire, alors je peux lui faire confiance. En sachant comment il va réagir, je peux le contrôler. De toute façon, nous avons besoin de lui. Connais-tu quelqu'un d'autre qui soit capable de prendre la tête des équipes de sortie ?

J'ai cherché, mais je n'ai pas trouvé.

— Ce qu'il fait est important, vital même, pour la survie de notre collectivité.

— Nous pourrions très bien survivre sans lui, ai-je protesté.

— Ce qu'il fait est essentiel. Tant qu'il est dirigé, contrôlé et surveillé, il représente un atout. Nous avons besoin de gens comme lui dans les circonstances présentes.

— Nous avons besoin de gens comme lui ? Pourquoi pas de gens comme vous, plutôt ?

— Nous avons aussi besoin de gens comme moi. Mais je le connais parce que j'étais comme lui, avant.

— On a eu besoin de vous, avant, pour faire certaines choses ?

— Elles ont été faites, a-t-il répondu avec nonchalance.

— Mais on ignore de quoi il est capable, ai-je insisté. Je ne dis pas ça dans un sens positif.

— Il est capable de presque tout. Je dis ça dans les deux sens, positif et négatif.

— C'est rassurant...

— Ton problème, c'est que tu veux l'avoir dans ta mire et ne pas être dans la sienne. Quatre cents ans avant Jésus-Christ, le général chinois Sun Tzu a dit : «Sois proche de tes amis, et encore plus proche de tes ennemis. »

Soudain, nous avons été frappés par un vent de travers. L'avion a eu un soubresaut. Herb s'est raidi en agrippant son siège. Il savait si bien cacher ses émotions que j'avais oublié qu'il avait peur des hauteurs.

— Désolé, ai-je dit.

— Ce n'est pas ta faute.

— Pour revenir à ce que vous disiez... est-ce que Brett serait notre ennemi?

— Ni un ennemi ni un ami. Je ne suis pas sûr qu'il ait même des amis.

— Il se montre amical avec quelques-uns des hommes.

— Se montrer amical ne veut pas dire être ami. Je peux être amical même avec des personnes que je méprise si j'y vois une utilité. Brett est un atout dont nous devons nous servir pour le bien de tous.

— Est-ce qu'il est déjà arrivé qu'on se serve de vous? ai-je lancé sans réfléchir.

— Presque jusqu'à l'épuisement, a-t-il répondu.

Il s'est tourné vers moi et a ajouté:

— Quand nous arriverons, je veux que tu atterrisses dans Burnham Road, à proximité de la grille.

— Entendu. Je vais me poser sur... Holà! Voyez-vous ce que je vois?

— Quoi, quoi? a demandé Herb d'une voix inquiète.

— Là-bas, à l'horizon. C'est à peine plus gros qu'un point, mais on dirait un avion.

— Tu en es sûr?

— Presque sûr.

— Suis-le, a dit Herb.

— Pour vrai ? Et la réunion ?

— Ceci est plus important. Quelle peut être la vitesse maximale de ton engin ?

— Tout juste suffisante pour pourchasser un autre ULM.

— C'en est peut-être un. Fonce.

J'ai ouvert la manette des gaz tout en poussant le manche de commande afin d'entamer une descente et de tirer parti de la gravité pour augmenter ma vitesse. L'appareil a réagi aussitôt.

— Je ne vois toujours rien, a fait Herb,

— Il se trouve à nos dix heures à environ vingt degrés au-dessus de l'horizon. Il se déplace du nord au sud.

— Ta vue est meilleure que la mienne. Je ne vois toujours rien, mais puisque tu le dis... Quel genre d'appareil est-ce, d'après toi ?

— Il est petit et sûrement assez rudimentaire. Mais je ne pense pas que je le verrais si c'était un ULM. C'est peut-être le Cessna. Nous n'avons vu aucun autre avion depuis le début de cette histoire.

Nous avons survolé Olde Burnham. Les personnes qui nous attendaient ont dû être surprises de nous voir passer tout droit. Il était impossible qu'elles nous aient ratés : nous volions à très basse altitude et nous pouvions les discerner clairement – les gens dans la rue, pas seulement les maisons et les véhicules.

Les habitants de Olde Burnham avaient suivi notre exemple. De plus en plus de jardins étaient transformés en potagers, ils construisaient des serres et creusaient un puits au cœur du lotissement : on voyait les monceaux de terre accumulée. Des gens nous ont salués de la main et nous les avons salués en retour.

Je me suis concentré de nouveau sur ce qu'il y avait devant moi. Où était passé ce fichu avion ? J'ai scruté l'horizon sans le trouver. Puis je l'ai vu. Il se déplaçait toujours du nord au sud. Il croiserait notre trajectoire, mais de très loin. Il m'était impossible de mesurer sa distance au jugé : tout dépendait de son altitude, de sa vitesse et de son cap.

— Jusqu'où es-tu allé dans cette direction auparavant ? a demandé Herb.

— Jusqu'aux limites de la ville, puis jusqu'au lac, au sud.

— Nous devrions peut-être survoler la ville, puisque nous allons dans cette direction.

— Vous en êtes sûr ?

— Nous avons nos gilets pare-balles, nous sommes armés et nous avons tout le carburant qu'il nous faut. C'est à notre portée, n'est-ce pas ?

— Nous serions capables de faire cinq allers-retours.

Le point à l'horizon ne grossissait pas, mais il ne rapetissait pas non plus. Je n'ignorais pas que la vitesse de décrochage d'un Cessna n'est pas très élevée. Il était bien possible que, pour économiser son carburant ou pour scruter le sol, il ait maintenu une vitesse limite – une vitesse beaucoup plus faible que ma vitesse maximale.

Je surveillais d'un œil la trajectoire de l'avion et, de l'autre, ma propre trajectoire. Nous survolions Burnham à une altitude de moins de trente mètres du sol. Il y avait beaucoup de véhicules abandonnés, des gens circulaient parmi eux en transportant de l'eau, en poussant des chariots, en tirant des petites remorques. Une remorque était tirée par un cheval. Tous ces gens ont levé la tête ; certains se sont arrêtés pour nous saluer de la main. Visiblement, plusieurs d'entre eux étaient armés. Il y avait aussi quelques véhicules qui roulaient à l'essence.

Nous avons survolé une prairie entre la banlieue et la ville. Ce vaste espace aurait pu servir de terre agricole, mais on n'y cultivait rien. Il ne servait sans doute à rien d'ensemencer un champ qu'on ne pourrait pas garder.

Très, très loin se dessinaient les gratte-ciel du centre-ville. Ils étaient si hauts qu'on les distinguait même à cette distance. Plus près, il y avait des maisons, des immeubles résidentiels et des bâtiments plus petits qui occupaient le moindre centimètre carré de terrain. Ici et là, des maisons individuelles et des immeubles d'habitation calcinés entachaient le paysage. Je volais assez bas pour distinguer les vitrines fracassées des commerces, les véhicules saccagés, la destruction généralisée.

Ici non plus, nous ne voyions aucun signe de cultures. J'ignorais combien de gens vivaient encore en ville, mais personne ne semblait chercher à y cultiver quoi que ce soit. Rien ne permettait de supposer que les citadins se soient regroupés.

L'autre avion perdait de l'altitude et volait de plus en plus bas. C'était la raison de sa lenteur : il s'apprêtait à atterrir. Je connaissais assez bien la ville pour savoir qu'il n'y avait aucun aéroport dans le centre. J'en ai donc déduit que, comme moi, le pilote se posait sur une avenue déserte.

J'ai pris de l'altitude à mesure que lui en perdait afin de le garder dans mon champ visuel, mais je savais que ça ne durerait pas : il était déjà en train de se poser. Si je parvenais à repérer le lieu exact de son atterrissage et que je continuais dans cette direction, je passerais juste au-dessus de lui. Je ne verrais sans doute pas l'avion tout de suite, mais je ne raterais certainement pas sa piste d'atterrissage, que ce soit un chemin de terre ou, plus vraisemblablement, une grande avenue. Qui sait, je pourrais peut-être me poser aussi et... Non, il n'était pas nécessaire que Herb me dise de ne pas le faire. Atterrir quelque part sans savoir quels gens s'y trouvent et s'ils sont hostiles est beaucoup trop dangereux.

Mais si nous savions où il était possible d'atterrir, nous pourrions revenir, laisser tomber un message, établir une communication comme nous l'avions fait à Olde Burnham. Le résultat de cette initiative avait été très positif; il pourrait l'être encore. Ce serait formidable d'avoir un autre pilote dans nos rangs : nous ne serions plus seuls ni aussi vulnérables dans les airs.

— Je l'ai perdu de vue, ai-je dit au moment où le petit avion disparaissait derrière l'horizon. Je vais aller là où je l'ai vu en dernier.

J'ai modifié le cap à l'estime vers une localisation à environ huit kilomètres à l'est et un peu moins de deux kilomètres au sud de notre position.

— Je suis déçu, a fait Herb. Je m'attendais à ce qu'il reste beaucoup plus de gens dans la ville, mais ils sont très peu nombreux. Je ne crois pas qu'ils pourront survivre dans les circonstances.

— Ils seraient combien, selon vous ?

— Ils étaient près d'un quart de million avant la catastrophe. Je dirais qu'ils sont environ trente ou quarante mille maintenant.

— Si peu ?

— Peut-être même moins. S'il n'y en a pas davantage, les exploitations que j'aperçois ne suffiront pas à les garder en vie.

— J'ai pensé la même chose. On ne voit aucune culture. Où sont-ils tous partis ?

— Ils sont passés devant chez nous pour fuir la ville, a dit Herb. Puis il y a probablement des cadavres. Le taux de mortalité a sûrement continué de grimper.

Quelle chance nous avions d'avoir pu éviter ça, ai-je pensé. Notre quartier n'avait subi que trois pertes depuis la catastrophe : un décès par balle, un homme victime d'un infarctus et une femme âgée morte de mort naturelle.

— Droit devant. Tu le vois ? a demandé Herb.

Je le voyais. L'avion, un Cessna blanc rutilant, était posé sur une grande voie de circulation. Il ressemblait à celui que j'avais déjà vu d'en bas.

— Nous l'avons trouvé... mais pas seulement lui.

De chaque côté de la voie, il y avait des camions, des voitures et des hommes, beaucoup d'hommes. L'endroit évoquait un complexe industriel entouré d'une haute clôture en métal. On aurait dit qu'une armée de...

J'ai vu le reflet du canon et senti le projectile atteindre l'aile juste au-dessus de ma tête.

— Vire de bord ! a crié Herb.

J'avais déjà entamé un virage raide à droite avant même qu'il n'ait fini de parler. Une autre balle a sifflé tout près de ma tête. J'ai poussé le manche à balai pour aller me cacher derrière les commerces qui longeaient l'avenue. Je volais si bas que je rasais l'asphalte.

— Ils nous ont tiré dessus ! me suis-je écrié. Pourquoi est-ce qu'ils feraient ça ?

— Calme-toi et concentre-toi. Il faut ficher le camp d'ici.

— Nous sommes hors de danger ici. Ils ne peuvent pas nous voir.

— Mais s'ils envoient l'avion à notre poursuite ? a demandé Herb.

— C'est un Cessna. Pas un chasseur à réaction.

— Crois-tu vraiment que personne d'autre n'est armé ?

Je n'y avais pas songé. Je me suis hissé juste au-dessus des toitures, pas assez pour être visible. Si le Cessna nous pourchassait, je ne pourrais pas lui échapper, mais je pourrais tenter de me dissimuler à sa vue parmi les édifices.

J'ai fait un calcul rapide. Le Cessna arrivait du nord quand il s'était posé. Pour décoller, il devrait faire demi-tour au sol, se placer nez au vent et décoller vers le nord. J'ai viré sur l'aile en direction du sud pour accroître la distance entre nous et l'endroit où il ferait demi-tour. Combien de temps avant qu'il puisse décoller ? Le pilote avait sûrement déjà quitté son appareil. Il lui faudrait y retourner en vitesse. Si l'avion avait volé longtemps, il serait nécessaire de faire le plein, mais même sans cela, le Cessna mettrait au moins cinq minutes à rejoindre ma position actuelle. J'ai mis les gaz à fond pour augmenter le plus possible ma vitesse.

J'ai vu que Herb regardait derrière nous.

— Vous voyez quelque chose ?

— Rien. En tout cas, pas pour le moment. Est-ce que le Cessna est beaucoup plus rapide que ton ULM ?

— Il vole au moins deux fois plus vite.

— Quelle est sa portée ?

— Il peut couvrir trois fois la distance de mon ULM si son réservoir est plein.

— Qu'est-ce que tu peux faire de mieux que lui ?

— Pas grand-chose. Il peut transporter plus de passagers et de marchandises, il peut tolérer un facteur de charge supérieur, son plafond est beaucoup plus élevé et il peut voler dans des conditions atmosphériques qui me cloueraient au sol.

— Ton appareil doit bien présenter quelques avantages ?

— Je peux effectuer des virages plus étroits parce que je suis beaucoup plus lent.

— Donc, ton ULM est plus maniable.

— Je le pense, oui. Et ma vitesse de décrochage est beaucoup moindre.

— Explique-moi. Vite.

— Je peux voler beaucoup plus lentement sans perte de contrôle, sans m'écraser.

— Intéressant... Le Cessna est plus rapide, mais il ne peut pas voler aussi lentement que toi. Tu peux en tirer parti.

Je ne voyais vraiment pas comment tirer parti de ma lenteur.

— Quoi d'autre ? a demandé Herb.

— Je peux aussi décoller et atterrir sur de plus courtes pistes.

— Ça aussi, c'est un avantage. Mais il me semble que le mieux, en ce moment, c'est d'être invisibles. Peux-tu réduire encore ton altitude ?

— Oui, mais nous devrions plutôt prendre une mesure d'évitement et, pour ça, il faut que je vole plus haut que les immeubles.

— Fais pour le mieux. C'est toi qui commandes.

J'ai viré raide pour décrire une grande boucle et revenir chez nous par l'ouest. J'avais assez de carburant.

J'ai jeté un coup d'œil à Herb. Il avait les yeux levés vers l'aile et un doigt enfoncé dans l'orifice d'entrée du projectile.

— Ce n'est pas petit, ai-je remarqué.

— La balle était grosse. Sans doute une carabine de calibre .50.

— C'est énorme. Pas mal plus gros que nos munitions à nous.

— J'ai deux carabines de ce calibre.

— Vous les avez dénichées au centre commercial ?

— Non. Elles font partie de ma collection personnelle. J'ai quelques armes intéressantes dans mon sous-sol, y compris des grenades.

— Où avez-vous trouvé des grenades ?

— J'ai – j'avais – quelques bons contacts, a expliqué Herb. Je regrette juste de ne pas les avoir utilisés davantage. Les armes que j'ai aperçues au sol tout à l'heure sont de type militaire.

— Je n'ai pas vu grand-chose à part des hommes et des véhicules.

— Dont deux blindés. Et une très grande quantité d'armes. Ils ont de toute évidence des armes de gros calibre. Je me demande s'ils ont aussi des lance-roquettes.

— Est-ce que ce n'est pas ça qui a servi à détruire le poste de police ?

— Tout à fait. Je n'en ai pas vu, mais ils avaient nettement de l'équipement lourd.

— Où ont-ils pu se procurer ça ?

— J'imagine qu'eux aussi ont leur réseau de contacts. Les forces armées possèdent ce genre d'armement. Je suis sûr qu'elles n'ont pas pu tout garder et tout surveiller. Mais ces gens-là sont peut-être aussi des militaires dévoyés, qui sait ?

Jamais je n'aurais cru possible que des soldats se retournent contre nous.

— Nous raconterons tout au comité, a dit Herb, mais nous ne dirons rien aux autres. Malheureusement, la situation est soudain devenue beaucoup plus intéressante. Et beaucoup plus dangereuse.

36

J'ai glissé ma main le long de la nouvelle section de l'aile. Elle était différente au toucher, mais certainement plus solide qu'auparavant. Le projectile avait percé un trou de la dimension d'une pièce de vingt-cinq cents. L'orifice de sortie était dentelé et assez grand pour que je puisse y enfoncer mon poing. Herb m'avait expliqué que l'orifice de sortie d'une balle est toujours plus grand que son point d'entrée.

J'avais eu un choc en constatant l'étendue des dégâts après l'atterrissage. C'était sans doute une bonne chose que je n'en aie rien su en vol. Évidemment, cela n'avait plus d'importance. Monsieur Nicholas avait rapiécé l'aile au moyen d'une plaque de métal et elle était comme neuve. Nous avions de la chance d'avoir des ingénieurs pour nous aider.

J'ai trouvé étrange de ne pas voler pendant deux ou trois jours. « Étrange » n'est pas le bon mot ; en fait, je me sentais mal. Ce n'était pas seulement parce que j'aimais voler, mais parce que je ressentais au plus profond de moi le besoin d'être là-haut, pour observer, surveiller, voir tout ce qui se passait autour de nous.

Maintenant que nous savions qu'il y avait des collectivités plus nombreuses et mieux armées que la nôtre, ma présence dans les airs était encore plus indispensable. Herb m'avait pourtant prévenu depuis le début. Ce n'est pas que je ne l'avais pas cru, mais il avait fallu que je le voie par moi-même. Il avait fallu que la preuve siffle juste au-dessus de ma tête et endommage mon précieux ULM. Il aurait été difficile de nier qu'il s'agissait d'un acte d'hostilité.

Selon Herb, ces gens avaient réagi de cette façon parce que notre arrivée soudaine les avait effrayés. Je ne devais pas nécessairement voir dans ce comportement l'indice d'une menace permanente. Il avait raison. Les hommes de Olde Burnham n'avaient-ils pas songé à nous tirer dessus la première fois que nous avions survolé leur quartier ?

Herb avait cherché à me rassurer en disant cela, mais il avait aussi demandé au comité de consacrer plus de ressources au renforcement de notre système de défense et de doubler le nombre de travailleurs affectés à la consolidation du périmètre de sécurité. Je me demandais si nos murs résisteraient à une grenade ou à une roquette, mais je connaissais déjà la réponse. Même les hauts murs de béton en bordure de l'autoroute 403 voleraient en éclats. Autre fait significatif, Herb n'avait pas une seconde émis la possibilité que nous retournions en ville, par terre ou par air, pour prendre contact avec ces gens, qui qu'ils soient.

Les guetteurs avaient également reçu l'ordre de scruter le ciel et de nous signaler sur-le-champ la présence éventuelle du Cessna, mais personne ne l'avait vu. Les gens de Olde Burnham, eux, l'avaient aperçu plusieurs fois. Cela n'avait rien de surprenant, puisqu'ils étaient plus près de la ville que nous.

Bien sûr, nous leur avions raconté ce qui nous était arrivé. Nous leur avions conseillé de surveiller le Cessna et d'améliorer eux aussi leur système de défense.

On avait construit autre chose dans notre quartier : je travaillais maintenant sous un abri de toile érigé pour mon ULM au-dessus de l'allée du garage. Il me permettait de travailler à l'ombre et, les jours où les conditions météorologiques m'empêchaient de voler, il protégeait l'avion de la pluie et du vent.

C'était un appareil remarquablement solide – assez solide pour avoir été capable de voler malgré une aile endommagée –, mais aussi très délicat : une violente rafale aurait pu l'aplatir en le retournant. Il était désormais protégé. Herb voulait qu'il soit non seulement à l'abri des éléments, mais aussi hors de vue des avions qui pourraient passer par là.

Évidemment, un pilote qui survolerait le quartier verrait bien d'autres choses que mon petit aéronef. De loin, il apercevrait un lotissement comme les autres, avec ses rues et ses résidences. Mais s'il s'approchait, il verrait des serres, des champs cultivés et l'épais mur de protection du périmètre. Du haut des airs, il comprendrait tout de suite qu'il y avait ici beaucoup de choses intéressantes. Des choses qui justifieraient qu'on nous pille. Des choses qui justifieraient qu'on nous tue.

Sentant une présence derrière moi, je me suis retourné. Herb m'observait et regardait l'ULM.

— Alors, ça te plaît, ce hangar ? a-t-il demandé.

— Super. Merci de l'avoir fait construire.

— Nous devons prendre soin de nos atouts. Ton ULM en fait partie, de même que son pilote. Comment vous portez-vous, tous les deux ?

— L'aile est comme neuve.

— Et toi ?

— Ça va. Mais je n'arrive toujours pas à croire que quelqu'un a ouvert le feu sur nous.

— Sir Winston Churchill a dit qu'il n'y a rien de plus exaltant que de savoir qu'on a échappé au tir de l'ennemi.

Herb s'est approché de l'ULM.

— Si je voulais t'abattre, où faudrait-il que je vise ? Je demande ça par simple curiosité.

— J'avoue ne pas y avoir réfléchi, mais il me semble qu'il faudrait viser le réservoir d'essence ou le moteur.

— Ou le pilote, j'imagine, a ajouté Herb.

— Absolument. Est-ce que vous envisagez de m'abattre? ai-je plaisanté.

— J'essaie de trouver une façon de vous rendre moins vulnérables aux tirs, toi et ton avion. Pourquoi ne concevrais-tu pas avec monsieur Nicholas une protection supérieure pour ton aéronef? Le moteur et le réservoir pourraient être entourés d'une couche de métal supplémentaire, par exemple. Qu'en dis-tu?

— Ça devrait être possible. L'ennui est que chaque kilo de plus réduira ma vitesse maximale et ma distance franchissable.

— C'est sans doute un sacrifice qui en vaudrait la peine. Voyez ce vous pouvez faire, tous les deux. Il en va sûrement de même pour le Cessna: il faut essayer de toucher le pilote, le moteur ou le réservoir. Où se trouve le réservoir du Cessna?

— Sous les gouvernes, dans la partie arrière du fuselage. Comptez-vous tirer dessus s'il survole le quartier?

— Pas forcément, mais il est bon de savoir à quoi s'en tenir en cas de besoin. Et puis, si j'ouvre le feu, je ne tiens pas du tout à rater mon coup. Il faut faire du travail propre. Un pilote furieux peut être très dangereux.

— Un Cessna peut voler assez haut pour que son pilote ou ses passagers puissent voir clairement ce qui se passe au sol sans que nous ayons la plus petite chance de les toucher, ai-je répliqué. En fait, il se peut qu'il ait déjà volé très haut au-dessus de nous en passant totalement inaperçu.

— J'y ai songé. Ce groupe connaît peut-être notre existence. Mais je suis presque certain qu'aucun danger ne nous menace encore.

Herb n'avait pas l'habitude de faire des suppositions.

— Pourquoi pensez-vous qu'il n'y a pas de danger?

— Réfléchis. S'ils survolaient notre territoire, ils verraient des champs cultivés qui commencent à peine à produire. Une attaque immédiate serait une perte de temps. Ils seraient beaucoup mieux avisés de nous laisser faire tout le travail et de nous voler nos récoltes ensuite.

— Logique. Rassurant et inquiétant à la fois. Vous pensez vraiment qu'ils pourraient faire ça?

— Cela peut être inquiétant, parce que c'est réel. Nous devons toujours être prêts. Et cela signifie, entre autres, savoir comment abattre un Cessna.

— Ce n'est pas parce qu'ils nous survolent qu'ils représentent un danger, ai-je rétorqué. Les pilotes se serrent les coudes, ils sont solidaires, ils veillent les uns sur les autres. Ça pourrait être moi ou mon père là-haut.

Mais ils m'avaient déjà pris pour cible! En période de guerre, un ennemi est un ennemi. Étions-nous en guerre? Serions-nous forcés d'abattre cet avion?

— Ils ne représentent peut-être pas un danger, a objecté Herb, mais nous devons quand même agir comme si c'était le cas. Si nous supposons à tort qu'ils sont hostiles, nous les tuerons. Si nous supposons à tort qu'ils sont bienveillants, c'est eux qui nous tueront. Que préfères-tu?

— Ne pourrions-nous pas en faire des alliés, comme les gens de Olde Burnham?

J'avais besoin de savoir qu'une solution était possible sans qu'on s'entretue.

— Oui, mais le contexte n'est pas du tout le même. C'est moi qui ai approché les leaders de Olde Burnham en sachant que notre groupe était plus important et plus fort que le leur.

S'ils avaient eu l'idée de nous attaquer, nous aurions eu le dessus. Ils ne représentaient aucun danger pour nous.

— Mais nous aurions pu être un danger pour eux.

— Nous pouvions les *détruire*, a dit Herb. Exactement comme peuvent nous détruire les gens que nous avons vus.

Un frisson glacé m'a parcouru.

— Nous sommes une cible très attirante pour eux. C'est pourquoi il faut aussi que nous soyons une cible difficile à atteindre. Il faut qu'ils aient trop à perdre, il faut qu'une offensive leur coûte très cher. Mais un système de défense intimidant pourrait les inciter à tenter une approche pacifique. Dans un tel cas, nous pourrions leur offrir de la nourriture.

— Alors, nous leur proposerions un marché...

— Si le fait d'échanger de la nourriture contre notre vie est une forme de marché, alors oui, nous leur proposerions un marché.

— Ça m'a plutôt l'air d'être du chantage, de l'extorsion.

— C'est une tactique de survie, a précisé Herb. L'écart est mince, je te l'accorde. S'ils nous prenaient trop de nos stocks, nous aurions de sérieux problèmes.

— Le rationnement provoque déjà beaucoup de grognements.

— C'est parce que les gens ont déjà épuisé leurs propres provisions.

— Pas tous, ai-je répondu.

Herb avait stocké tant de boîtes et de paquets de nourriture qu'il en distribuait encore aux Peterson et à ma famille. Je n'en avais pas cru mes yeux quand j'avais vu les armoires et les étagères de son sous-sol croulant sous les victuailles, mais depuis que je le connaissais mieux, ça ne m'étonnait plus. Il devait en avoir bavé pour être devenu aussi prudent.

— Je devrais sans doute me sentir coupable, ai-je poursuivi.

— Mais non. Ces vivres m'appartiennent. Je peux en faire profiter qui je veux. Ce n'est pas comme s'il y avait des gens qui crevaient de faim. Les cuisines communautaires sont assez fournies pour nourrir tout le monde.

— J'avoue que le ragoût d'hier soir était vraiment bon. Délicieux. Mais je préfère ne pas savoir de quelle viande il s'agissait.

— Demande à Ernie. Il est bien placé pour te répondre.

— Je pense que je vais oublier ça.

J'en savais déjà trop. Les écureuils étaient beaucoup moins nombreux qu'auparavant dans notre quartier et il y avait aussi moins de chiens errants au-delà du périmètre de sécurité. Je ne voulais pas en savoir davantage. Tout ce que les gens chassaient ou piégeaient s'ajoutait à nos réserves.

— J'espère que l'assemblée de ce soir aidera la population du quartier à comprendre pourquoi ce rationnement est nécessaire, a dit Herb.

La collectivité était invitée à participer chaque semaine à une séance de discussion ouverte dans le gymnase. Ajoutée à notre petit journal, cette assemblée facilitait grandement la circulation de l'information.

— Je suppose que le tout est de savoir ce que vous consentirez à leur dire.

— Il faut trouver le juste équilibre. C'est délicat. Il faut leur en dire assez pour les effrayer, mais pas au point de les terrifier.

— Est-ce que vous comptez leur parler de l'autre communauté ? Celle dont la population est armée jusqu'aux dents ?

— Pas tout de suite. Ce n'est pas indispensable. C'est encore top secret, sauf pour les membres du comité. Tu seras là, ce soir ?

— Oui, mais à condition que vous ne m'obligiez pas à prendre la parole.

— Te taire serait préférable, en effet. Tu ne sais pas très bien cacher la vérité.

37

Un bruit de tonnerre m'a réveillé juste avant l'aube. Curieusement, le ciel était dégagé quand je m'étais couché et je n'entendais pas la pluie battre contre le puits de lumière. L'orage était peut-être en train de se former. La pluie ferait du bien aux récoltes.

J'ai songé à mon petit avion, sous son abri de toile. Un orage pouvait être synonyme de vents violents. J'avais tout intérêt à me lever pour aller amarrer l'ULM. Encore ensommeillé, je repoussais le drap quand des coups frappés à la porte m'ont fait sursauter.

Je me suis levé d'un bond et j'ai saisi mon revolver. J'avais fait deux pas à peine quand j'ai aperçu un faisceau lumineux dans l'escalier. Ma mère s'y trouvait déjà, une lampe de poche dans une main, un fusil de chasse dans l'autre. Rachel et Danny sont sortis dans le couloir. Même dans l'obscurité, je pouvais lire la peur sur leur visage ; j'espérais qu'ils ne voient pas la mienne.

Quelqu'un cognait toujours à grands coups, avec de plus en plus d'insistance.

— Ouvrez !

C'était Herb. Ma mère a ouvert la porte.

— Ils attaquent Olde Burnham ! s'est écrié Herb.

J'ai entendu un autre grondement. Ce n'était pas le tonnerre.

— Des explosifs, a-t-il précisé. Les leaders du quartier nous ont contactés par radio pour dire qu'ils étaient en train de se faire pilonner.

— Qu'est-ce qu'on fait ? a lancé ma mère,

— J'ai déjà demandé à Brett de préparer l'équipe de sortie... avec votre permission, bien sûr.

— Bien sûr. Est-ce qu'on ne devrait pas leur envoyer plus de monde si on veut leur venir en aide ?

— Nous y avons pensé, mais nous ne pouvons pas le faire tant que nous ne savons pas exactement ce qui se passe là-bas.

— Ne devriez-vous pas communiquer avec eux par talkie-walkie ?

Herb s'est assombri encore plus.

— Ils ne répondent pas.

— Est-ce qu'ils ont été battus ? a fait ma mère. Est-ce que tout est fini ?

— Si c'était fini, il n'y aurait plus de détonations.

— Nous devrions rassembler le plus de monde possible pour les secourir et...

— Il faut d'abord savoir ce qu'il en est. Attendons que Brett nous rapporte ce qu'il a vu.

— Il sera peut-être trop tard ! a insisté ma mère. Il faut y aller tout de suite.

— Nous devons être prêts à partir, mais nous ne pouvons pas y aller, a rétorqué Herb. Foncer dans l'obscurité et dans l'inconnu est trop risqué. Nous pourrions nous faire tuer sans parvenir à sauver personne.

— Mais Brett ne reviendra peut-être pas avant plusieurs heures, et...

— Si j'allais voir ce qui se passe en avion ?

— Je croyais que tu ne pouvais pas voler de nuit ? a demandé Herb.

— Pas vraiment, non, ai-je dit avec un hochement de tête, mais rien ne m'interdit d'essayer.

— Dans ce cas, oublions ça et tenons-nous prêts à agir, sans plus, a déclaré Herb. C'est d'accord ?

Ma mère a hésité avant de répondre.

— D'accord. C'est difficile de rester à ne rien faire, mais je sais que vous avez raison. Allons nous préparer.

Les détonations avaient cessé depuis un bon moment quand la lumière du jour a été assez forte pour que je puisse prendre mon envol. Nous avions tout préparé et nous étions prêts. J'ai enfin décollé, Herb à mes côtés. J'étais resté assis devant les commandes de l'appareil à attendre le premier rayon de l'aube. Tout le quartier était debout, certains réveillés par les coups de feu, d'autres par ceux qui les avaient entendus les premiers. C'était très étrange d'être tous rassemblés ainsi dans la rue, sans rien dire, l'oreille tendue, inquiets, songeant au pire. De pouvoir faire décoller l'ULM a été un soulagement. Le soleil avait à peine franchi la ligne d'horizon quand j'ai commencé à tracer des cercles de plus en plus petits au-dessus de Olde Burnham. L'air était immobile, de la fumée montait très haut, puis s'estompait avant de disparaître. Herb scrutait le sol avec des jumelles. Je me concentrais sur mon pilotage.

Herb me décrivait au fur et à mesure tout ce qu'il voyait. Le lotissement était désert. Des corps gisaient par terre et il n'y avait aucun signe de vie. Ce quartier comptait plus de trois cents personnes. Je pouvais toujours discerner du mouvement quand je le survolais de cette hauteur, mais maintenant rien ne bougeait, hormis les volutes de fumée. Qu'ils aient tous été massacrés dépassait l'entendement. Mais peut-être que certains avaient pu s'enfuir et que d'autres s'étaient tapis dans les maisons où nous ne pouvions pas les voir.

À chacun de mes passages, je distinguais un peu mieux ce qu'il y avait en bas sans avoir besoin de jumelles. De vastes sections du périmètre de sécurité avaient été démolies. La grille d'entrée était fracassée. Beaucoup de résidences étaient calcinées, éventrées ou à moitié écroulées. Des véhicules fumaient encore. Les routes étaient jonchées de débris, de briques tombées des maisons effondrées, et de cadavres. Beaucoup de cadavres. Ils étaient trop loin pour que je les voie, mais Herb me décrivait tout.

— Je veux que tu passes une dernière fois, a-t-il lancé. Lentement et à basse altitude.

— À quelle hauteur et à quelle vitesse exactement ?

— Tu rases les toitures juste au-dessus de ta vitesse de décrochage.

— Avez-vous aperçu quelque chose ? ai-je demandé d'une voix hésitante.

— Si j'avais aperçu quelque chose, nous ne volerions pas en rase-mottes. Mais c'est pour m'en assurer que je veux survoler Olde Burnham encore une fois.

L'équipe de sortie et deux douzaines d'hommes armés s'étaient scindés en deux groupes, l'un à l'ouest et l'autre au sud du lotissement. Ils attendaient notre signal pour agir. Brett était à la tête du premier groupe. Ma mère, qui avait insisté pour faire partie de la manœuvre, dirigeait l'autre. Elle était au volant de ma voiture. J'aurais préféré la savoir chez nous. C'était bien assez qu'un de nous deux risque sa vie.

Les habitants de notre quartier étaient sur un pied d'alerte et nous avions doublé le nombre de guetteurs du périmètre de sécurité. Aucun n'ignorait qu'il s'était passé quelque chose, mais ils ne savaient pas encore que nos amis avaient été décimés. *Décimés.* Ce mot me revenait en tête comme un leitmotiv.

J'ai fait un dernier virage sur l'aile et mis le cap sur le lotissement en relâchant la manette des gaz ; je voulais voler lentement tout en veillant à rester bien au-dessus de ma vitesse de décrochage. Si le moteur calait, je n'aurais aucune marge de manœuvre, pas le temps de redémarrer et pas le temps de trouver un endroit où « aller aux vaches » sans danger.

En fait, je ne savais même pas où atterrir *maintenant*. Les rues du lotissement étaient recouvertes de débris de toutes sortes et je ne tenais pas à me poser dans une des rues voisines. C'est drôle, les dernières semaines je m'étais senti en sécurité entre ces murs, et voilà qu'ils étaient ébréchés, démolis par endroits et que mon sentiment de sécurité était lui aussi en miettes.

Nous volions très bas et je voyais que certaines toitures avaient subi des dommages relativement mineurs. D'autres avaient carrément été arrachées. De nombreuses maisons avaient brûlé, tandis que les traces d'explosifs étaient clairement visibles sur quelques autres. Et tous les véhicules, sans exception, avaient été incendiés. Il y en avait pourtant beaucoup plus... Une partie de la population avait dû les prendre pour s'enfuir, ou bien les assaillants s'en étaient emparés.

Mais ils n'avaient pas emporté les corps éparpillés un peu partout. Je les voyais, maintenant, à basse vitesse et à basse altitude. On les comptait par douzaines. Certains gisaient seuls, loin des autres, isolés dans la mort, mais il y avait aussi un amas de cadavres au bout d'une rue, comme tombés en même temps. Ils s'étaient sans doute battus là et ils étaient morts les uns après les autres sous les balles. Nous survolions maintenant le mur du fond, du moins ce qui en restait.

— Je n'ai rien vu, a dit Herb. Aucun signe de vie. Remonte. Je vais prévenir les équipes au sol par radio.

J'ai poussé la manette en même temps que je tirais le manche de commande et mettais du pied à gauche pour effectuer mon virage.

— Vous pouvez y aller, a lancé Herb dans le micro. Soyez prudents. Nous allons en reconnaissance dans les alentours avant d'atterrir. Pouvez-vous nous dégager une piste à l'intérieur du périmètre, s'il vous plaît ?

— Entendu, a fait ma mère. Soyez prudents, vous aussi.

J'ai redressé l'appareil pour suivre une trajectoire parallèle à Burnham.

— Jusqu'où dois-je aller ?

— Vole encore cinq minutes. Ce sera suffisant pour nous assurer que personne n'approche, mais encore assez loin du grand centre et de leur base d'opérations.

— Vous êtes sûr que c'étaient eux ?

— Je pense que ce que j'ai vu correspond à leurs moyens. Ils ont les hommes, l'équipement et l'armement qu'il faut pour occasionner ce genre de dégâts. Je surveille le sol. Toi, surveille le ciel. Je ne tiens pas à ce qu'on nous attaque d'en haut.

Je m'étais tellement concentré sur ce qu'il y avait en bas que j'en avais momentanément oublié de scruter le ciel, où résidait pourtant le vrai danger pour nous. Si quelqu'un nous tirait dessus d'en bas, nous pouvions fuir ou nous cacher. Nous serions à l'abri ou hors d'atteinte avant qu'il n'ait eu le temps de tirer plus d'un ou deux coups. Mais un Cessna pouvait voler plus loin que nous, plus vite et plus haut. Je ne pourrais ni le distancer ni le fuir. J'ai fouillé anxieusement l'horizon et le ciel au-dessus pour voir si nous y avions de la compagnie. Je n'ai vu que des oiseaux, aucun danger visible.

— La voie est libre, ai-je dit. Je ne vois rien. Mais il pourrait y avoir des douzaines de personnes en bas sans que je puisse les distinguer d'ici. Voulez-vous que je descende un peu ou que je fasse demi-tour ?

— Non. Continue.

Peu à peu, j'ai décelé des mouvements au sol. Des gens allaient et venaient dans Burnham Road, tandis que d'autres, encore plus nombreux, vaquaient à leurs affaires dans les petites rues transversales. Que savaient-ils des événements qui venaient d'avoir lieu à quelques kilomètres de chez eux ? La vie continuait, visiblement. Mais le plus important était ce que nous ne voyions pas : aucun convoi de camions, aucune troupe armée ne venait à la rencontre de notre équipe dans Burnham Road. Je ne m'étais pas attendu à voir des gens s'approcher de nous, mais j'étais sûr que j'en verrais s'éloigner.

— Voulez-vous que je continue ? ai-je demandé à Herb.

— Non. Ça ira comme ça. Fais demi-tour et atterris.

— Vous ne préférez pas que je reste ici à surveiller ce qui se passe au sol ?

— J'ai besoin de toi en bas. De toute façon, il vaut mieux te poser. Ton champ de vision est plus étendu dans les airs, mais n'oublie pas que, plus tu y passes de temps, plus tu es visible.

Ce n'était guère rassurant, sans doute parce que c'était l'absolue vérité. Il n'y avait aucun moyen de savoir qui nous observait du sol.

J'ai effectué un autre virage en descente en augmentant ma vitesse pour revenir atterrir au plus vite. Nous avons encore une fois survolé Olde Burnham. Il y avait du mouvement en bas : nos véhicules et nos gens se déployaient. Ils avaient déjà dégagé une rue, celle où je me posais d'habitude. J'ai ajusté mon cap pour aligner la roue avant sur le milieu de la chaussée et entamé lentement ma descente. Il y a eu un petit rebond quand nous avons touché l'asphalte qui a grondé au contact des roues. J'avais survolé l'enfer ; voilà que j'y entrais.

Nous avons ralenti jusqu'à nous arrêter. J'ai coupé le moteur. Il a crachoté avant de se taire complètement. Herb et moi avons détaché nos ceintures et sommes sortis de l'appareil. Pendant que Herb s'éloignait, j'ai fait pivoter l'ULM en sens inverse en soulevant délicatement la section arrière de son fuselage. Il était maintenant face à la piste, prêt à reprendre son envol.

J'ai rattrapé Herb au pas de course au moment où il rejoignait ma mère.

— Quelles nouvelles ? lui a-t-il demandé.

— Nous avons trouvé quelques survivants.

— Seulement quelques-uns ? ai-je dit. Il y avait plus de trois cents personnes ici.

— Nous avons déjà dénombré plus d'une centaine de morts, a-t-elle précisé.

— Ils étaient moins d'une trentaine à posséder des armes, a ajouté Herb.

— Il n'y a pas que les troupes de sécurité qui ont été abattues, mais aussi des femmes et des enfants, sans doute pris entre deux feux.

— Où sont les survivants ? a fait Herb.

— Nous les avons conduits dans cette maison, là-bas, a-t-elle répondu en indiquant une des rares résidences qui paraissaient avoir été épargnées.

— Continuez de chercher les survivants, a commandé Herb. Il y en a sûrement d'autres qui se cachent parce qu'ils ont peur de sortir au grand jour. Méfiez-vous. S'ils sont terrifiés et armés, ils pourraient vous prendre pour l'ennemi. Y avait-il des corps qui n'auraient pas dû se trouver ici ?

— Que voulez-vous dire ?

— Est-ce que des assaillants ont été tués ?

— Je ne suis pas certaine qu'on puisse distinguer les assaillants des autres.

— S'il s'agit de ceux que nous avons vus de l'ULM, ils portent des vêtements sombres qui ressemblent à des uniformes.

— Il se peut que les assaillants aient emporté leurs morts, a dit ma mère, mais nous allons jeter un coup d'œil.

— Est-ce que certaines des victimes étaient armées ? a lancé Herb.

— Pas que je sache. Les morts ont été dépouillés de tout ce qu'ils avaient sur eux. Quelques-uns n'ont plus de chaussures. Ils leur ont même pris ça.

— C'est plausible. Ils ont probablement volé tout ce qui avait une certaine valeur et détruit ce qu'ils étaient incapables de transporter.

— Ça n'a aucun sens. Pourquoi détruiraient-ils quoi que ce soit ? a demandé ma mère.

— Dans toute offensive, il est préférable de détruire l'ennemi. Ici, les envahisseurs ont éliminé tout danger potentiel de riposte. Personne ne peut plus se venger. C'est comme ça depuis les premiers temps du monde. Pour le moment, contentez-vous de chercher les personnes que vous connaissez, les leaders de la colonie. Il faut que je sache s'ils sont vivants ou morts, ou...

Soudain, des gens sont sortis d'un des bâtiments : un homme, trois femmes et quelques enfants. L'homme avait une carabine en bandoulière. À leur façon de se mouvoir, on aurait dit qu'ils étaient ivres ou drogués. Ils avaient tous le même regard absent, des yeux où se lisaient la peur et l'incrédulité.

Ma mère s'est présentée et nous a présentés aussi.

Un des enfants a éclaté en sanglots. Une femme en a pris un autre dans ses bras.

— Ils sont partis, a dit ma mère. Vous n'êtes plus en danger.

Elle ne semblait pas très confiante.

— C'est arrivé si vite, a soufflé l'homme. Nous n'avons pas pu les arrêter... Nous... nous...

Il s'est mis à pleurer à gros sanglots qui montaient des tréfonds de son être.

— Ils étaient si nombreux, a raconté une des femmes. Il y avait tant de... tant de munitions, de roquettes, et...

Elle a fondu en larmes elle aussi, déclenchant les pleurs de l'enfant dans ses bras.

— Ma femme, où est ma femme ? a demandé l'homme. Est-ce qu'elle est morte ?

— Nous sommes en train de rassembler les survivants, a répondu Herb.

— Nous vous emmènerons chez nous, a ajouté ma mère. Vous y serez en sécurité.

— Pensez-vous qu'ils vont revenir ? a lancé une des femmes en reculant d'un pas et en regardant autour d'elle, terrifiée.

— Ils sont partis, a assuré Herb. Ils ne reviendront pas. Enfin, pas tout de suite. Nous voulons seulement vous mettre à l'abri et faire en sorte que nos médecins soignent ceux qui en ont besoin.

— Venez avec moi, a fait ma mère. Tout ira bien.

Ils l'ont suivie sans résister.

— Ne t'éloigne pas, m'a ordonné Herb.

Je lui ai emboîté le pas.

— Les traces d'impact sur les murs montrent qu'ils avaient beaucoup de roquettes et qu'ils n'ont pas hésité à s'en servir, a déclaré Herb. Je compte des douzaines et des douzaines d'impacts. J'en déduis qu'ils ont amplement de munitions et qu'ils n'ont pas besoin de les rationner.

— Ou bien, ils ont tiré comme des maniaques.

— Non. Ce sont des tirs contrôlés et délibérés. Les traces d'impact sont nombreuses, mais sur des bâtiments différents. Un coup par construction, pas plus. Même chose pour les murs de sécurité : ils les ont ébréchés aux endroits exacts où étaient positionnés les gardes.

Il y avait des morts sous les tronçons affaissés des murs.

— Ils ont répondu aux tirs des hommes de guet avec des roquettes, a dit Herb.

— Comment est-il possible de se défendre contre ce genre d'attaque ?

— On ne peut pas.

Nous marchions parmi les cadavres éparpillés le long du chemin. Herb s'arrêtait à chacun d'eux pour le regarder. Non. Pour l'étudier. Il a retourné l'un d'eux. Ça m'a coupé le souffle. Herb a levé les yeux sur moi.

— C'est Sam, ai-je dit. Un camarade de classe. Est-ce qu'il est...

Je me suis tu. Ça ne servait à rien de le demander.

— À en juger par ses blessures, il est mort sur le coup, a affirmé Herb. Ton ami n'a pas souffert.

— Nous n'étions pas vraiment amis. Je le connaissais, c'est tout.

— C'est plus difficile quand on connaissait les gens, et nous en connaissions beaucoup. Rien ne t'oblige à m'accompagner. Tu peux aller m'attendre à l'avion.

J'ai fait non de la tête.

— Je viens avec vous. Ce ne sont pas les premiers cadavres que je vois.

C'est moi qui disais ça ? Qu'est-ce que j'essayais de prouver à Herb ou de me prouver à moi-même ?

— Reste à mes côtés, a-t-il ordonné.

Nous nous sommes remis à marcher. J'étais conscient des corps étendus sur le sol, mais je m'efforçais de ne pas les regarder. Herb s'est penché sur chacun d'eux. Parfois, quand les blessures ne lui paraissaient pas mortelles, il tâtait leur pouls. À chaque fois, il s'est redressé et a poursuivi son chemin.

Nous avons aperçu plusieurs cadavres un peu plus loin devant. D'une certaine façon, le fait qu'il y en ait beaucoup rendait la scène moins choquante, comme si le nombre leur faisait perdre leur caractère individuel. Je me suis mis à compter les corps pour en faire des chiffres plutôt que des personnes. Onze hommes étaient tombés si près les uns des autres que leurs dépouilles s'entremêlaient presque. Leurs blessures par balles étaient très visibles. Des mouches tourbillonnaient déjà au-dessus d'eux.

— Ces hommes ont été exécutés.

— Quoi ?

— Ils les ont alignés contre le mur de cette maison, et ils ont tiré. Regarde, on voit les traces de balles dans le mur extérieur.

La brique était écornée, ébréchée.

— Chaque homme a reçu une balle dans la poitrine et une autre à l'arrière de la tête. Tu vois ?

Je voyais. Mais je refusais de le croire.

— Les corps dispersés le long du mur et dans la rue sont morts au combat. Mais ceux-ci avaient été faits prisonniers. Les assaillants n'ont pas voulu s'embarrasser de prisonniers, ni laisser qui que ce soit derrière. Tu n'as pas remarqué qu'il n'y a pas de blessés ?

Je n'avais pas remarqué, mais il avait raison.

— Il y a sûrement eu des blessés, ai-je dit.

— Ils ont tué tous les blessés qu'ils ont trouvés. Les blessés sont gênants. Il se peut qu'ils aient tué des blessés graves par pitié, mais je doute que ces gens-là soient capables de pitié. Tout semble avoir été fait de sang-froid. Ils n'ont même pas ramené leurs propres morts chez eux. À en juger par les uniformes, j'en ai compté neuf.

— Si on soustrait ce nombre des cadavres que nous avons comptés, cela signifie qu'il y a encore des survivants quelque part. Ou bien ils se cachent, ou bien ils ont fui.

— Ou bien il sont morts calcinés dans les immeubles incendiés, a dit Herb.

— Herb !

Nous avons fait volte-face. Brett accourait vers nous.

— Nous avons trouvé un des hommes qui ont attaqué Olde Burnham. Gravement blessé, mais vivant.

— Allons-y. J'ai quelques questions à lui poser.

— Je doute qu'il puisse y répondre. Les autres l'ont abandonné ici parce qu'il était mourant.

— Alors, transporte-le à Erin Mills en vitesse. Il nous faut absolument le sauver.

— Après ce qu'ils ont fait, je pense qu'on devrait plutôt lui tirer une balle dans la tête, a riposté Brett.

— Il faut qu'il vive. Ramène-le chez nous tout de suite. Nous avons besoin de renseignements. Nous devons en savoir le plus possible sur eux. Surtout, nous devons découvrir ce qu'ils savent à notre sujet.

38

Nous avons tout de suite décollé. J'ai ressenti un immense soulagement quand l'avion a pris de l'altitude et que nous avons laissé derrière nous ce qui s'était passé à Olde Burnham. J'avais beau ne pas vouloir y penser, ce que j'avais vu était gravé dans ma mémoire. Des corps et encore des corps. Nous en avions dénombré près de deux cents, dont près de deux douzaines avaient été exécutés : une balle dans la poitrine, une dans la nuque. Je connaissais certaines des victimes de nom ou de vue. Comment se sent-on quand on se rend à l'ennemi les mains en l'air et qu'on comprend soudain que, quoi qu'on fasse, il nous tuera ?

La vie humaine n'avait aucun prix pour ces hommes impitoyables et durs.

Nous avions trouvé trente-cinq survivants. Certains s'étaient cachés dans les décombres ou le sous-sol de leur maison, d'autres s'étaient enfuis, puis étaient revenus. Nous les emmenions tous chez nous, dans notre quartier. Environ cinquante personnes manquaient encore à l'appel. S'étaient-elles enfuies ? Se cachaient-elles encore ? Étaient-elles enterrées sous les décombres ?

Je survolais Burnham : c'était le trajet le plus court. Presque tout de suite j'ai aperçu nos camions et nos voitures qui transportaient les survivants.

Avant que j'aie le temps d'ouvrir la bouche, Herb a posé sa main sur mon bras. Je me suis tourné vers lui.

— Il n'est pas dit que nous subirons le même sort, a-t-il déclaré.

— Vous croyez ?

— Je vous ai caché des choses, soit, mais je ne vous ai jamais menti, à toi et à ta mère. La situation est grave. Très grave. Mais nous avons du temps devant nous. J'espère seulement que ce type ne mourra pas avant que j'aie pu lui soutirer des renseignements.

— Il mérite de mourir ! me suis-je écrié. S'il ne meurt pas de ses blessures, il faut qu'on le tue. Je pense même que je me porterais volontaire.

— Mais non, a dit Herb. D'ailleurs, même si tu en étais capable, je ne te le permettrais pas. Enlever la vie à quelqu'un te priverait d'une partie de ton âme et...

J'ai poussé un cri : le Cessna était tout à coup à côté de nous, sorti de nulle part. J'ai piqué du nez en virant sur l'aile pendant qu'il nous dépassait, et j'ai vu, dans le hublot de l'avion, les reflets des armes qui tiraient sur nous. Mon virage avait été beaucoup trop raide. Heureusement, mon harnais me retenait pendant qu'on plongeait de côté et que la force d'accélération me tirait hors de mon siège. Il fallait que je réagisse.

J'ai tiré le manche et donné le plus de gaz possible pour éviter de tomber en vrille et pour prendre de l'altitude. J'ai senti un gauchissement de l'appareil et une forte tension des ailes contre le fuselage comme si elles allaient en être arrachées, puis tout s'est arrêté et l'avion est revenu en vol horizontal.

— Le voilà ! a crié Herb.

Le Cessna était loin devant, mais il entamait son inclinaison latérale. Sa vitesse était tellement supérieure à la mienne qu'il mettait beaucoup plus de temps à changer de trajectoire. J'ai viré de bord rapidement et élargi la distance entre nous, mais je savais que ce n'était qu'un sursis. Je me creusais la tête pour savoir quoi faire. Mon cerveau crépitait. Je voulais fuir, me cacher, atterrir, mais aucune de ces solutions n'était réaliste. Je ne pouvais pas non plus aller plus haut, ni plus vite ni plus loin et il n'y avait aucune cachette dans le ciel limpide et bleu.

— Il a terminé sa boucle, a dit Herb en regardant derrière nous. Il revient.

J'ai essayé de le voir par-dessus mon épaule, mais je n'ai pas pu.

— De quel côté ? ai-je demandé.

— Du mien. Il s'en vient vite.

Le distancer était absolument impossible. En regardant encore une fois derrière moi, j'ai vu qu'il fonçait sur nous en avalant l'espace devant lui. Il nous rattraperait en moins de dix secondes. J'allais pousser au maximum la manette des gaz pour augmenter le plus possible la vitesse du moteur, puis j'ai changé d'avis. Au lieu de la pousser, je l'ai tirée. L'appareil a ralenti presque jusqu'à l'arrêt et le moteur a failli caler.

Le Cessna a filé à côté de nous à une vitesse folle, mais si près que j'ai clairement vu les hommes armés à l'intérieur. Je me suis dit que l'effet de surprise les avait empêchés d'ouvrir le feu.

J'ai encore une fois viré sur l'aile brusquement pour modifier ma trajectoire en oubliant presque de pousser la manette des gaz afin de contrer la force de rotation. Heureusement, je me suis rattrapé, sans quoi nous aurions pu décrocher. J'ai accéléré et nous avons eu le temps de tracer un grand cercle pendant que le Cessna en était encore à virer de bord pour revenir vers nous.

— C'était une belle manœuvre. Refais-la.

— Si je la refais maintenant, il va s'y attendre et ralentir à notre approche.

— Mais il ne peut pas ralentir autant que nous, n'est-ce pas ?

— Sa vitesse de décrochage est deux fois plus élevée que la mienne.

— Parfait. Manœuvre de façon à ce que je puisse lui tirer dessus.

Herb a pris sa carabine. Le Cessna était peut-être bien le chat et nous la souris, mais notre souris avait des dents pointues.

La rivière coulait en bas dans la vallée. J'ai plongé vers une des berges tout en prenant de la vitesse. Quand l'autre pilote essayait de décélérer pour ajuster sa vitesse à la mienne, j'accélérais assez pour qu'il ne puisse pas me rattraper. Ma vitesse maximale était de beaucoup supérieure à sa vitesse de décrochage.

J'ai vu le Cessna en jetant un coup d'œil par-dessus mon épaule. Il était encore très loin, mais il se rapprochait bien plus lentement que la fois précédente : il avait nettement réduit sa vitesse, ainsi que je m'y étais attendu, de sorte que, arrivé à notre hauteur, il aurait le temps de faire feu plusieurs fois de suite. Il n'avait pas l'intention de me laisser tirer parti de ma lenteur. Il achevait son virage et se trouvait environ à mes sept heures. Si le Cessna maintenait ce cap pour m'approcher, les hommes qu'il transportait auraient amplement le temps de décharger leurs armes sur nous avant que Herb puisse ouvrir le feu lui aussi. Je ne tenais pas à ce qu'ils nous criblent de balles.

— Surprends-le, a dit Herb.

— Que voulez-vous dire ?

— Je ne sais pas. C'est toi le pilote. Fais une manœuvre à laquelle il ne s'attend pas.

Une seule manœuvre pouvait prendre l'autre pilote au dépourvu : j'ai fait un virage raide à gauche pour me remettre en position et foncer sur lui à plein régime. On a joué à la poule mouillée. On était presque nez à nez quand j'ai poussé le manche de commande et qu'il a grimpé au-dessus de moi de si près que j'ai pu discerner les rivets de son fuselage.

J'ai entendu une violente explosion. Herb avait tiré un coup de carabine quand le Cessna était passé à notre portée.

— Est-ce que vous l'avez touché ?

— Même pas éraflé. Tout va trop vite. Mais tu as vu la tête qu'ils ont faite ? Tu les as stupéfiés, c'est certain.

— Je n'ai rien vu d'autre que l'avion.

— Il faut que je puisse le viser en droite ligne pour l'atteindre.

— Je ne peux pas faire ça sans lui donner la possibilité de tirer le premier.

— Dans ce cas, donne-la-lui, a commandé Herb.

— Vous plaisantez ?

— Quel autre choix avons-nous ? Il continuera à nous pourchasser jusqu'à ce qu'on s'écrase, qu'on manque d'essence ou qu'il nous abatte. Fais ce que je te dis.

J'ai acquiescé. Je savais ce qu'il fallait que je fasse, mais je ne voulais pas le faire.

J'ai entamé un autre virage, poussé le manche de commande et actionné les gouvernes pour ajuster mon inclinaison jusqu'à être parallèle au versant de la vallée à ma gauche, puis j'ai diminué mon altitude pour maintenir l'appareil juste au-dessous de la ligne de crête. J'obligeais ainsi le Cessna à venir sur ma droite, du côté de Herb. Ensuite, j'ai décéléré. Il fallait que je vole lentement pour forcer le Cessna à ajuster sa vitesse à la mienne. Je devais constamment garder l'œil sur le tracé en zigzag du corridor de la vallée, car je voulais serrer son flanc d'assez près pour empêcher le Cessna de venir sur ma gauche. Mais cela voulait dire m'en rapprocher dangereusement.

— Dites-moi ce qu'il fait, ai-je crié à Herb.

Herb a tourné la tête d'un côté puis de l'autre pour repérer l'autre appareil.

— Il est presque derrière nous, un peu plus à droite et un peu plus haut.

— Est-ce qu'il gagne vite du terrain ?

— Il en gagne, mais pas très vite.

— À quelle distance se trouve-t-il ?

— À deux cents mètres. Même moins que ça.

— Continuez de le surveiller. Quand il nous serrera à environ vingt-cinq mètres, prévenez-moi.

— OK. Je vais faire un compte à rebours. Il est à moins de cent mètres et se rapproche... soixante-quinze...

— Épaulez. Préparez-vous à faire feu.

— Je suis prêt. Quarante... trente-cinq... On dirait qu'il ralentit encore... Trente mètres.

— Toujours sur ma droite ?

— Oui. À la même altitude que nous, mais plus loin.

Je ne le voyais pas, mais je *sentais* sa présence dans mon angle mort. Je luttais contre l'envie de dévier, de faire un virage, de plonger, de grimper ou d'accélérer.

— Vingt-cinq !

J'ai réduit les gaz d'un coup sec et nous avons ralenti. Dès que le Cessna s'est trouvé à notre hauteur, j'ai accéléré en piquant du nez, et nous nous sommes retrouvés derrière lui, en train de le rattraper. Tout s'était passé si vite que le pilote n'avait pas eu le temps de réagir.

Herb a fait feu encore et encore sur la queue du Cessna et son fuselage — six, sept, huit projectiles ou plus ont atteint leur cible. Le pilote a voulu se débarrasser de nous en déviant brusquement, mais les tirs de Herb ont touché le haut du cockpit et l'avion a piqué du nez.

Nous l'avons dépassé. Je savais ce qui arriverait ensuite : il y a eu une explosion dont le bruit a couvert le rugissement du moteur. Le Cessna venait de s'écraser contre le versant de la vallée.

Herb se tordait le cou pour regarder derrière lui tandis que j'avais les yeux fixés droit devant en agrippant le manche de commande à deux mains. J'ai entamé un lent virage qui m'a éloigné de la déclivité.

— On l'a eu, a constaté Herb sans montrer d'émotion.

Je le comprenais. J'aurais dû être heureux, fou de joie même. Mais j'étais vidé, fourbu, exténué. Redressant l'ULM, j'ai planifié notre trajectoire de retour. Je ne désirais qu'une chose : rentrer chez moi sans devoir survoler le lieu de l'écrasement, puis me poser au sol. L'image était déjà gravée dans mon esprit sans que j'aie à la voir de mes propres yeux. Mais je n'ai pas pu l'éviter. Sur l'autre versant de la vallée, presque au sommet de la falaise, une épaisse fumée noire montait vers le ciel. Ce qui restait de l'avion et de son équipage se consumait et ne serait plus bientôt qu'un amas de cendres, d'ossements et de métal tordu. J'ai incliné l'appareil pour cacher ce spectacle à ma vue, puis j'ai effectué une remontée et survolé le pont de Burnham au moment même où notre convoi s'y engageait. Le pont franchissait la rivière à une telle hauteur que nos voitures paraissaient voler, elles aussi, et j'ai dû résister à l'envie subite et irrationnelle d'exécuter une manœuvre d'évitement de peur qu'elles me pourchassent.

J'ai atteint notre quartier tout doucement, par son côté nord. Dès que j'aurais atterri, j'irais boire et manger. N'était-il pas curieux que, après tout ce que je venais de voir et de vivre, j'aie une telle faim et une telle soif, et que je ne pense qu'à me mettre quelque chose sous la dent ? Dire que j'avais vu tant de gens que la faim et la soif ne tenailleraient plus jamais : les centaines de morts au sol, les quatre autres dans l'avion.

J'ai aligné ma roue avant sur le milieu de la chaussée, comme je le faisais toujours. J'ai survolé l'autoroute, les murs devant et les sentinelles postées dessus en réduisant progressivement mon altitude et en passant si près que je pouvais presque voir les traits de leurs visages. Nous étions plus bas que les toitures, et les maisons faisaient maintenant obstruction au petit vent de travers qui avait soufflé jusque-là. J'ai mis toute mon attention à atterrir. L'ULM s'est posé délicatement et sans encombre sur la piste, puis il a ralenti jusqu'à s'arrêter presque exactement devant ma maison.

J'ai coupé le moteur.

— Atterrissage réussi, a dit Herb.

— Plus réussi que celui du Cessna.

Herb a tourné vers moi un regard inquiet.

— Nous n'avions pas d'autre choix, Adam.

— Je sais.

Ce n'était pas moi qui avais tiré sur ces hommes, mais mes mains étaient tachées de leur sang.

— Nous avons fait ce qu'il fallait faire.

— Je sais. Mais j'ai faim.

J'ai détaché ma ceinture. Herb a retenu mon bras.

— C'est moi qui les ai tués, Adam. Pas toi.

J'ai éclaté de rire. À en juger par l'expression de Herb, mon rire l'a pris au dépourvu autant que moi.

— Écoutez, je sais que c'est vous qui avez tiré. Mais je suis tout autant responsable. Vous voulez que je vous dise ? Je m'en fous. J'ai faim.

39

— Tu te souviens de ce que tu dois dire ? a demandé Herb.

J'ai opiné de la tête. Je n'avais pas oublié. Pourvu que je sois capable de m'en tirer. Après trois jours de repos passés avec Todd et Lori qui s'étaient démenés pour me distraire des horreurs que je venais de vivre, j'étais prêt à aider Herb du mieux possible, ce qui voulait dire faire parler l'ennemi.

— Tu as une tête si honnête qu'il te croira. Tu pourrais duper n'importe qui.

J'espérais que c'était vrai. Si ça ne fonctionnait pas, Herb essaierait de convaincre l'homme de parler en lui faisant subir un interrogatoire, mais il jugeait préférable de s'y prendre autrement pour commencer, au cas où il serait disposé à collaborer.

J'ai ouvert la porte et je suis entré dans la chambre avec un plateau de repas. Herb s'est faufilé derrière moi sans être vu et s'est caché derrière le rideau de lit. L'ennemi se remettait de ses blessures, adossé à ses oreillers et menotté aux barreaux. Il m'a regardé d'un air méfiant.

— Bonjour, ai-je dit avec un sourire que j'ai voulu amical.

Il m'a adressé un demi-sourire en retour. Un sourire – le mien autant que le sien – ne voulait rien dire.

— Je vous ai apporté à déjeuner. Pensez-vous être capable de manger ?

— Je le pourrais si j'étais libre de le faire.

Il a soulevé sa main droite en agitant bruyamment ses menottes.

— Je vais libérer une de vos mains.

J'ai opté pour la main gauche, puisqu'il semblait être droitier. J'ai tapoté le revolver à ma ceinture.

— Ne m'obligez pas à me servir de ça, l'ai-je prévenu.

Lui ayant ôté ses menottes à la main gauche, j'ai reculé d'un pas pour qu'il ne puisse pas atteindre mon arme, mais j'étais quand même content que Herb soit derrière le rideau.

— Ne vous plaignez pas trop, vous faites partie de ceux qui ont eu de la chance, ai-je déclaré.

Il m'a questionné du regard.

— Vous, au moins, vous êtes toujours vivant. Nous avons riposté hier soir et tué presque tout le monde. Nous avons fait plus de trois cents victimes.

Il a eu l'air d'abord surpris, puis incrédule.

— Je ne comprends pas. Nous vous avons envahis. C'est à peine si vous avez résisté.

— Pas nous. Nos amis. Ils nous ont prévenus de l'attaque par radio. Nous ne sommes pas arrivés à temps pour sauver la plupart d'entre eux, mais nous avons réussi à vous tuer presque tous.

— Je ne vous crois pas, a-t-il dit, sans avoir l'air convaincu.

— Ça m'est égal. Réfléchissez. Qu'est-ce qui nous a permis d'avoir le dessus ?

Il n'a pas répondu. Je savais que mes propos semaient le doute dans son esprit.

— Est-ce que les autres blessés sont ici ? a-t-il demandé.

— Il y en a quelques-uns, ai-je menti. Quatre avec vous.

— Où suis-je ?

— À l'hôpital.

— Oui, mais où ?

— Vous ne le savez pas ?

Il a semblé réfléchir.

— Nous appelons cet endroit Eden Mills.

— Le lotissement qui se trouve à l'angle de Burnham et de Erin Mills ?

— Vous savez que nous sommes là ?

— Oui.

Je me suis efforcé de rester impassible. C'était bien ce que je craignais. Si ces gens-là connaissaient notre existence, nous étions en danger. L'homme venait de répondre à une des deux questions que je devais lui poser.

— Nous sommes au courant pour vous aussi, ai-je dit. Nous vous surveillons depuis quelque temps du haut des airs et au sol.

— C'est à vous qu'appartient l'ULM ?

J'ai cru un instant qu'il parlait de moi, mais je me suis vite rendu compte qu'il évoquait notre collectivité.

— Oui, il est à nous.

— Nous l'ignorions. Personne n'a pensé que vous aviez suffisamment d'effectifs et d'armes pour représenter une menace. Vous étiez seulement notre prochaine...

Il s'est interrompu.

— Votre prochaine cible ? ai-je lancé. Vous prépariez une offensive contre nous ?

Il a acquiescé.

— Vous auriez sans doute changé d'avis si vous aviez su que nous disposons d'une milice armée de plus de quatre cents personnes.

— Nous sommes six cent cinquante et...

— Vous étiez plus nombreux, l'ai-je coupé, mais plus maintenant. Nous avons détruit des douzaines de vos camions et nous avons abattu votre Cessna.

Il a encore eu l'air interloqué.

— J'imagine que votre groupe est responsable de la destruction du poste de police ? ai-je demandé.

— Nous avions besoin de ce qui s'y trouvait. Quelques flics armés de revolvers et de carabines ne font pas le poids contre des grenades, des lance-roquettes et des mitrailleuses.

Il avait répondu à ma deuxième question. Je n'ai pas pu m'empêcher de réagir.

— Alors, vous les avez tués.

— L'homme est un loup pour l'homme, a-t-il déclaré en haussant les épaules.

— Ils n'étaient pas des loups, mais des êtres humains, et vous les avez massacrés.

— Nous sommes en guerre.

— Pas forcément. Mais la paix est une notion qui vous échappe.

Je lui ai tourné le dos pour m'en aller, puisque j'avais réussi à lui tirer les vers du nez.

— Hé ! s'est-il écrié. Qu'est-ce qui va m'arriver maintenant ? Qu'est-ce qui va arriver à mes camarades ? Est-ce que vous allez... est-ce que vous allez...

— Vous tuer ?

Il a hoché la tête.

— Vous mériteriez qu'on vous tue, en effet, ai-je admis.

J'ai laissé passer quelques secondes avant d'ajouter :

— Mais nous ne le ferons pas. Nous ne sommes pas des sauvages, nous. Nous respectons la vie.

Herb est sorti de sa cachette derrière le rideau.

— Surtout la vie de ceux qui acceptent de collaborer.

— Et si j'accepte ? a dit le prisonnier.

— Nous déciderons peut-être de vous relâcher.

— Pour quoi faire ? Je ne saurais pas où aller.

— Dans ce cas, nous vous laisserions sans doute vivre ici en homme libre, ai-je ajouté.

Je voyais bien qu'il pesait le pour et le contre.

— Qu'est-ce qui me prouve que vous tiendrez parole si j'accepte de collaborer ?

— Rien, a fait Herb. Mais si j'étais vous... Nous vous avons épargné malgré le massacre que vous avez commis avec vos camarades. Nos médecins vous ont soigné et vous ont sauvé la vie, alors que nous aurions pu vous laisser crever là où nous vous avons trouvé. Voulez-vous prendre le temps d'y réfléchir ?

— Je vous dirai tout ce que vous voulez savoir, a répondu l'homme avec un signe de tête.

— Bien.

Herb m'a entraîné à l'autre bout de la pièce.

— Veux-tu rester ? a-t-il murmuré.

— Ça ne vous ennuie pas que je parte ?

— Tu m'as déjà beaucoup aidé. Tu t'es surpassé. Va retrouver ta petite amie, repose-toi et amuse-toi. En tout cas, pour ce soir. C'est de ton âge.

40

Le lendemain soir, Herb et ma mère ont convoqué le comité chez nous.

Herb était debout à l'avant, face au groupe. Je m'étais assis par terre au fond de la pièce où s'entassaient deux douzaines de personnes qui ne faisaient pas partie du comité. C'étaient des membres importants du quartier et leur présence à la réunion était jugée essentielle.

Tout le monde se faisait une idée plus ou moins juste, mais toujours épouvantable, de ce qui s'était passé à Olde Burnham maintenant que nous avions ramené chez nous les blessés et les survivants. Une peur immense qui frôlait la panique était palpable à chaque coin de rue. On ne parlait que de ça.

— Merci à tous d'être venus, a dit Herb. Pour des raisons évidentes, il y a un seul point à l'ordre du jour. Il nous faut absolument arrêter la rumeur et rétablir les faits, remplacer la panique et la peur par une volonté d'agir et un plan d'action.

Herb parlait calmement, comme toujours, mais j'ai perçu malgré tout une légère défaillance dans sa voix et sa main a tremblé un peu quand il a bu une gorgée d'eau. Il avait pris un sacré coup de vieux. Les deux derniers mois avaient été très éprouvants pour lui.

— Nous avons été confrontés à un ennemi beaucoup plus fort que nous, mieux équipé et mieux armé et, d'après ce que nous avons vu, beaucoup mieux organisé. Nous avons appris, en interrogeant le prisonnier, que cet ennemi regroupe une unité de réservistes sans foi ni loi, d'anciens militaires de carrière dévoyés et tout un assortiment de criminels. Ils sont impitoyables et sans scrupules. Les rumeurs selon lesquelles ils auraient exécuté plusieurs de leurs prisonniers sont justes. Nous savons qu'ils sont au courant de notre existence et qu'ils ont déjà prévu de nous attaquer. Nous sommes dans leur mire.

— Mais capables de nous défendre ! a objecté Howie.

Herb a hoché la tête.

— Pas tant que ça. Nous avons des murs, mais leurs roquettes peuvent les démolir. Nous avons des milices armées, mais ils en ont quatre fois plus. Nous avons des armes, mais les leurs sont plus perfectionnées que les nôtres. Nous ne pourrions pas leur résister.

— Voulez-vous dire que nous devrions nous rendre ? a demandé le juge Roberts.

— Si nous nous rendons, ils nous tueront. Ils n'ont pas eu pitié de la population de Olde Burnham et, d'après ce que m'a dit le prisonnier, ils n'ont épargné aucune des collectivités ni aucun des individus qu'ils ont attaqués. Ils ne nous épargneraient pas non plus.

— Accepteraient-ils de négocier un accord ? a lancé la conseillère Stevens.

— Selon ce que je peux comprendre des révélations du prisonnier, ils n'ont jamais négocié quoi que ce soit avec qui que ce soit, car ils tiennent à jouer sur l'effet de surprise. Ils attaquent de front, écrasent leurs victimes et emportent le butin. En fait de butin, ils convoitent tout ce que nous possédons.

— Si nous ne pouvons ni nous défendre ni négocier, que pouvons-nous faire ? a fait la conseillère en regardant avec dureté toutes les personnes présentes. Faut-il fuir ?

— Une fuite ferait aussi un grand nombre de victimes. Si nous abandonnions notre territoire avant les récoltes, nous n'aurions pas assez de provisions pour survivre à l'hiver.

— Dans ce cas, attendons après les récoltes, a suggéré monsieur Peterson.

— Ils vont lancer une offensive bien avant. Dans deux ou trois semaines, en fait, d'après ce que nous en savons.

Un lourd silence a suivi ces paroles.

— Autrement dit, nous ne pouvons pas rester et nous ne pouvons pas partir, a résumé le juge Roberts. Il doit pourtant y avoir une solution.

— Il y en a une, a dit Herb. Mais une seule. Nous devons les attaquer les premiers.

Herb a accueilli sans bouger et sans dire un mot les éclats de voix, le brouhaha, les questions, les manifestations d'inquiétude, bref, toute l'agitation que ses propos avaient causée.

— Silence, je vous prie, silence ! a ordonné le juge Roberts, en vain.

Brett s'est levé et a crié :

— Taisez-vous à la fin !

Silence immédiat.

— Laissez-le parler, a enchaîné Brett.

Mais Howie lui a damé le pion.

— Si on a moins d'effectifs et moins d'armes, est-ce que ce ne serait pas un suicide de les attaquer ?

— S'ils s'y attendent, oui, a répondu Herb. Mais puisque c'est la dernière chose qu'ils croient possible, nous lancerons une offensive à laquelle ils ne s'attendent pas. Nous miserons sur l'élément de surprise. Et sur Adam.

Tous les regards se sont tournés vers moi.

— On va miser sur un ULM piloté par un ado ? s'est étonné Howie. Ne le prends pas mal, Adam.

Je comprenais parfaitement sa réaction.

— Ne vous en faites pas.

— Avoir quelqu'un là-haut nous procure un avantage stratégique, a affirmé Herb.

— Alors, vous pensez vraiment que nous pourrions gagner si nous attaquions, a conclu le juge.

— Non. Nous n'avons presque aucune chance de gagner.

Une vague d'agitation s'est répandue dans la pièce, que Brett a calmée une fois de plus.

— Écoutez, j'irai volontiers au front si vous me le demandez, a dit le jeune policier, vous le savez. Mais pourquoi nous battre si nous ne pouvons pas gagner ?

— Nous ne gagnerons pas, mais nous ne perdrons pas non plus. Cette bataille déclenchera une guerre pour laquelle j'ai une stratégie en réserve. Mais, pour que ce plan réussisse, j'ai besoin de l'accord et de la participation de vous tous.

— Êtes-vous absolument certain que votre plan peut réussir ? a demandé le juge.

Tout le monde a attendu la réponse de Herb en silence et en retenant son souffle. Elle tenait en un seul mot :

— Oui.

41

J'ai posé mon ULM, roulé sur l'asphalte jusque chez moi, puis je me suis arrêté juste devant ma porte. Herb m'attendait en compagnie de quelques membres du comité. J'ai coupé le moteur. Ils m'ont encerclé avant même que j'aie eu le temps de détacher ma ceinture.

— Les équipes sont en position, ai-je dit.

Ma mère, Howie et Brett dirigeaient chacun une troupe de trente personnes. Depuis le matin, ils s'étaient rendus par petits groupes de deux, trois ou quatre à l'endroit précis où ils devaient ensuite attendre durant le reste de la journée et la nuit.

À la suite de la réunion du comité, nous avions mis toute la semaine à planifier ce moment. Pendant que Rachel et Danny campaient chez les Peterson, nous avions installé chez nous notre quartier général de guerre.

L'offensive aurait lieu à quatre heures le lendemain matin.

— Aucun signe de l'ennemi là-bas ? a fait le juge Roberts.

— Je n'en ai vu aucun s'approcher par les routes principales.

— Bien... bien.

— Ce sont des serpents, a déclaré Herb. Ils ont dévoré l'autre quartier et maintenant ils le digèrent dans leur coin.

— Nous n'avons pratiquement aucun moyen de défense en ce moment, a fait remarquer le juge.

— Nous avons un périmètre de sécurité et des hommes de guet. Personne de l'extérieur ne sait que nos guetteurs ne sont pas bien armés.

— Nous sommes très vulnérables.

— Nous n'avons pas le choix. Il nous faut envoyer au combat le plus grand nombre d'hommes possible si nous voulons frapper l'ennemi avec force et détruire autant d'hommes et d'armements que nous pourrons.

— Et maintenant ? a demandé la conseillère Stevens.

— Les groupes d'évacuation sont-ils tous prêts ? a enchaîné Herb.

— Autant que nous pouvons l'espérer.

Comme d'habitude, Herb avait un plan de secours que personne ne souhaitait devoir mettre à exécution. Le quartier avait été divisé en trente-deux groupes. Chacun de ceux-ci avait reçu de la nourriture, du matériel et de l'équipement dans l'éventualité où il faudrait évacuer les lieux. Herb faisait partie du groupe qui comprenait ma famille et celle de Todd, les Peterson, Howie et les siens, et enfin Brett. Nous étions les mieux armés de tous. Avec un second groupe dirigé par le sergent Evans, nous devions nous rendre à la ferme des Peterson pour tenter de négocier un accord avec ses occupants et, en cas d'échec des négociations, nous la réapproprier.

Aboutir à la ferme signifiait mettre en œuvre le plan d'évacuation que Herb avait proposé au départ et que j'avais fortement contesté. Je me demandais si nous n'aurions pas mieux fait de l'écouter.

— Comment s'est comporté ton avion ? m'a interrogé monsieur Nicholas.

— Il manquait un peu de reprise, mais ça allait. J'avais l'impression de piloter un tank.

Le cockpit, le moteur et le réservoir de l'aéronef avaient été gainés de métal pour mieux les protéger contre les balles. On avait également peint l'avion en gris mat pour qu'il soit moins visible dans les airs.

— Il est plus lent, mais il sera moins vulnérable, a indiqué Herb.

— Sauf si je croise un autre Cessna.

— Est-ce que tu en as aperçu un ? a-t-il demandé, anxieux.

— Non. Le ciel tout entier m'appartient.

— Combien de temps nous faudra-t-il pour nous position-ner ?

— Trente bonnes minutes.

— Dans ce cas, nous partirons à trois heures quinze. Ça nous laissera une marge d'erreur de quinze minutes.

— Entendu. Est-ce que tout est prêt ?

— Je vais m'en assurer, a fait Herb. On dirait que quelqu'un veut te parler.

J'ai fait volte-face. Lori m'attendait un peu à l'écart en s'ef-forçant de se fondre dans le décor. Mais elle était trop belle pour passer inaperçue.

— À plus tard, a lancé Herb en s'éloignant en compagnie des membres du comité.

Lori est venue vers moi.

— Comment tu v...

Elle m'a embrassé. Ce que j'avais commencé à lui dire n'avait plus aucune importance. Rien n'avait plus d'importance.

— Je ne veux pas que tu y ailles, a-t-elle dit.

— Il le faut.

— Je sais.

J'ai cru qu'elle allait pleurer.

— J'aimerais tellement qu'on puisse décoller à bord de ton avion tous les deux, qu'on vole très, très loin et très, très haut, et qu'à notre retour tout soit comme c'était avant cette catastrophe.

— On a tous des rêves, je suppose, ai-je répondu. Un de mes rêves, un très vieux rêve, s'est déjà réalisé.

— Lequel ?

— Je parie que tu le sais.

Elle a ri.

— Je ne pense pas qu'il se soit réalisé exactement comme tu l'avais imaginé.

— Personne n'aurait pu imaginer un tel cauchemar.

— On se réveille d'un cauchemar.

— Espérons-le, ai-je soupiré. Excuse-moi, mais il faut que j'aille préparer l'avion. Tu veux m'accompagner ?

Elle a soupiré à son tour.

— C'est tentant, mais je suis de faction sur le mur. Tant de gens sont partis que je me suis portée volontaire. Promets-moi qu'il ne t'arrivera rien.

— Je ne peux rien te pro...

— Promets-le-moi !

— Je te le promets. Mais si ça tourne mal, tu dois me promettre à ton tour de veiller sur Rachel et Danny. Je veux qu'ils restent avec toi et ta famille.

— Nous les prendrons avec nous, c'est promis.

— Ensuite, nous nous retrouverons à l'endroit convenu. C'est d'accord ?

— C'est d'accord.

Cette fois, c'est moi qui l'ai embrassée.

* * *

Comme un seul homme, Herb et moi avons abaissé en même temps nos jumelles de vision nocturne. Tout est devenu d'un vert phosphorescent et j'ai clairement vu la route. J'ai poussé la manette et nous avons roulé dans le noir, de plus en plus vite, de plus en plus près des gardes dont le feu des lampes de poche marquait la fin de la piste. Je voulais décoller bien avant de les avoir rejoints. J'ai élevé au maximum le régime du moteur et tiré le manche de commande. Brusquement, nous étions dans les airs. J'ai continué d'enfoncer la manette des gaz tout en prenant de l'altitude.

L'avion était lent. Avec ses plaques protectrices en métal, Herb, moi, l'équipement et les armes que nous transportions, son poids était de beaucoup supérieur à la normale.

J'ai entamé un long et lent virage en m'efforçant de percer l'obscurité, mais le ciel était d'un noir d'encre. Si nous avions pu attendre encore une heure pour décoller, il y aurait eu un filet de lumière à l'horizon au lieu de cette obscurité profonde. En bas, notre lotissement avait une allure sépulcrale. Dans la lumière du jour, j'aurais pu distinguer ses plantations d'un beau vert riche, l'eau étincelante des piscines et les centaines de maisons sécuritaires entourées de hauts murs solides. C'était un beau quartier, précieux, fragile et vulnérable. Je ne pouvais pas laisser qui que ce soit le détruire ou détruire ses habitants. Ils étaient maintenant bien plus que de simples voisins. Ils faisaient partie de ma famille.

À mes côtés, Herb restait silencieux. Il était beaucoup moins bavard que d'habitude depuis quelques jours. Il avait été très occupé à mettre au point le moindre détail de son plan, c'est sûr, mais on aurait dit qu'une partie de lui s'absentait même quand il était près de moi. J'aurais eu quelques questions à lui poser, mais je ne voulais pas ajouter à ses soucis. J'essayais sans doute de trouver de bonnes raisons de ne pas le consulter parce que j'appréhendais certaines de ses réponses.

L'obscurité était notre alliée. Dans ce monde où tant de choses jouaient contre nous, c'était rassurant de savoir que la nature était dans notre camp. Et puis, mon ULM avait maintenant une pièce d'équipement fort utile, vissée sur le dessus du tableau de bord : un niveau de menuisier. La petite bulle lumineuse visible dans l'obscurité me servait d'indicateur d'assiette. Si je volais à très basse altitude la nuit, seul cet horizon artificiel pourrait me permettre de corriger une trop grande inclinaison.

Nous grimpions tout doucement, prenant encore de l'altitude.

— Ça va, toi ? a lancé Herb.

— Aussi bien que possible.

Après avoir marqué une pause, j'ai enchaîné :

— Croyez-vous que ça va marcher ?

— Ça marchera certainement mieux que de ne rien faire en attendant qu'ils nous attaquent. Au moins, nous avons une chance de nous en tirer.

— Une bonne chance ?

— Sans doute meilleure que je ne mérite.

— Que voulez-vous dire ?

Herb ne m'a pas répondu.

— Ce n'est vraiment pas le moment de vous taire, ai-je dit.

— Je réfléchis. Écoute, j'aurais dû mourir au moins deux douzaines de fois. Je pense aussi qu'il aurait sans doute été plus juste que je meure compte tenu de tout ce à quoi j'ai été mêlé.

— Je ne comprends pas.

— C'est la loi du karma. On récolte ce qu'on sème : le bien

pour le bien ; le mal pour le mal. Tout le mal que j'ai fait devrait m'être rendu.

— Je suis sûr que vous avez toujours été très correct.

— Non. J'ai parfois mal agi en toute conscience, parce que c'était nécessaire, et j'essayais de me justifier en me disant que je ne faisais qu'obéir aux ordres.

— C'était le cas, non ?

— Le fait d'obéir à des ordres ne rend pas ceux-ci plus justes à mes yeux. Est-ce que tu crois en Dieu ? m'a-t-il demandé à brûle-pourpoint.

— Ouais, je pense.

— Moi, j'ai presque peur d'y croire. J'ai trop souvent enfreint les dix commandements. Si Dieu existe, je mérite son châtiment.

Nous n'avions jamais eu une conversation aussi intime. Je ne voulais surtout pas dire une bêtise.

— Je sais que, si vous n'aviez pas été là, beaucoup des blessés que nous avons trouvés seraient morts.

— Nous verrons combien de temps ils survivront.

Nous nous sommes tus un bon moment. Moi qui, d'habitude, insistais pour que Herb soit parfaitement honnête avec moi, j'aurais apprécié un pieux mensonge et une confidence fictive. Peut-être fallait-il que ça vienne de moi.

— Herb, j'ignore tout de votre passé, mais je vous vois agir maintenant et je sais tout ce que vous avez fait depuis quelques mois. Si vous n'êtes pas mort, il y a sûrement une raison : il faut que vous soyez ici, maintenant, avec nous, pour veiller sur nous.

— C'est une bien jolie hypothèse, mais je n'ai encore sauvé personne. En fait, beaucoup de gens vont mourir cette nuit. On ne tue pas sans raison. Quand j'étais en service, c'était eux ou nous. «Eux», autrement dit, l'empire du mal, ou encore la menace à notre démocratie, à notre mode de vie, à nos idéaux ou à notre survie.

— Cette fois, il s'agit *réellement* d'une menace à notre survie.

— À vrai dire, il s'agit beaucoup plus de la survivance de notre mode de vie et de nos idéaux que de notre simple survie. L'ennemi que nous combattons est ravageur, son but est d'empêcher la civilisation de se reconstruire. Nos actions d'aujourd'hui ne concernent pas que nous. Leur portée est immense et le bien est de notre côté.

Je retrouvais Herb tel qu'il était.

— Et le bien est toujours vainqueur, ai-je dit.

— Pas toujours, mais peut-être cette fois. Je suis vieux, tu sais. J'ai beaucoup vécu. Ce qui peut m'arriver n'est pas très important.

— C'est important pour moi. Pour ma famille aussi. Pour tous les gens du quartier. Alors, je vous demande une faveur.

— Une faveur?

— Ouais. Ne vous éloignez pas trop. Je veux pouvoir veiller sur vous.

Il a ri.

— Ils ne peuvent pas abattre seulement une moitié d'avion. Nous n'avons pas d'autre choix que de veiller l'un sur l'autre.

— Et sur tous les autres. Nous sommes les yeux dans le ciel.

— Combien de temps encore avant que nous survolions notre objectif? a demandé Herb.

— À cette vitesse, pas plus de quinze minutes.

Il était crucial d'arriver juste au bon moment, car si nous étions là trop tôt, l'ennemi saurait que nous venions l'attaquer.

J'ai mis le cap sur le sud et décéléré. Herb avait raison, il ne servait à rien de se presser.

Notre « objectif ». Un mot si aseptisé, si froid, presque inoffensif. Pourtant, ce n'était rien de tout cela. Nous étions sur le point d'investir une troupe comptant quatre fois plus d'hommes que nous, des gens mieux armés, mieux entraînés et impitoyables. Nous nous faufilerions dans leur camp sous le couvert de la nuit pour détruire le plus d'équipement possible, tuer le plus d'hommes possible, et battre en retraite en priant pour qu'ils ne nous déciment pas. Nos chances de réussir étaient minces, mais nous jouions sur l'effet de surprise. Ils ne s'imaginaient certainement pas que nous serions assez cinglés pour les attaquer.

Herb avait dit que leur force était leur plus grande faiblesse et que nous devions l'exploiter. Si nous n'y parvenions pas, beaucoup de gens mourraient. Cela signerait aussi l'arrêt de mort de notre quartier et de presque tous les gens qui y vivaient.

J'avais vu, de mes yeux vu, de quoi ces bourreaux étaient capables.

Comme le disait Herb, il s'agissait de beaucoup plus que notre simple survie. Ces hommes étaient le mal incarné. Il fallait que nous mettions fin à leur barbarie, quitte à y laisser notre peau.

Une lueur a zébré l'horizon, puis une violente explosion a transpercé le silence.

Ça commençait.

42

— Accrochez-vous, ai-je dit. Ça va bouger.

Une lumière vive et les feux de la déflagration ont strié l'horizon sur ma gauche. J'ai viré raide et foncé droit dessus à plein régime.

Une autre explosion s'est produite. Puis une autre, plus massive que la première, a projeté des étincelles haut dans le ciel.

— On dirait que nos gens ont réussi à infiltrer leur système de défense périphérique, a déclaré Herb. Ils ont touché les véhicules et les réservoirs de carburant.

— Est-ce qu'on arrivera à temps ?

— Approche-toi le plus possible et vole juste assez bas pour que je puisse faire un peu de dégâts.

J'ai piqué du nez avant de revenir en vol horizontal à environ quinze mètres d'altitude.

— Parfait. Nous pouvons voler bas, puisqu'ils ne s'attendent pas à une attaque aérienne.

Nous nous approchions rapidement. Aux lueurs des incendies s'ajoutaient celles des coups de feu et celles des phares des voitures en mouvement qui traçaient des arabesques dans le camp.

Herb a posé le sac sur ses genoux. Je savais ce qu'il contenait sans le voir : deux douzaines de grenades et encore une

douzaine de bouteilles explosives remplies d'essence : des cocktails Molotov. Herb avait l'intention de dégoupiller les grenades,
d'allumer les cocktails et de les laisser tomber. Ces bombes
mettraient le feu à tout ce qu'elles toucheraient. C'était un formidable arsenal d'engins explosifs à la condition qu'aucun projectile ne les atteigne avant que Herb les jette, sans quoi nous
serions réduits en cendres sur-le-champ – trop vite, heureusement, pour être conscients de notre mort.

Nous étions si près que le bruit des coups de feu ponctuait
le rugissement du moteur. Des gerbes de projectiles se
déployaient dans les airs hors de notre portée, du moins
l'espérions-nous.

Des flammes jaillissaient dans le ciel presque jusqu'à nous.
Leur éclat illuminait tout, si bien que les silhouettes qui s'en-
fuyaient en courant des véhicules et des bâtiments qui flam-
baient étaient parfaitement visibles. Nous approchions à pleins
gaz, mais on aurait dit que tout se déroulait au ralenti. Son sac
sur les genoux, Herb avait deux grenades dans la main droite. À
un moment donné, il en a lancé une après l'avoir amorcée, puis
il en a lancé une autre, et encore une autre...

La lueur des explosions nous a rejoints avant même qu'on
les entende.

J'ai fait un virage raide en montée en agrippant le manche
à deux mains pour stabiliser mon assiette pendant qu'une autre
explosion nous secouait. Herb jetait toujours ses grenades, et le
bruit des déflagrations successives noyait celui du moteur. Nous
avons laissé derrière nous les lueurs des brasiers pour nous enfoncer dans la nuit profonde qui précède l'aurore.

En jetant un coup d'œil derrière tout en poursuivant mon
virage, j'ai vu se déployer toute la scène : des flammes, des éclats
de lumière, encore et encore du chaos.

— Voulez-vous que je survole le camp encore une fois ? ai-
je demandé.

— Non. Continue à plein régime et à haute altitude. Je
veux que tu te rendes au bout de la route, là-bas. Est-ce que tu
vois les lumières ?

— Il y en a beaucoup.

— Ce sont les phares des véhicules qui roulent dans
Burnham Road. Les leurs. Ils pourchassent nos équipes.

— Où sont-elles ?

— Quelque part devant eux. Ils dévalent la route ou ils
courent à toutes jambes pour réussir à se cacher dans les maisons des environs. Fonce sur ces phares. Je veux les rattraper
avant que l'ennemi n'atteigne la première zone d'embuscade.

C'était aussi mon intention. J'ai mis l'avion en virage. Si
nous pouvions les stopper net, ils ne pourraient pas pourchasser nos gens ni se rendre à l'endroit où ma mère et son équipe
se tenaient en embuscade. Todd était du groupe. Leur position
avait pour but de protéger le repli du groupe d'attaque sous le
commandement de Brett. J'imaginais Brett en train de jouer les
super-héros. J'étais content qu'il soit de notre côté.

En achevant mon virage, j'ai vu le camp ennemi sur ma
gauche, avec ses douzaines de véhicules et d'édifices en
flammes.

— Approche-toi des véhicules lentement et à basse altitude, a dit Herb. Les conducteurs seront concentrés sur leur
chasse à l'homme et ils ne s'attendront pas à ce qu'on les attaque par-derrière du haut des airs.

J'ai remis l'avion en palier dès que j'ai survolé la route. Il y
avait sept ou huit véhicules dans la distance. J'avais beau voler à
plein régime, notre charge supplémentaire nous ralentissait et
je n'approchais pas très vite du but.

— Est-ce qu'ils vont bientôt atteindre l'embuscade ? ai-je demandé à Herb.

— Oui. Elle est à moins de trois kilomètres.

Nous arriverions avant. Nous approchions du dernier camion du convoi. Il suffirait aux conducteurs de tourner la tête pour nous voir. Nous serions une cible facile. Mobile, mais facile. J'espérais de toutes mes forces que Herb avait eu raison de miser sur l'élément de surprise.

J'ai cabré l'avion pour gagner de l'altitude, et cela m'a fait perdre de la vitesse. De toute façon, c'est ce que Herb souhaitait. L'altimètre indiquait vingt-deux mètres.

J'ai aperçu un minuscule éclat de lumière à côté de moi. À l'abri derrière une petite boîte de carton qui lui servait de pare-brise, Herb allumait la mèche de trois cocktails Molotov avec un briquet. Nous n'étions plus invisibles dans le ciel noir.

— Serre-les de plus près.

J'ai poussé le manche de commande pour descendre jusqu'à frôler le dernier camion et ajusté ma vitesse à la sienne. Herb a laissé tomber le cocktail pendant que je cabrais l'ULM à plein régime et que la lumière vive de l'explosion qui se produisait derrière nous enveloppait. Nous avons poursuivi notre trajectoire en survolant un deuxième, puis un troisième camion pendant que Herb jetait deux autres bouteilles explosives et deux grenades au sol. L'avion a aussitôt été balloté et secoué par les déflagrations et les ondes de choc.

Les feux arrière des deux camions en tête du convoi ont brillé quand les conducteurs ont freiné d'un coup sec. Les trois voitures qui les suivaient les ont emboutis. En dépassant le premier des camions, je n'ai pas pu éviter le faisceau de ses phares. J'ai fait une remontée aussi rapide que possible pour sortir de la lumière et mis les gaz.

Herb a allumé un autre cocktail Molotov qu'il a laissé tomber sur le côté de la carlingue. Je l'ai imaginé qui explosait en touchant la chaussée en bas.

— Je veux qu'ils y pensent à deux fois avant d'aller plus loin, a dit Herb.

Il a enflammé une autre bouteille et l'a laissée tomber aussitôt.

— Repasse au-dessus une dernière fois, a-t-il enchaîné. Puisqu'ils s'attendent sûrement à ce qu'on les aborde de front, on attaquera leur flanc.

Brusque virage à droite. J'ai pensé, sans en être absolument sûr, qu'ils m'avaient vu effectuer cette manœuvre. Si c'était le cas, ils penseraient que j'arriverais du côté nord. J'avais l'intention de les décevoir. Herb avait dit « leur flanc » sans préciser lequel. J'ai resserré mon virage. J'envisageais de tracer une longue ellipse autour d'eux et de les aborder par le sud. Il y avait plusieurs sources lumineuses au sol dont deux provenaient des cocktails Molotov que Herb venait de jeter. Les autres devaient être des camions en flammes. Je ne distinguais plus de phares. Les conducteurs avaient enfin compris qu'il valait sans doute mieux les éteindre, mais, grâce à mes jumelles de vision nocturne, je distinguais la silhouette des véhicules en marche...

Mais, oh ! ils battaient en retraite !

— Ils fuient ! me suis-je écrié.

— Ils n'ont pas le courage de se battre pour vrai, a lancé Herb. Vas-y. On va les achever.

Ils roulaient vite. Il m'a fallu calculer ma vitesse pour compenser la leur. J'ai incliné davantage l'appareil et visé un point d'intersection devant où il me serait possible de les intercepter. Au loin, leur camp n'était plus que feu, fumée et gerbes d'étincelles.

— Ils seront presque de retour à leur camp quand je vais les rattraper, ai-je dit.

— Excellent. Ils vont croire qu'ils sont hors de danger et relâcher leur garde. Nous allons leur montrer qu'ils ont tort. Je vais leur balancer tout ce qui me reste de cocktails Molotov et de grenades. Ça fera une fichue explosion. Descends le plus possible. Je ne tiens pas à rater ma cible.

— Plus je les serre de près, plus ils risquent de nous voir.

— Mais je *veux* qu'ils nous voient. Ils savent que nous avons un ULM. Je veux qu'ils sachent que c'est bien nous qui les avons pris d'assaut.

— Je peux descendre assez bas pour que vous n'ayez plus qu'à remettre votre sac à quelqu'un, si vous préférez.

— N'exagère pas. Mais j'aimerais tout de même le laisser tomber sur le toit d'un des véhicules de tête du convoi.

J'ai opiné du chef. J'obéirais à Herb même si ça devait être la dernière chose que nous ferions. Mais j'ai alors réalisé que ça *pouvait* effectivement être la dernière chose que nous fe-rions. Nous étions sur le point de bombarder en piqué un convoi d'hommes lourdement armés qui, conscients de notre présence au-dessus d'eux, devaient sûrement scruter le ciel. Il fallait que je chasse cette pensée et que je me concentre sur ce que j'avais à faire. Il était trop facile de se tuer en pilotant un ULM en pleine nuit pour qu'en plus j'aie peur qu'on nous tire dessus.

Je volais très haut, au sud du convoi. Ils roulaient sans phares, mais je voyais quand même leur sombre silhouette se détacher contre la chaussée noire. Je devais me dire que, si moi je les voyais, ils pouvaient certes me voir aussi.

J'avais l'intention d'intercepter le premier camion en l'abordant de côté vers mes deux heures, puis de le survoler de très près avant de disparaître derrière la rangée de maisons du côté nord avant qu'ils aient eu le temps de réagir et de faire feu.

— Dans moins de vingt secondes, ai-je prévenu Herb.

— Je suis prêt.

Le sac sur les genoux, il se tenait prêt à dégoupiller la grenade qu'il avait à la main.

— Je vais me positionner légèrement de côté pour vous donner une cible.

J'ai inspiré profondément.

— On y va.

J'ai poussé le manche de commande. Nous avons piqué vers le sol et les camions qui roulaient à vive allure. Est-ce que j'atteindrais la route avant eux ou me précéderaient-ils à l'endroit où il fallait que je les intercepte ? J'ai ajusté ma vitesse en fonction de la leur et... éclairs de canons, ruade de l'avion : ils nous tiraient dessus ! J'ai résisté à l'envie de remonter en vitesse ou de dévier de ma trajectoire malgré les tirs nourris qui ont suivi.

— Larguons les bombes ! a crié Herb en dégoupillant la grenade.

Il l'a vite replacée dans le sac, et il a laissé tomber ce dernier. Nous longions le deuxième camion du convoi et je tirais le manche vers moi pour entamer ma remontée quand il y a eu une explosion. L'avion a fait une embardée et une soudaine vague de chaleur nous a enveloppés. J'ai dû forcer pour stabiliser l'assiette de l'appareil. Il a failli décrocher en raison du roulis et, pendant une seconde, mes mains ont lâché le manche, mais je l'ai vite rattrapé, tiré de toutes mes forces et repris le contrôle de mon assiette.

Après un palier de quelques secondes, j'ai entamé une remontée. L'avion a été lent à réagir. Il semblait lourd quand il aurait dû être léger maintenant que Herb avait largué ses bombes qui pesaient une tonne.

Mais c'était sans importance. J'aimais mieux remonter lentement que m'écraser très vite.

— Ça, c'était l'onde de choc, a dit Herb. Tu devrais voir ce que je vois. Le milieu du convoi est détruit. Les camions se sont désintégrés sous la force de l'impact.

— J'aurais aimé voir ça.

— Il y a des gens en bas qui préféreraient n'avoir rien vu. Les survivants ne l'oublieront pas de sitôt. Ils ne nous oublieront pas non plus, ni ton ULM.

— C'est une bonne chose, non ?

— Il faut parfois taquiner le tigre du bout d'un bâton pour l'obliger à obéir. Si on ne peut pas éviter de se battre, il vaut mieux décider soi-même du lieu et de l'heure du combat – surtout quand l'adversaire ignore tout de notre décision. Nous venons de montrer à l'ennemi la voie à suivre. Maintenant, rentrons à la maison.

— Inutile de me le dire deux fois, ai-je répondu en rectifiant le cap. Tout ce que je souhaite, c'est atterrir sain et sauf.

— Comment se comporte l'ULM ? a lancé Herb.

Drôle de question... Pourquoi me demandait-il ça ?

— Ça va. Il est un peu lent à réagir. Pourquoi ?

— Je me demandais si la queue de l'avion était importante dans les virages et dans l'atterrissage.

— Elle l'est, mais... est-ce que c'est grave ?

— Il en reste encore un peu.

J'ai essayé de voir ce qui en avait été arraché, mais l'obscurité et une partie des renforts en métal m'en ont empêché. De toute façon, dans les circonstances, il fallait surtout que je me concentre sur la manœuvre.

J'ai mis l'avion en palier, puisque notre altitude était suffisante. J'atteignais presque Burnham Road, où de longs tronçons de route avaient été dégagés. Je me suis dit que je devrais sans doute me poser dès que possible. Et puis, non. Si nous nous écrasions, il valait mieux le faire à proximité de la clinique du docteur Morgan.

— Demandez-leur par radio d'allumer les lumières du périmètre, ai-je dit.

J'étais certain que Danny et Rachel m'attendraient à l'arrivée. Lori également. J'avais hâte de rentrer chez moi, de me coucher dans mon lit et de dormir pendant plusieurs jours. Est-ce que je pouvais compter dormir pendant plusieurs jours ?

— Combien de temps avant qu'ils ripostent, d'après vous ? ai-je demandé.

— Ils seraient capables de riposter dès demain matin. On ne les a pas ratés. Ils vont vouloir revenir contre nous. En ce qui me concerne, le plus tôt sera le mieux.

— Est-ce qu'on est prêts à leur résister ?

— On verra bien.

Je n'ai pas pu m'empêcher de sourire malgré tout en voyant s'allumer au loin les lumières de Noël.

— Joyeux Noël, Herb, ai-je dit en les montrant du doigt.

— Joyeux Noël, Adam, a-t-il répondu dans un rire. Je pense qu'on a déjà reçu une partie de nos cadeaux.

43

Après avoir dormi quelques heures, je me suis levé en songeant à la journée qui commençait. Les gens de la ville seraient-ils capables de planifier une contre-attaque aussi vite que le pensait Herb? Le quartier était fébrile. Nous avions tous échappé aux tirs de l'ennemi, et voilà qu'il recommencerait son attaque. Les gens parlaient trop vite et posaient trop de questions. J'avais besoin qu'on me laisse seul, et c'est la raison pour laquelle j'étais content d'être sorti du quartier.

Il ne fallait que cinq minutes de voiture pour se rendre du lotissement jusqu'au pont. J'étais heureux que Lori m'accompagne. Heureux aussi qu'une carabine repose sur la banquette arrière et reconnaissant de rouler sur le plancher des vaches. Poser au sol un avion endommagé avait été difficile. Non, plus que ça: ça avait été terrifiant. Le vieux dicton ne mentait pas: tout atterrissage dont on sort indemne est un atterrissage réussi. Puisque la queue de l'appareil avait été arrachée à moitié, l'atterrissage avait été trop brusque et j'avais endommagé le train. Monsieur Nicholas m'avait promis que l'avion serait réparé et prêt à décoller à midi.

Un frisson m'a parcouru des pieds à la tête quand Lori a pris ma main. Je ne lui avais pas encore décrit l'assaut en détail, et elle avait eu la délicatesse de ne pas me poser de questions. Je préférais toujours réfléchir à ce que je lui dirais avant de me confier à elle. Il me semblait qu'elle avait trop de soucis en ce moment pour que je l'accable avec ce que j'avais vu, ce que j'avais fait et la chance que j'avais eue d'échapper aux tirs de l'ennemi.

Nous nous efforcions tous en quelque sorte d'échapper à ses tirs... et à ses roquettes, car ce serait son arme de prédilection. S'il ripostait, ou plutôt *quand* il riposterait, il serait féroce, cruel, impitoyable. Nous n'aurions pas beaucoup de temps pour nous enfuir et peu d'endroits où nous cacher.

Herb avait préparé une petite maison abandonnée à un peu moins de deux kilomètres au nord. Il en avait condamné le garage et y avait mis un camion en état de rouler, des munitions, des armes, du carburant et des provisions de bouche. Personne d'autre n'était au courant à part ma mère et moi. Je n'en avais même pas parlé à Lori, car ce n'était pas nécessaire tant que nous n'avions pas à nous y réfugier. Si c'était le cas, une fois le calme revenu, nous passerions ensuite à l'étape suivante qui consistait à tenter de reprendre possession de la ferme de ses parents.

Il n'était pas question d'abandonner le quartier à son sort. Nous y resterions pour nous battre et pour le protéger, mais si nous étions forcés de fuir, si nous étions terrassés, cette maison sûre serait notre première escale. Herb n'ignorait pas que, si l'ennemi faisait des prisonniers, ceux-ci ne mettraient pas longtemps à tout lui dire. Les troupes de la ville voudraient mettre la main sur nos dirigeants pour les exécuter. Ils chercheraient aussi le pilote de l'ULM. J'étais ciblé.

Nos troupes à nous avaient bloqué Burnham à la hauteur du pont et fermé celui-ci aux deux extrémités de façon à ce qu'absolument personne – aucun individu et aucun véhicule hormis ceux du quartier – ne puisse emprunter ce tronçon.

J'ai ralenti à l'approche du barrage. Une douzaine de véhicules étaient garés sur l'accotement et deux douzaines d'hommes armés gardaient la barricade, qui consistait en cinq ou six voitures renversées sur le côté et placées en travers du tablier du pont.

— Voilà ta mère avec Herb, a dit Lori.

Nous sommes sortis de la voiture pour aller vers eux.

— J'espérais te voir là-haut, a fait Herb en levant un doigt vers le ciel.

— Ils sont en train de réparer l'appareil. Monsieur Nicholas a dit qu'ils en auraient fini vers midi.

— Personnellement, a déclaré ma mère, je suis plus tran-quille quand mon fils est au sol plutôt que dans les airs.

— Moi aussi, a ajouté Lori en serrant ma main.

— C'est mieux pour tout le monde qu'il soit là-haut, a affir-mé Herb, pour surveiller l'arrivée de l'ennemi.

— Croyez-vous possible qu'ils renoncent ?

— Ils ne renonceront pas. Ce n'est qu'une question de temps.

— Nous leur avons peut-être causé assez de dommages pour qu'ils ne puissent pas nous attaquer, ai-je suggéré.

— Nous ne les avons pas mis hors de combat. Ils ont en-core des centaines d'hommes et assez de véhicules pour se rendre jusqu'ici.

Nous dénombrions quant à nous quatre victimes, deux bles-sés et trois personnes portées disparues et présumées mortes.

— Espérons qu'ils ne viendront pas aujourd'hui, a lancé Lori.

— Plus il attendront, a répliqué Herb en hochant la tête, plus ils seront capables de renforcer leurs effectifs. Il faut sou-haiter que, s'ils ne riposent pas aujourd'hui, nous réussirons à les pousser à attaquer demain.

— Comment ? ai-je demandé, déjà terrifié à l'idée de sa réponse.

— Nous positionnerons des tireurs isolés sur le périmètre de leur camp pour surprendre leurs hommes, et nous lancerons encore quelques petites bombes sur eux. Es-tu prêt pour une autre campagne ?

— Je ferai ce qu'il faut.

— Est-ce qu'il ne serait pas préférable d'éviter qu'ils nous attaquent ? a fait Lori.

— Nous savons qu'ils vont riposter, lui ai-je expliqué. Et c'est pour ça que nous voulons décider où et quand ils le feront. Il ne faut pas qu'ils attaquent notre quartier quand bon leur semblera, mais qu'ils viennent ici sur le pont, où nous les attendrons.

— Et s'ils décidaient de prendre un autre chemin ?

— Il n'y a que trois trajets possibles. Par ici, par le nord le long de la 403, et par Dundas. Trois chemins, trois ponts au-dessus de la rivière. Nous sommes prêts aux trois éventualités, mais ce chemin est le plus direct de tous, et ils n'ont l'air d'aimer les détours.

J'ai regardé par-dessus les voitures renversées de notre côté du pont. La route étroite était jonchée de carcasses de voitures disposées de façon à ralentir les véhicules qui appro-chaient. Brett n'était pas en vue. Je me suis demandé s'il était là ou en patrouille. Il n'aimait pas être de faction même ailleurs que sur le mur de sécurité.

J'avais entendu parler de ce qu'il avait fait la veille. Il avait guidé ses hommes jusqu'à l'intérieur du camp ennemi, mis le feu à des douzaines de véhicules, tué des hommes et ramené ses troupes en sécurité avec un minimum de pertes de vies humaines.

— Tu devrais sans doute rentrer et t'assurer que les répa-rations de ton avion...

Le récepteur radio a eu un bruit de friture, puis une voix agitée a crié:

— Ils arrivent! Ils arrivent!

Herb, Lori et moi avons sauté dans ma voiture pour revenir en toute hâte chez moi où monsieur Nicholas achevait de réparer la queue de l'ULM. Nous avons couru vers lui pendant que Herb lui criait qu'il fallait décoller sur-le-champ.

J'ai tiré des deux mains sur la queue de l'avion. L'appareil a roulé dans ma direction, et la nouvelle section du fuselage est restée parfaitement en place.

— Ça va ? a demandé Herb.

— Je le pense. Mais je ne le saurai pas tant que nous ne serons pas en vol. Je devrais sans doute faire un vol d'essai tout seul.

— Nous n'en avons pas le temps, a-t-il objecté. De toute façon, j'étais là-haut avec toi quand il manquait une partie de ton avion. Ça ne peut pas être pire.

Je suis monté à bord. Herb a pris place à côté de moi et a posé sur ses genoux un nouveau sac de toile plein de grenades et de cocktails Molotov. Les bouteilles explosives sont faciles à fabriquer, mais je me suis demandé combien de grenades il avait en réserve dans son sous-sol et combien il pouvait bien lui en rester. Mais, au fond, si nous rations notre coup, la réponse importerait peu.

J'ai démarré le moteur et l'ai fait tourner à plein régime pour en sentir les vibrations. L'appareil tremblait, bien sûr, mais pas plus qu'en temps normal. Je ressentais le même trac que lors de mon premier vol en solo.

— Il faut décoller, a insisté Herb. Nous n'avons pas beaucoup de temps.

— Où sont-ils ?

— On vient de m'annoncer qu'ils ont quitté leur base. Ils
ont mis du temps à organiser leur convoi.

Pour nous relayer des messages jusqu'ici, Herb avait posi-
tionné à intervalles réguliers des éclaireurs munis de talkies-
walkies.

— Il ne nous reste plus qu'à souhaiter qu'ils viennent par
ici, a dit Herb.

Ce n'était pas ce que je souhaitais. J'ai relâché le frein et
nous nous sommes mis en route. Personne n'était là pour assister au décollage. Presque tout le monde était en patrouille sur
les murs ou sur le pont. Les personnes âgées, les jeunes enfants
et les gens qui n'avaient pas d'armes étaient déjà en route vers
des refuges sécuritaires. Ces plans d'urgence en avaient porté
certains à conclure que nous étions sûrs de perdre, mais il valait
mieux mettre ces personnes à l'abri au cas où nous ne pourrions
pas refouler l'ennemi au pont. Lori devait partir bientôt avec sa
mère et emmener aussi Danny et Rachel.

L'ULM a dévalé la piste avec un bruit et des vibrations
d'enfer jusqu'à ce que le train décolle du bitume et que nous
prenions notre envol. J'ai tiré le manche en douceur et
nous avons grimpé lentement. Il y avait des pylônes droit devant, dont les inutiles lignes à haute tension représentaient
encore un danger pour mon appareil. Je les ai évitées en volant juste au-dessous, puis j'ai effectué un lent virage sur
l'aile vers l'est.

— L'avion se comporte bien ? a demandé Herb.

— Ça va. Je ne lui en demanderai pas trop. En tout cas, pas
tout de suite. Combien sont-ils ?

— On a compté plus de trente véhicules, m'a-t-on dit. Ils pourraient être cinq cents.

— On n'en a pas tué autant qu'on l'avait cru, dans ce cas.

— Si, si, on a fait beaucoup de dommages. Il y a des fois où les gens sont très faciles à exterminer et d'autres fois où leur remarquable capacité de résistance fait qu'ils ne se laissent pas supprimer facilement. Nous ferons mieux cette fois-ci.

Quel curieux sujet de conversation : nous exprimions l'espoir de tuer le plus de gens possible.

J'ai poussé la manette pour augmenter progressivement la puissance en surveillant de près la réaction de l'avion. Il vibrait un peu plus que de coutume, mais pas assez pour que je m'en inquiète.

— Peux-tu accélérer ? a demandé Herb. Il faut être là-bas au plus tôt.

C'en était fait de l'accélération que je voulais graduelle. J'ai mis pleins gaz. Le moteur a rugi.

— Ce serait bien aussi de prendre de l'altitude. Ils vont nous chercher. S'ils nous voient, ils ne vont pas se gêner pour nous mitrailler.

— Je peux grimper aussi haut que vous voudrez.

— Continue.

Burnham était en bas à droite ; c'était parfait pour Herb qui scrutait le lointain avec ses jumelles. Dundas était plus au sud. Je voyais la route, mais je n'y distinguais aucun mouvement.

— Qu'est-ce qu'on fait s'ils décident de venir par la 403 ou par Dundas ? ai-je demandé.

— Je ne pense pas qu'ils le feront, mais nous serons prêts du moment qu'on le sait.

— On ne peut pas voir les trois routes d'ici.

— On sait qu'ils se sont engagés dans Burnham Road et combien de véhicules ont quitté leur base. Je compterai les camions du convoi dès qu'ils seront dans mon champ de vision.

— Vous voulez dire qu'ils pourraient s'être divisés ?

— D'après moi, non. Ils vont venir tous ensemble par Burnham. Ils n'ont pas exactement fait preuve de subtilité jusqu'à présent. Ils se fient à la force du nombre et je ne pense pas qu'ils tiennent à la diluer en multipliant les formations.

Nous volions à plus de quatre cent cinquante mètres et nous grimpions encore. Burnham Road n'était plus qu'une fine ligne noire très loin au sol.

— Je les vois ! s'est écrié Herb.

— Est-ce qu'ils y sont tous ?

— Je suis en train de les compter, a-t-il répondu, ses jumelles sur le nez.

Je ne distinguais pour ma part qu'une file de véhicules qui se déplaçaient vers l'ouest.

— Il y en a vingt-six ou vingt-sept.

— Ils n'étaient pas censés être plus de trente ? Vous en voyez ailleurs ?

— Ils sont peut-être en peu en retard sur les autres. Ce n'est pas toujours facile pour les véhicules d'un convoi de se déplacer au même rythme. Mais il faudrait qu'ils arrivent au pont le plus possible regroupés. C'est là que nous entrerons en jeu.

— Allons-nous les attaquer ?

— Ce serait du suicide. Je veux seulement attirer leur attention et ralentir leur avancée.

J'ai effectué un virage incliné à droite jusqu'à me placer directement au-dessus de Burnham. Nous nous approchions d'eux par-derrière.

— Voilà les autres, a dit Herb. Ils ne sont pas loin. Continue, maintiens ton altitude et dépasse-les. Je veux qu'ils soient
derrière nous.

Nous avons rapidement dépassé les camions retardataires
et nous nous sommes rapprochés du gros du convoi.

— Pensez-vous qu'ils peuvent nous voir ? ai-je demandé.

— Sans doute. Mais tu peux être sûr que je ferai de mon
mieux pour attirer leur attention.

Ça ne me plaisait pas du tout.

— Maintiens ton altitude et, dès qu'on les précédera, pique
du nez. Je veux que tu survoles la route en rase-mottes.

J'ai rejoint le gros du convoi tout en bas, en formation serrée, survolé les véhicules l'un après l'autre jusqu'au camion de
tête, et poursuivi ma trajectoire. Quand il y a eu une distance
suffisante entre moi et eux, j'ai entamé ma descente en accélé-
rant, et nous avons rapidement perdu de l'altitude. La route fonçait vers nous.

— Jusqu'où ?

— Le plus bas possible.

À dix mètres du sol, je me suis mis en palier.

— Ralentis, m'a enjoint Herb. C'est plus difficile si tu voles
vite.

J'ai relâché les gaz. La route était jonchée de véhicules
abandonnés.

Deux cocktails Molotov que Herb avait déjà sortis de son
sac se balançaient sur ses genoux. Caché derrière son petit
pare-brise maison, il a allumé la première mèche et a laissé
tomber la bouteille à côté de la carlingue.

— Touché ! s'est-il écrié.

— Quoi ?

— Une voiture abandonnée.

Il a laissé tomber la deuxième bouteille.

— Cette fois, c'est raté.

Il a jeté ses petites bombes encore et encore de l'ULM.

— J'espère que ça les ralentira assez pour qu'ils se regroupent.

J'ai effectué une remontée et pris de l'altitude. Au loin, j'apercevais le pont et son barrage de véhicules renversés entre lesquels avaient été répandus des briques, des pierres et des bouts de bois plantés de clous qui avaient pour but de crever les pneus. Juste avant notre offensive, des fils électriques et des câbles, dont certains étaient piégés, avaient aussi été tendus entre les poutres de la charpente. Nous nous demandions si cela suffirait à les arrêter ou même à simplement ralentir leur allure.

L'autre extrémité du pont est devenue visible. Elle aussi était bloquée par un barrage encore plus haut de véhicules renversés, tandis que des troncs d'arbres empilés entre les poutres formaient un rempart solide. J'ai salué de la main les gens qui se trouvaient en bas et ils ont répondu à mon salut. Je savais que ma mère était là, mais je ne parvenais pas à reconnaître sa silhouette. Des gardes, des guetteurs et des tireurs isolés, disséminés sur les berges, se tenaient prêts à ouvrir le feu sur le convoi. Si le convoi forçait la barricade et franchissait le pont, seule une route dégagée les séparerait de notre périmètre de sécurité. Si nous ne les arrêtions pas ici, rien ne les arrêterait.

J'ai viré raide sur l'aile, accéléré et pris encore de l'altitude.

— Croyez-vous qu'ils sont prêts, en bas ? ai-je lancé.

— Il le faut.

— J'aimerais m'en assurer.

C'était impossible. Si nous nous servions des talkies-walkies, quelqu'un d'autre pourrait intercepter la communication et entendre notre conversation. L'effet de surprise était pratiquement notre seule arme.

— Fais un très grand virage, a ordonné Herb. Je veux revenir vers eux par la vallée juste au moment où ils entreront sur le pont.

J'ai incliné à gauche tout en continuant de grimper à pleins gaz.

À mesure que nous prenions de l'altitude, notre quartier devenait visible au loin.

Eden Mills était sans doute ce qui ressemblait le plus à un véritable éden depuis la catastrophe. Est-ce que ce paradis existerait encore dans quelques heures ou aurait-il été rayé de la carte ?

Mon virage terminé, j'ai vu le pont devant, mais pas la route.

— Vous les voyez ? ai-je demandé à Herb.

Il scrutait le sol avec ses jumelles.

— Pas encore. Mon champ de vision est encore bloqué, si bien que...

Un camion a chargé la barricade, des voitures et des troncs d'arbres ont volé dans les airs. Un deuxième camion a imité le premier, puis un troisième. Ils brûlaient le pavé dans un grand vacarme, repoussaient au passage les véhicules abandonnés et butaient contre les pierres et les autres obstacles répandus sur le tablier du pont.

— Nous ne les avons pas arrêtés ! ai-je crié.

— Mais nous les avons ralentis. Approche-toi du camion de tête.

Je n'ai pas eu une seconde d'hésitation. J'ai piqué du nez, actionné la gouverne latérale gauche et visé l'endroit où se trouverait le camion quand j'atteindrais le pont. Mais si rien ne ralentissait sa course, il aurait franchi le pont avant que j'arrive là.

J'ai ouvert à fond la manette des gaz. Nous foncions vers le pont en piqué comme un bombardier. De plus en plus de véhicules s'engageaient sur le tablier du pont. Il y en avait déjà une bonne douzaine tandis que les autres les suivaient à quelques secondes d'intervalle.

Il y a eu des éclairs de canon. Ils avaient ouvert le feu.

J'ai piqué du nez.

— Reste en palier! a crié Herb. Il faut que je puisse tirer!

Il a épaulé, visé le camion de tête et tiré plusieurs coups de suite. À chaque fois, j'ai ressenti le contrecoup. J'ai décéléré pour pouvoir rétablir mon assiette. Il fallait que j'ajuste ma vitesse. Mais, soudain, j'ai su que nous avions été touchés. Je me suis démené comme un beau diable pour garder le contrôle de l'appareil, mais il s'est mis à déraper.

Il y a eu une explosion. Le camion de tête a été englouti par les flammes. Il avait sans doute touché un câble piégé. Il obstruait la voie, mais le véhicule qui le suivait ne s'est pas arrêté. Il s'est jeté sur le camion en flammes, l'envoyant percuter le garde-fou et basculer par-dessus le parapet. Le deuxième camion a poursuivi sa lancée, suivi d'un troisième. Des éclairs de canons ont embrasé la crête de la falaise: nos hommes tiraient sur eux.

— Allez-y, leur ai-je hurlé. Ils sont tous là, sur le pont. Qu'est-ce que vous attendez?

Presque arrivé à l'autre bout de la structure, le camion de tête fonçait sur la seconde barricade quand une violente explosion s'est produite, puis une deuxième et enfin une troisième. Le pont a vacillé et l'ULM a été projeté vers le haut par trois ondes de choc successives pendant que je m'efforçais à deux mains de le contrôler. Un des piliers massifs du pont s'est désintégré. Le tablier s'est gauchi, puis il a littéralement fondu et est tombé dans la vallée en emportant avec lui le camion de tête et celui qui le suivait.

Tout s'est déroulé au ralenti. Le gauchissement de l'étroit ruban noir de la chaussée, l'écroulement du pont, l'affaissement de la structure, la chute en vrille des camions qui piquaient du nez.

J'ai pris de l'altitude et nous avons franchi l'endroit exact qu'occupait le pont une minute plus tôt. Il n'y était plus. Il n'y avait plus rien. Je volais comme un oiseau quand une autre onde de choc nous a propulsés en hauteur et de côté. J'ai dû tirer le manche de toutes mes forces pour garder le contrôle de l'appareil pendant que les explosions continuaient de nous secouer.

Puis tout s'est calmé, et j'ai mis l'avion en palier dans un ciel d'un bleu limpide. En regardant par-dessus mon épaule, je n'ai vu rien d'autre que d'immenses nuages de poussière et de fumée, et constaté avec joie que, cette fois, l'arrière du fuselage était intact.

— Les charges ont détruit le pont ! me suis-je écrié. Ça a fonctionné !

J'ai fait un brusque virage sur l'aile gauche et décéléré pour resserrer mon ellipse. Nous avons grimpé au-dessus de la berge. J'ai aperçu au loin la lisière de notre lotissement. Je savais une chose que mon frère et ma sœur, Lori et sa famille, et presque toutes les personnes que j'aimais le plus au monde et qui nous attendaient derrière nos murs ignoraient encore : nous étions sauvés.

J'ai vite changé de cap pour me replacer face au pont, ou plutôt face à l'endroit où il s'était dressé jusqu'à présent.

À sa place, une extraordinaire volute de poussière et de fumée s'élevait haut dans le ciel. Deux titanesques piliers en béton, encore debout et visibles à travers cette brume, ne supportaient plus rien. Le reste de la structure s'était écroulée, elle avait été réduite en poussière par la force d'impact des charges explosives dont on l'avait bardée.

— Il n'y a plus de pont, ai-je dit, le souffle coupé.

— Et plus personne dessus.

En essayant de voir à travers le nuage de débris, j'ai discerné les carcasses disloquées des véhicules, les camions entassés dans le lit de la vallée ou à moitié submergés dans l'eau de la rivière. Ils n'avaient pas l'air vrais. On aurait dit de petits camions jouets. Des douzaines de camions, des centaines d'hommes et leurs armes gisaient ainsi au fond de la vallée, démembrés, écrasés, morts. Ils ne pouvaient plus nous faire de mal.

— Nous sommes saufs.

— Nous sommes saufs, a répété Herb. Du moins, pour aujourd'hui.

FIN

Suivez-nous sur le Web

RECTOVERSO-EDITEUR.COM

FACEBOOK.COM/EDITIONSRECTOVERSO

Achevé d'imprimer au Canada